DU MÊME AUTEUR

Aux Éditions Gallimard

HEUREUX COMME DIEU EN FRANCE, 2002. Prix Terre de France – La Vie, 2002 (Folio n° 4019).

LA MALÉDICTION D'EDGAR, 2005 (Folio n° 4417).

UNE EXÉCUTION ORDINAIRE, 2007 (Folio n° 4693).

L'INSOMNIE DES ÉTOILES, 2010 (Folio n° 5387).

AVENUE DES GÉANTS, 2012. Prix des lycéennes de *Elle*, 2013 (Folio n° 5647 et Écoutez lire).

LES VITAMINES DU SOLEIL (nouvelle extraite du recueil *En bas, les nuages*, Folio 2 €, 2015).

TRILOGIE DE L'EMPRISE :

L'EMPRISE, 2014. Prix du Roman-News, 2014 (Folio n° 5925).

QUINQUENNAT, 2015 (Folio n° 6099).

ULTIME PARTIE, 2016 (Folio n° 6276).

Aux Éditions Gallimard Loisirs

SOUSS MASSA DRÂA. L'étoile du Sud marocain (avec les photographies de Thomas Goisque), 2005.

Aux Éditions Flammarion

EN BAS, LES NUAGES, 2008 (Folio n° 5108).

Chez d'autres éditeurs

LA CHAMBRE DES OFFICIERS, Éditions J.- C. Lattès, 1998 (Pocket).

CAMPAGNE ANGLAISE, Éditions J.-C. Lattès, 2000 (Pocket).

L'HOMME NU. Le livre noir de la révolution numérique, Éditions Plon / Robert Laffont, 2016.

ILS VONT TUER ROBERT KENNEDY

MARC DUGAIN

ILS VONT TUER ROBERT KENNEDY

roman

nrf

GALLIMARD

1

Avant que notre relation amoureuse ne débute, Lorna avait une façon inquiétante de me fixer pendant les cours. Je ne comprenais pas ce qui suscitait l'intérêt de cette beauté pour un sexagénaire abîmé. Quelque chose ne collait pas entre cette grande femme blonde aux traits délicats et un homme comme moi. Au début, j'ai pris son inclination pour le jeu de séduction d'une étudiante envers son professeur. Ensuite je l'ai suspectée de travailler pour la CIA et je dois vous confesser qu'il m'arrive encore de le penser, même si c'est me donner une importance exagérée. J'ai aussi imaginé qu'elle cherchait un père de substitution, que je lui paraissais adapté pour ce rôle. Désirer un homme tellement plus âgé révèle chez une femme un rapport particulier à son père, comme si elle voulait le garder auprès d'elle. Il m'est arrivé de lui reprocher cette attraction pour moi et de lui dire qu'elle dénotait dans sa psychologie des failles inquiétantes dont je me blâme de profiter. Parfois, cette relation aux limites de l'indécence me semble presque incestueuse. Je crains de m'afficher en public avec elle, le regard scrutateur des autres me blesse. Je suis incapable de justifier notre relation autrement que par le fait que je ne sais pas y renoncer. C'est en tout cas ce que je me plais à dire pour ne pas m'avouer que je l'aime profondément.

Nous avions pris le ferry tôt le matin à Horseshoe Bay en direction de l'île de Vancouver pour une journée de promenade qu'elle pensait ordinaire. À l'arrivée, nous avons roulé un long moment sur la route principale. Une brume des premiers jours d'hiver s'était levée, dévoilant une nappe bleue uniforme dont il est difficile d'imaginer qu'elle est chargée de pollution. J'ai agi par une pression sur la main de Lorna pour la prévenir du changement de plan. Puis je lui ai indiqué la route à prendre sur la gauche en accompagnant mon geste d'un sourire. Je lui avais souvent parlé de ces lieux et à plusieurs reprises elle m'avait demandé de les lui montrer. Mais je ne m'étais jamais décidé. La conduire à la maison de mon enfance m'obligeait à un travail considérable sur moi-même. Il était impossible de me connaître sans découvrir cet endroit, et Lorna attendait cette opportunité depuis longtemps.

La maison principale, celle de mes parents, reposait sur un promontoire. Ses deux grandes fenêtres donnaient sur un balcon à l'aplomb formé par une falaise noire tombant brutalement dans la mer et fermant une crique protégée des vents. Un chemin abrupt contournait l'édifice en bois pour descendre vers une plage minuscule. Il en partait un ponton en rondins auquel restait attachée une barque métallique. Avec le soleil, ses oscillations projetaient dans l'espace des éclairs de lumière comme ceux faits par un enfant avec un bout de miroir brisé. J'avais été cet enfant, et les malheurs qui s'étaient succédé dans cette maison ne sont pas parvenus à effacer mes premiers souvenirs, quand j'allais seul, d'enchantement en enchantement, dans le silence suspendu de cette crique. Le terrain montait entre les arbres où une clairière en retrait abritait une maison à peine plus petite que la première. Celle-ci avait été construite au milieu des années cinquante pour ma grand-mère, qui en avait aménagé l'intérieur en bonbonnière Napoléon III où dominaient les tissus pourpres et le faux Henri II, des meubles introuvables dans cette partie du monde.

Ce décor lui rappelait ses premières années, quand elle faufilait sa grâce enfantine dans le décor de la guinguette tenue par sa mère en bord de Marne, où les fins d'après-midi basculaient dans des transactions douteuses entre des hommes et des femmes qui lui souriaient en passant. Les messieurs lui caressaient parfois la tête de leurs mains baguées avant de s'éclipser dans de petites chambres sonores en poussant leurs compagnes. Maine comprit plus tard que cette caresse était le rite superstitieux de vieux messieurs qui craignaient de se trouver impuissants devant leurs conquêtes vénales, après avoir passé l'après-midi à boire et à se vanter.

Lorna parlait peu, raison pour laquelle elle avait souvent le mot juste. Elle trouva les deux maisons comme pétrifiées.

Le souvenir de mon père planait au-dessus de la propriété. J'avais beaucoup aimé cet homme mais il était difficile pour ne pas dire impossible de le connaître. Il était intimement organisé pour échapper aux autres, à leur curiosité, à leur emprise. Je me souviens de cette façon qu'il avait de regarder les gens quand ils cherchaient à percer le mystère de sa personnalité hypnotique. Il les fixait puis il leur souriait, et immanquablement ses interlocuteurs détournaient la tête, incommodés par une lumière excessive. Il riait facilement de tout ce qui s'y prêtait et son sourire laissait peu de femmes insensibles. Je l'ai longtemps cru

11

incapable de complicité avec quiconque jusqu'au jour où j'ai compris la profondeur et la force des liens qui l'unissaient à ma grand-mère. Ils échangeaient souvent des regards furtifs, lourds de sous-entendus.

Mon père échappait en général aux discussions en se levant, en se servant un whisky avec de la glace ou en faisant mine de chercher ses cigarettes. Il laissait parfois ma mère en plan avec ses invités, et je le retrouvais dans le jardin, face à la mer, tirant profondément sur sa cigarette qu'il tenait entre les dents. Il posait alors sa main sur mon épaule en m'invitant à regarder vers le continent dont on pouvait apercevoir les lumières certains jours où le vent poussait les feuilles des arbres. Puis il écrasait sa cigarette du bout de sa chaussure et il me disait en français : « Allez, mon vieux, il faut y retourner. »

Les illusions de l'adolescence m'ont poussé à croire que j'hériterais de cette complicité qu'il réservait à ma grand-mère, mais quand j'eus vraiment l'âge d'y prétendre, il ferma la porte comme s'il craignait qu'une proximité entre nous ne me conduise un jour à souffrir. Il restait au seuil de lui-même, et l'idée que d'autres y pénètrent à sa place lui était intolérable. Il s'en excusait auprès de moi par des attentions empressées, souvent maladroites.

Nous multipliions les activités ensemble, prétextes à ne rien se dire. Le mouvement, toujours le mouvement. Nous partions des journées entières dans le canot métallique en longeant la côte. Mon père aimait s'épuiser et il y consacrait une bonne partie de son temps libre. Le rivage avoisinant était construit de belles maisons plus prestigieuses que la nôtre. Des pelouses tondues de près descendaient doucement sur plusieurs hectares et leurs appontements hébergeaient de fiers voiliers à l'ancienne. Mon père aimait les regarder en passant mais aucune des maisons ne lui plaisait vraiment car toutes recelaient un désir de paraître « faute de parvenir simplement à être », considération qui résonne étrangement à la lueur de ce que j'ai découvert sur lui depuis. J'attendais qu'il me parle, parfois au point de ne plus oser engager la conversation. Son ailleurs me semblait démesuré, et il me gratifiait d'un sourire gêné quand il en revenait. Pour se faire pardonner, il me bousculait, me faisait parfois tomber, m'enserrait les épaules de son bras puissant, me frottait le dessus de la tête. Sa bienveillance à mon égard masquait un profond désintérêt pour ce que je faisais en dehors des moments que nous passions ensemble. Il suivait de très loin ma progression intellectuelle et ne se préoccupait jamais de mes résultats scolaires. Il me jugeait intelligent et équilibré, et c'était bien assez pour que tout le reste en découle.

Nous n'avons pas pénétré dans la maison principale, Lorna et moi, pas plus que dans l'autre. Elles s'étaient dégradées avec le temps. Après la disparition de ma grand-mère au début des années quatre-vingt, j'ai été tenté de vendre la propriété. J'ai rencontré trois ou quatre acheteurs, et à aucun je n'ai eu le cœur de cacher ce qui s'y était passé en 1967. Je les en informais d'une phrase que je lâchais au dernier moment quand je les sentais sur le point de se précipiter chez un notaire pour conclure la vente. Ces quelques mots suffisaient à les couper dans leur élan dont ils retombaient gênés, avant de trouver la formule qui allait leur permettre de se dédire sans me blesser. Un seul acheteur m'a écouté sans réagir. Il en a profité pour demander une baisse de prix conséquente que j'ai refusée.

En allant contre mon intérêt, je les empêchais d'acquérir la maison de mes moments heureux. J'ai finalement renoncé, je l'ai retirée de la vente malgré des dizaines de demandes d'acheteurs depuis. Parmi eux, beaucoup de Chinois venus investir en Colombie-Britannique leurs fortunes trop rapidement faites de l'autre côté du Pacifique. Il m'est arrivé de revenir seul dans la maison ces quarante dernières années pour y consulter les archives et papiers entreposés par mon père, mais je n'ai recommencé à y dormir que récemment.

Lorna déambulait dans le jardin, regardant délicatement çà et là, comme si elle craignait de se montrer indiscrète. Les aiguilles de pin regroupées en grands tas couleur tabac envahissaient l'herbe. Elle découvrit le banc où ma grand-mère avait l'habitude de s'asseoir en regardant la crique qui ne cessait de l'émerveiller. Elle en était parfois émue aux larmes, se remémorant le parcours qui l'avait amenée jusque-là au début des années cinquante, si loin de son enfance, quittant l'Europe avec son fils unique, poussée par des raisons que l'un et l'autre m'ont dissimulées tout au long des années.

Maine prétendait qu'ils avaient quitté le vieux continent parce qu'il avait été pour les juifs le théâtre de trop de souffrances, mais cette explication ne tenait pas. Je l'ai compris beaucoup plus tard quand les deux générations qui m'ont précédé ont disparu. Les vraies raisons de ce départ pour l'Amérique du Nord sont restées longtemps un secret jalousement gardé entre la mère et son fils. Ma propre mère n'a jamais su ce qui avait conduit son mari à venir buter là, contre l'océan Pacifique, comme s'il lui était impossible d'aller plus loin vers l'ouest. Même cette maison, ils ne l'avaient pas achetée sur le continent mais sur l'île de Vancouver, longue bande de terre qui fait face à la ville éponyme. Les liens ombilicaux qui unissaient Maine et mon père ont très vite indisposé ma mère. Il n'était pas envisageable que ma grand-mère ait une vie indépendante et loge loin de son fils comme si chacun allait son chemin. Ma mère admit qu'ayant émigré ensemble, ils voulaient rester proches mais elle n'accepta jamais que Maine vive sous le même toit que leur couple. Maine le comprenait et la solution de lui construire une maison au fond du parc, pour coûteuse qu'elle fût, lui parut appropriée. Elle aimait son indépendance et n'entrait jamais dans la maison principale sans y avoir été invitée.

Quelques mois après leur arrivée, Maine avait retrouvé du travail dans la pharmacie d'un drugstore de Nanaïmo. Elle avait exercé pendant des années comme préparatrice dans l'Est parisien. Son nouvel employeur louait son énergie, ses connaissances pratiques et son contact remarquable avec la clientèle, malgré ses lacunes en anglais. Plus tard, elle le quitta pour ouvrir une herboristerie qui prospéra immédiatement. Son commerce prit de l'ampleur au point qu'elle put rembourser en quelques années l'emprunt que mon père avait contracté pour financer sa maison en rondins. Ses revenus avaient même permis de payer ses meubles venus d'un antiquaire de Montréal.

Au contraire de mes parents, Maine s'était très vite intégrée dans la communauté locale. Elle était assidue au culte où elle rencontrait des notables. Les catholiques, eux, n'étaient pas légion alentour. Quelques Irlandais comme ma mère pour la plupart, des Québécois, des Italiens qui apportaient un peu de chaleur aux messes célébrées dans une église construite sur une colline déboisée. Ma mère pratiquait avec constance mais sans grande conviction. Le rite catholique lui rappelait l'austérité et la sévérité des sœurs qui l'avaient éduquée en Irlande. Malgré ses mauvais souvenirs, elle considérait sa religion comme une partie essentielle de son identité.

15

Mon père disait que chacun était libre de nommer comme il le voulait le grand Tout qui nous dépassait mais il n'avait pas l'intention, lui, de le nommer autrement que le grand Tout. « L'univers est infini, lui apporter des réponses finies, c'est renoncer, et la grandeur de l'être humain, c'est de ne jamais renoncer. » Il m'avait dit cela un soir de juin pendant que je regardais une constellation scintiller comme un arbre de Noël. Puis il était venu s'asseoir et, alors que je suivais le tremblement des étoiles, lui fixait les lumières intermittentes d'un bateau, derrière le feuillage écarté par la brise. Le navire s'en allait paisiblement vers le nord, en direction de l'Île-du-Prince-Édouard où il avait promis de m'emmener camper un jour. Il avait d'ailleurs acheté la tente et tout le matériel qui allait avec, mais il ne trouvait pas le temps pour cette escapade dans ces contrées sauvages que je rêvais de découvrir avec lui. Il en était à cette étape de sa carrière où l'argent rentrait sans difficulté mais en vampirisant tout ce qu'il avait de temps.

Son cabinet dans le centre de Vancouver était une réussite reconnue de tous les thérapeutes du Canada, et même plus au sud, au-delà de la frontière, jusqu'à San Francisco, où il était demandé pour des conférences bien rétribuées. Il se disait qu'il pratiquait l'hypnose comme un art. Ses propres qualités hypnotiques avaient certainement joué mais elles n'auraient rien été sans le savoir qu'il avait acquis auprès de grands maîtres dans l'immédiat après-guerre. Il avait achevé à Paris ses études de psychiatrie entreprises avant le début du conflit. Ses résultats obtenus auprès de patients revenus des camps nazis avaient été spectaculaires tout autant que l'apaisement qu'il apportait aux traumatisés des bombardements. Ses travaux sur le basculement des traumatismes du cerveau émotionnel au cortex cérébral en avaient fait un des psychiatres les plus réputés de la côte ouest du Canada.

Ma mère était belle tout en s'efforçant de paraître ordinaire. Selon elle, les critères physiques participaient des jugements a priori dont une femme moderne devait se libérer. Pour autant, elle restait très féminine en se donnant en même temps des allures de femme nord-américaine, la voix placée dans les graves, son accent irlandais gommé. Rien ne pouvait l'empêcher de rayonner, pas même ses disputes avec mon père, de plus en plus fréquentes au fil du temps, au point que les deux dernières années de leur vie je dormais dans la maison de Maine pour les fuir. J'aurais préféré qu'ils se disputent devant moi. Quand elle n'en pouvait vraiment plus, ma mère s'ouvrait à Maine de l'indifférence croissante de son mari à son égard. Les deux femmes se retrouvaient alors sur le banc qui faisait face à la crique et discutaient sans se regarder. Maine essayait de réconforter ma mère dont je voyais à quel point cette situation la dévastait. Mais le lendemain, il n'en paraissait rien, elle redevenait l'éblouissante rousse irlandaise aux yeux bleus. Je ne me suis approché qu'une seule fois assez près du banc pour y saisir une bribe de conversation. Ma mère suspectait mon père de ne pas l'aimer et elle ne comprenait pas pourquoi, jugeant qu'elle avait toutes les qualités pour l'être. Elle était profondément désemparée par cette désaffection, qu'il était incapable de justifier autrement que comme la dérive irréversible de ses sentiments. Je n'entendis pas la réponse que lui fit Maine car les deux femmes m'ayant vu approcher baissèrent le ton jusqu'à chuchoter. Il leur arrivait de converser sur d'autres sujets, mais plus rarement. Une de ces conversations est restée gravée dans ma mémoire.

Le 22 novembre 1963, j'avais neuf ans, et il avait plu une bonne partie de la matinée. Quand le soleil a enfin daigné paraître, malgré la fraîcheur, ma grand-mère est sortie de chez elle pour inspecter longuement le jardin et l'état de ses plantations. Puis elle est venue s'asseoir sur le banc. Mon père avait été appelé pour une urgence psychiatrique à la clinique où il venait de prendre des parts dans le centre de Vancouver. Je jouais seul dehors, dans cette solitude d'enfant unique qui oblige à puiser en soi pour créer un monde animé. Ma mère est sortie de la maison comme poussée par le diable, épouvantée. Elle s'est arrêtée au milieu du jardin, implorant le ciel, les yeux exorbités. Ma grand-mère crut d'abord qu'il était arrivé quelque chose à mon père et qu'elle venait de l'apprendre au téléphone. Elle se précipita vers ma mère qui éclata en sanglots mais, à la façon dont elle pleurait, elle comprit qu'il n'était pas question de son fils. Puis ma mère se reprit, comme si elle s'en voulait d'avoir exagéré. Elle finit par ravaler ses larmes pour parler et je compris alors que l'Irlandais le plus célèbre au monde venait d'être assassiné. À cette nouvelle, Maine fut définitivement soulagée, ce drame ne concernait pas notre environnement immédiat, le seul qui valait pour elle.

Mon père nous retrouva dans la soirée, assis dans les sièges en rotin du salon, dont ma grand-mère disait qu'ils étaient si inconfortables que mes parents les avaient certainement achetés pour encourager les invités à ne pas s'attarder. La télévision nous hypnotisait. Déjà à l'époque, les présentateurs pouvaient épiloguer des heures sur le peu qu'ils savaient, et il en allait ainsi depuis le milieu de l'après-midi. Le président Kennedy était mort assassiné par un solitaire, communiste de surcroît. Non seulement le président des États-Unis était mort, mais la menace d'une guerre nucléaire planait sur l'Amérique et par voie de conséquence sur le Canada, si on admet que ce genre d'arme n'est pas très pointilleux sur les frontières. Ma mère était passée de l'épouvante à la sidération et buvait en continu de la bière par petites gorgées. Elle me tenait serré contre elle comme si me perdre pouvait être une conséquence des événements. J'en conçus un moment une importance particulière et j'en profitais pour me griser de l'odeur de ses cheveux et de sa peau. L'Irlande, un des plus petits pays du monde, avait produit plusieurs millions de migrants, phénomène accentué par la grande famine du XIXe siècle. Aucun d'entre eux n'était parvenu si haut dans la hiérarchie humaine. Cet Irlandais-là était devenu le premier homme de la première des nations. Et on venait de l'abattre depuis un dépôt de livres, à Dallas, d'une balle dans la tête. Mais pour ma mère, Kennedy n'était pas seulement le premier des Irlandais, il avait ouvert la première période de modernité d'après guerre en laissant sur place les conservateurs protestants rances qui avaient fait l'histoire du siècle jusque-là. À Dallas Texas, chez les plus conservateurs des Américains, on avait tiré sur sa génération. Mon père avait appris la nouvelle à la radio en revenant à la maison. Comme ma grand-mère, il n'aimait pas particulièrement Kennedy, mais il mesurait l'onde de choc qu'allait provoquer ce drame. Ses premières paroles furent pour nous demander de prier pour qu'Oswald ne soit pas un agent à la solde des Soviétiques. Sans être passionné par la question, mon père s'y connaissait en relations internationales et il fit naturellement le lien entre l'assassinat de Kennedy et les deux moments les plus forts de son mandat présidentiel, le débarquement de la baie des Cochons et la crise des missiles de Cuba où le monde avait déjà failli, pendant treize jours, basculer dans l'anéantissement. Mon père ponctuait ses analyses par des sourires brefs comme s'il cherchait à dédramatiser la situation. Voyant ma mère bouleversée, il s'approcha d'elle et lui passa une main dans les cheveux. Sans aimer Kennedy, il le préférait aux républicains et il se demandait si les conservateurs n'avaient pas fomenté cet assassinat pour légitimer une guerre avec les Soviétiques. Les premières photos publiées de Lee Harvey Oswald, l'assassin du président, ne démentirent pas sa théorie. Cet homme avait tout d'un faible, d'un leurre qu'on traîne au bout d'une ficelle pour exciter les lévriers. « On ne me fera pas croire qu'un demi-sel au regard veule a pu déjouer seul la sécurité du président le mieux protégé du monde. » Il y ajouta un geste de mépris à l'adresse de la masse incrédule qui n'allait pas manquer de gober l'énormité. Mais mon père ne s'arrêta pas là. Il s'ensuivit donc un procès de la famille Kennedy et de son chef, le vieux Joe, dont tout le monde se souvenait des attitudes et des propos antisémites proférés dans sa fonction d'ambassadeur des États-Unis en Grande-Bretagne où Roosevelt l'avait envoyé avant guerre pour se débarrasser de l'excentrique milliardaire qui visait la présidence, bien avant son fils.

À la différence de mon père, ma grand-mère ne voulait considérer que l'antisémitisme des Kennedy. « Le courage est la qualité qui conditionne toutes les autres, disait Kennedy. L'antisémitisme est une atrocité de l'âme qui conditionne toutes les autres. » De petite taille, elle se leva pour donner de la hauteur à son propos que ma mère reçut par une grimace suivie d'un soupir qui en disait long sur l'imperfection du monde. La seule fois où je l'avais entendue parler des juifs, c'était pour dire : « Avant guerre en Europe, il y a eu deux sortes de juifs. Les optimistes qui sont restés et qui ont fini à Auschwitz et les pessimistes qui sont partis et qui ont fini à Hollywood. » Si je suivais le raisonnement de ma grand-mère, elle et mon père faisaient partie d'une catégorie de juifs d'Europe plus rares qui n'avaient ni sombré à Auschwitz ni migré vers les États-Unis ou le Canada avant guerre quand il était encore temps, mais je

ne savais toujours pas pourquoi ils avaient quitté le vieux continent au début des années cinquante.

Ces objections n'ont pas été suffisantes pour me dissuader
par la suite de consacrer la plus grande partie de mon existence
à la tragédie des Kennedy. Maine et mon père auraient été aussi
accablés que ma mère, mon obsession n'en aurait été que ren-
forcée, mais il est certain que si toute ma famille avait tenu
le même discours que ma grand-mère, je me serais sans doute
désintéressé de ce drame shakespearien, celui de deux frères
cheminant vers la mort, inexorablement.

Sans l'assassinat du président américain, de nombreuses
années m'auraient sans doute été nécessaires pour apprendre
que ma grand-mère et mon père étaient juifs. Pourtant ma
grand-mère fréquentait assidûment un temple baptiste. Sans
être de cette confession, elle avait choisi ce temple pour sa
proximité. Il était arrivé une ou deux fois à l'école qu'un cama-
rade me traite de youpin en se fondant sur mon nom. Je savais
que Skowronek voulait dire quelque chose comme « alouette »
en polonais et que nous avions de lointaines origines dans cette
partie reculée de l'Europe, comme certains de mes camarades
de classe avaient de lointaines racines en Chine. L'année sui-
vante, lors de ma naturalisation, mes parents ont fait en sorte
de changer mon patronyme en adoptant celui de ma mère,
O'Dugain, le nom d'une vieille tribu irlandaise du nord de
l'île. J'étais passé d'une minorité à une autre. Quelques années
après la disparition de mes parents, ma grand-mère a fini par
m'avouer pourquoi elle ne tenait pas à ce nom de Skowronek
pour moi, pas plus qu'elle n'y tenait pour elle-même.

Ce nom était celui de son père présumé, un tailleur de
Varsovie venu s'installer à Paris avant que l'Europe ne se suicide

dans la Grande Guerre. Elle ne l'avait pratiquement pas connu. Mon arrière-grand-père s'était noyé l'année de ses six ans, en 1910, un des premiers jours du mois de juin. Poussé par une chaleur exceptionnelle, il s'était baigné dans la Marne, du côté de Nogent, et avait été emporté par le courant; on avait retrouvé à quelque distance son corps sans vie. Sa mère, dont elle n'avait jamais pu savoir précisément si elle était juive ou pas, s'était remise en ménage quelques semaines plus tard avec un client de sa guinguette, un nommé Giraud, veuf lui aussi, un brave homme aussi aisé qu'esseulé qui trouvait dans ce lieu, où plus l'heure passait plus on se perdait, un réconfort que mon arrière-grand-mère se hâta de pérenniser. Le dénommé Giraud, qui avait dépassé la cinquantaine, se montra généreux pour sa petite belle-fille en lui offrant un internat dans une institution protestante où Maine qui s'appelait alors Germaine fut progressivement oubliée. Son enfance se déroula dans ce pensionnat, au point qu'elle en sortit à dix-neuf ans éblouie par la lumière du monde. Sa découverte des hommes en fut précipitée et, de son aveu même, si désordonnée qu'elle ne sut jamais qui fut le père de son fils unique, qu'elle éleva ensuite seule, sans que l'idée ou le désir de se marier ne lui vienne jamais à l'esprit. Ce nom juif que la Providence lui avait collé l'assimilait à une communauté dont elle ne connaissait rien, ni la religion ni les coutumes. Convaincue que sa mère, qui en plus de gérer la guinguette de bord de Marne s'autorisait les mœurs d'une demi-mondaine, avait continué à coucher avec certains de ses clients pendant les six ans de son mariage, Maine s'était mise à douter de la paternité d'Abraham Skowronek. Tout comme elle doutait que sa mère fût juive, la croyant assez rusée pour l'avoir prétendu à seules fins d'attirer l'opulent Abraham dans ses filets. Le judaïsme de Maine ne résistait donc pas, selon elle, à une connaissance plus approfondie des acteurs de sa naissance. Ce déni lui sauva probablement la vie pendant l'Occupation où elle se comporta comme si elle n'avait rien à voir avec la question juive. Cette attitude n'aurait pas dû suffire à la protéger et pourtant un miracle se produisit, elle ne fut jamais inquiétée ni par les Allemands, ni par la police française qui, à leur solde, poursuivait les juifs étrangers et français avec méthode pour les regrouper et les déporter. Maine pensait qu'elle devait la vie à sa décision de ne pas être juive. Comme si pareille disposition d'esprit aurait pu la protéger de la vague d'anéantissement de son peuple présumé. Je pense qu'elle dut la vie à l'imperfection marginale d'un système d'extermination pourtant très élaboré mais surtout à la décision de mon père de la cacher dans le Sud-Ouest où il menait des actions de résistance en liaison avec les Britanniques. Mais elle resta persuadée du contraire jusqu'à sa mort.

J'ai mené mon enquête au début des années quatre-vingt, juste après sa disparition, et il est apparu que sa mère, Rosa, avait bien comme nom de famille Sauveterre, patronyme courant dans le sud-ouest de la France. Mais l'état civil de Rosa révéla qu'elle était bien née de mère juive polonaise, veuve puis remariée à Émile Sauveterre qui avait adopté sa belle-fille en lui donnant son nom. Pour ce qui concerne l'action en déni de paternité que ma grand-mère avait intentée dans son esprit à Abraham Skowronek en se basant sur la légèreté de Rosa, il m'a été plus difficile d'établir la vérité. Il m'a fallu pour cela me rendre en Pologne à une époque où les Occidentaux n'étaient pas les bienvenus. L'administration communiste ne fut pas le principal obstacle à mon investigation. Les Polonais semblaient avoir rayé de leur mémoire cette communauté dérangeante dont les nazis les avaient débarrassés. Les Juifs polonais avaient été effacés de leurs quartiers comme de leurs cimetières. Je peinais à trouver des traces de la plus grande communauté juive d'Europe centrale. Ma demande portait sur une photo. Je désirais seulement avoir entre les mains une photo d'Abraham pour juger par moi-même de la ressemblance de Maine avec celui dont elle prétendait ne pas être la fille. J'avais peu de chance d'en trouver une d'un homme qui avait vécu à Varsovie jusqu'aux premiers jours de 1900. Mais cette entreprise désespérée avait été le prétexte pour me plonger dans une partie de mes origines, car au fond de moi-même j'avais l'intime conviction qu'une moitié de mes racines était restée dans les décombres de Varsovie. J'ai retrouvé le quartier où Abraham avait vécu. J'ai demandé à un vieil homme s'il se souvenait d'avoir vu des juifs dans ces lieux. Il s'en souvenait parfaitement. Et puis, obéissant à je ne sais quelle impulsion, je lui ai demandé s'il savait ce qu'ils étaient devenus. « Disparus, on ne les a jamais revus, évaporés c'est cela, évaporés. » J'ai cru un instant que cet homme confondait la vapeur et la fumée, je le lui fis remarquer mais il insista, « évaporés, je vous dis, évaporés ». Quand je lui ai demandé où, il a baissé les bras. « Je n'en sais diable rien. » Puis il m'a salué en soulevant sa casquette et il est parti, visiblement circonspect. Je ne trouvai aucune photo à Varsovie mais la trace des frères et sœurs d'Abraham et de leurs parents, mes ancêtres morts bien avant l'invasion allemande. Aucun membre de sa famille n'avait survécu aux camps de la mort, et il me vint alors à l'esprit qu'il avait été bien heureux de se noyer dans la Marne, s'évitant le calvaire qu'avaient dû souffrir ses frères, ses sœurs, ses neveux et nièces. Je réalisai alors que j'étais l'ultime descendant de cette lignée à laquelle Maine avait refusé d'appartenir. Mais il était

dans une contrée nouvelle. Rosa est coiffée d'un chapeau ordinaire à la forme compliquée. Son sourire sent l'excuse. Elle se serait sentie illégitime de figurer sur la photo, elle ne l'aurait pas exprimé autrement que par cette œillade glissée en dessous, alors que l'on sent dans ses jambes l'amorce d'un mouvement pour sortir du cadre. Une dizaine de clichés témoignent que cette famille a existé, dans un ensemble qu'on pressent imparfait. Alors qu'Abraham y entrait franchement, Rosa n'y était déjà plus que par sa présence physique. On lit parfois sur ses traits la culpabilité qu'elle semble ressentir à considérer malgré elle cette petite fille comme un encombrement, comme une preuve d'amour usurpée. Abraham et Rosa se sont unis pour des motifs inconciliables. Une lettre, aussi délicatement pliée que les photos sont rangées, révèle les circonstances de la mort d'Abraham. Visiblement, il s'agirait plutôt d'un projet de lettre que Rosa adresse à un de ses amants occasionnels. On imagine qu'elle se reproche ensuite cette lettre, au point de ne pas l'envoyer, mais pas assez pour la froisser ou la déchirer. Maine l'a certainement retrouvée dans le tiroir secret de son secrétaire à sa mort qui survint en 1948 d'une hémorragie pulmonaire. Elle avait soixante-huit ans, âge auquel, écrit-elle dans une autre lettre également conservée, il faut se préparer à toute éventualité. Elle décéda subitement une semaine après avoir écrit cette lettre où, par ailleurs, elle se reproche sur le ton de quelqu'un qui ne s'accable pas complètement de ne pas bien s'être occupée de sa fille. Mais elle ajoute qu'elle ne comprend pas pour autant sa froideur à son égard.

Abraham est donc mort noyé sous le pont de Nogent pour avoir cédé à l'enthousiasme d'une belle journée, à l'aube d'un été. Il se jette à l'eau sachant pertinemment qu'il ne sait pas nager. Il s'y jette de bon cœur, persuadé que le fleuve va lui rendre son enthousiasme et restituer son corps rafraîchi à l'endroit précis où il le lui a confié. Mais celui-ci dérive et il ne sert à rien à Rosa d'appeler son époux, le fleuve l'entraîne avec l'intention de le confisquer. On retrouve Abraham en aval, rejeté par les caprices du courant, les yeux écarquillés comme s'il s'émerveillait une dernière fois. Il est ramené à la guinguette par des habitués qui l'ont vu s'éloigner irrésistiblement de la berge, s'enfoncer puis remonter les bras en croix, les yeux cloués au ciel. Il s'est à peine débattu, comme s'il acceptait que son heure soit venue. L'étonnement de la voir venir si tôt devait se lire dans ses yeux un peu globuleux, trop largement ouverts. Abraham est enterré au cimetière communal. Une petite troupe d'habitués de la guinguette entoure Rosa qui tient sa fille par la main. Sur les six années passées auprès de son père, il reste à Maine deux ans de souvenirs à peu près déchiffrables. Elle ne les restituera pas, comme si elle reprochait à Abraham de l'avoir quittée prématurément.

Nous nous sommes assis sur le banc, Lorna et moi. La barque métallique frappait le ponton régulièrement, légèrement soulevée par une vague qui clapotait. Je lui trouvais une couleur sombre, sans doute l'ombre portée de la crique. Lorna a allongé son bras pour poser sa main sur mon épaule. Un vieux chien jaune s'est approché de nous, puis s'est couché à quelques mètres en soupirant. À l'ouest, le soleil s'était mis à faiblir, laissant une brise du nord nous envelopper. Il n'était plus temps de rester. Lorna voulait un enfant. J'avais enfoui cette idée au plus profond de moi depuis toujours. Mais la perspective que ma lignée s'éteigne avec moi me parut soudainement terrifiante. Abraham avait attendu cinquante ans pour assurer sa descendance. Maine, puis mon père lui avaient succédé. La preuve de la disparition de la famille d'Abraham en Pologne s'ajoutait à la nostalgie que j'avais de Maine et de mes parents. J'avais violemment réprimé l'idée d'être père la dernière fois que Lorna l'avait évoquée. Son envie tenait moins au désir impératif que les femmes de son âge ont de mettre au monde un enfant qu'à la volonté de prolonger ma présence auprès d'elle après ma mort par un être qui me ressemblerait forcément, et je lui en étais reconnaissant.

Ce soir-là, sur le ferry qui nous ramenait à Horseshoe Bay, l'humidité montait du pont où la peinture s'écaillait, attaquée par l'eau et le sel. Le soulagement d'avoir repris mes esprits s'ajoutait à celui d'avoir vaincu mes appréhensions. J'avais pour une fois fait face à mes fantômes, et la propriété souffrait peu de son abandon. Elle résistait et résisterait encore longtemps, plus longtemps que ne vivrait celui qui pouvait encore témoigner des moments de grâce qu'il avait vécus dans ce paradis suspendu au-dessus de la mer. Dire à Lorna que j'étais prêt à faire un enfant ne m'a pris que quelques secondes, la laissant ébahie dans une pénombre humide. J'eus aussitôt envie de me rétracter mais il était déjà trop tard.

2

Madsen passait ses jours libres loin de l'université dans une cabane aérienne qu'il s'était fait construire au nord de Vancouver, là où peu de promeneurs s'aventuraient seuls. La population d'ours, loin de diminuer, terrorisait les quelques humains égarés sur son territoire, une forêt à perte de vue que la densité croissante, à mesure qu'on montait vers le Yukon, transformait en labyrinthe végétal. Malgré le danger, il y venait souvent seul, les mois où la neige l'autorisait à accéder à sa cabane perchée. Il laissait son pick-up à un bon demi-mile de son abri et faisait plusieurs fois le trajet à pied, chargé, son fusil à l'épaule, pour ravitailler son havre de paix. Il y restait rarement plus de trois jours consécutifs à observer les ours, des animaux avec lesquels il aimait cohabiter, même s'il les trouvait dangereux, retors et voleurs. Cette immersion dans la nature lui était nécessaire, tout autant que continuer à dispenser son savoir. Il avait été mon professeur pendant plusieurs années avant de diriger ma thèse. Ces travaux nous ont rapprochés à la fin des années soixante-dix.

Je me souviens parfaitement de la scène, quand je lui ai annoncé le sujet de mes recherches. Il trônait au milieu de ses livres dans son bureau du troisième étage de l'université, agrémenté de quelques objets amérindiens, ultime trace d'une civilisation dont il regrettait notre acharnement à la faire disparaître, comme si elle était le témoignage gênant d'un paradis perdu. Il lui arrivait dans ses cours de comparer le génocide des malades mentaux par les nazis à celui pratiqué par les Blancs sur les Amérindiens. Dans un massacre annonciateur de celui des juifs, les nazis s'étaient acharnés à tuer les fous, des hommes, des femmes, des enfants, comme si la pathologie de ces innocents renvoyait à la leur, celle de psychopathes nihilistes à la recherche d'une identité chimérique qui n'existait que par leur agglomération en hordes meurtrières. Selon lui, cette extermination relevait de la même logique, celle du miroir inacceptable. La spiritualité de ces ethnies d'Amérique nous renvoyait cruellement l'image de la nôtre, dévoyée, corrompue, pleinement complice de la dégradation de notre relation avec notre environnement.

Madsen avait gardé la taille et la carrure de ses ancêtres danois. Son regard d'un bleu dilué par l'âge s'harmonisait parfaitement avec le reste de son visage qui exprimait une grande humanité, sans naïveté. Je ne savais rien de sa vie privée mais j'imaginais qu'il avait vécu une douloureuse rupture. Je pensais qu'il avait été le genre d'homme à vivre avec une femme qui était son contraire, se mettant au défi de cohabiter avec des idées opposées aux siennes. Puis le charme de cette construction aléatoire avait dû s'émousser avec le temps jusqu'à devenir insupportable et, plutôt que de prendre le chemin de concessions humiliantes, l'un comme l'autre avaient décidé de se séparer, avec le courage de deux personnes qui savent qu'à cet âge-là la solitude est souvent sans appel. Madsen avait vécu la plus grande partie de son existence aux États-Unis où il avait enseigné dans les universités les plus prestigieuses. Il avait même passé quelques mois dans

31

l'administration présidentielle au début des années soixante, à un poste de conseiller qu'il avait quitté après quelques mois. Il gardait de cette expérience le sentiment qu'une politique alternative ne pouvait pas être tolérée longtemps au pays du dollar roi. La condition pour que les démocrates accèdent au pouvoir était qu'ils renoncent à l'essentiel de leurs convictions. Puis, pour des raisons sur lesquelles il ne s'est jamais étendu auprès de moi, il est venu s'installer au Canada anglophone. Après sa mort, un de ses vieux collègues m'a confié que son fils était mort au Vietnam. Le pire, c'est qu'il n'y avait pas été appelé. Il s'y était engagé. On pouvait lire ce drame au fond de son regard même s'il n'altérait en rien sa bienveillance ni sa douceur.

« Ce qui différencie les démocraties des régimes autoritaires, c'est que les démocraties acceptent qu'on dise la vérité. En revanche il est rare qu'elles acceptent qu'on la démontre à un moment qui n'est pas le leur. Si vous êtes à contretemps, elles sont capables de recourir aux méthodes d'un régime autoritaire. Quinze ans ont passé depuis la mort du président Kennedy, dix ans depuis celle de son frère. Mais ce n'est pas ce qui m'inquiète le plus. Je vous connais depuis longtemps, maintenant, je connais votre intelligence mais je connais aussi vos emportements, cette subjectivité un peu brouillonne qui est la vôtre parfois. Je me demande si vous êtes fait pour des travaux de recherche, si vous saurez échanger la passion contre la rigueur, vous mettre dans la peau de l'archéologue avec son pinceau. Une bonne cinquantaine de personnes sont mortes autour de cette affaire, aucune de mort naturelle, il faut être courageux et méthodique. Vous êtes trop courageux pour être méthodique. »

Ce préalable formulé, Madsen déploya ses grandes jambes sur une table basse où reposaient des revues et me sourit largement, signe qu'il acceptait mon sujet de thèse. Il s'en réjouissait même. Parce qu'il s'agissait pour lui d'un sujet fondamental, qui en conditionnait bien d'autres.

« Et comment voulez-vous procéder, O'Dug ? Aurez-vous l'audace de vous engager sur la voie du coup d'État ? »

Il prit la perspective de ces travaux comme un bain de jouvence.

« Au soir de l'assassinat de JFK, Bobby savait un certain nombre de choses. Il avait entendu en particulier les écoutes de Marcello, le boss mafieux, que Hoover s'était fait un plaisir de lui faire découvrir. Marcello considérait Bobby comme un enragé. Mais le tuer aurait valu des représailles du président, son frère, qui à ce moment-là était au plus haut dans les sondages, 65 % d'intentions de vote pour les élections de 1964. Le président s'était fait assez d'ennemis de son côté, un nouveau mandat n'était pas envisageable par ces ennemis et... »

Madsen m'interrompit.

« Je crois que nous sommes d'accord là-dessus... Quand je dis nous, c'est vous et moi.

— Je suis persuadé que Bobby, quand il se décide à se présenter à la présidentielle de 1968, sait qu'il va mourir, qu'il n'a aucune chance de monter la dernière marche. Et pourtant il y va. Voilà un homme qui est le chef d'une tribu irlandaise, marié, père de onze enfants, dont le frère a été assassiné cinq ans plus tôt et qui vient d'assister au meurtre de Martin Luther King. Je veux démontrer qu'il savait qu'il allait être assassiné et que malgré cela il a décidé de s'engager dans les primaires. Quand il a gagné la Californie en juin, il ne faisait plus de doute qu'il allait l'emporter chez les démocrates puis écraser Nixon à la présidentielle comme l'avait fait son frère huit ans auparavant. Pour ses adversaires, tout était prêt, il ne restait plus qu'à appuyer sur le bouton, sans commettre les mêmes erreurs qu'à Dallas en 1963 qui ont conduit à des bouffonneries notoires comme le meurtre d'Oswald par Jack Ruby et toute cette mascarade autour de la balistique. »

Madsen opina, mêlant sa joie à son approbation.

« Et vous, personnellement par rapport à ce sujet ?

— J'avais neuf ans le jour de l'assassinat de Jack Kennedy. Ma mère irlandaise pleurait comme elle l'aurait fait si le pape avait été tué. Mon père répétait qu'Oswald ne pouvait être qu'un leurre. »

J'eus soudainement peur de trop parler, de me discréditer alors que je l'avais définitivement acquis à ma cause.

« Et je dois à l'honnêteté de rajouter quelque chose, monsieur. C'est l'occasion pour moi de mener une enquête sur ma famille.

— Sous quel angle ? demanda Madsen, intrigué.

— Je vais vous étonner et je vous demande de me pardonner par avance parce que je ne suis pas en mesure d'étayer mon argumentation, mais je suis persuadé, au plus profond de moi-même, que ma famille a joué un rôle dans l'assassinat de Robert Kennedy. Ils ont tous disparu maintenant. Dans des circonstances tragiques qui me font penser que... simple hypothèse, fondée sur un pressentiment, mais, je vous le répète, je n'ai pas assez d'éléments tangibles pour vous en dire plus. Faites-moi confiance et croyez bien que cette piste n'aggravera pas ma subjectivité, tout au contraire. Désolé de ne pouvoir vous en dire plus à ce stade. »

Je suis resté un moment perdu dans mes pensées. Madsen a respecté mon silence, tout en me scrutant. Il m'observait comme on le fait d'un être à part. Il me considérait comme un étudiant inclassable. De fait je l'étais, enfermé en moi-même, à la recherche constante du mouvement dans l'espoir que la fatigue physique m'apporte le repos de l'esprit.

Un vague sentiment de honte et de ridicule s'est emparé de moi pour avoir associé ma famille à cette tragédie nationale dans le but de créer une proximité évidente avec mon sujet. Comment Madsen, qui avait lui-même approché l'administration Kennedy, aurait pu croire que le fils d'immigrés français et irlandais pouvait être relié d'aucune façon à la plus grande machination du siècle ? Cela me parut tellement puéril que je m'en excusai auprès de lui. Mais Madsen connaissait le personnage, et s'il avait décidé d'accepter mon sujet de thèse, c'est qu'il pensait que ma façon particulière d'aborder le sujet pouvait lui donner un éclairage singulier.

« Je suis désolé d'avoir mentionné cette proximité du dossier avec ma famille. C'est essentiellement hypothético-déductif. Un chercheur en médecine me disait récemment que les plus grandes découvertes résultent souvent d'hypothèses dénuées du moindre indice qui permette de les vérifier. C'est la créativité du chercheur qui le met d'abord sur la voie. Il peut se réveiller un matin en imaginant une corrélation entre la maladie de Parkinson et la pratique de sports violents comme la boxe ou le football américain, et passer le reste de sa vie à démontrer la validité de son intuition. La concordance de certaines dates avec des faits précis me laisse penser qu'il est hautement probable que la destruction de ma famille ait un lien avec la mort de Robert Kennedy. »

Madsen opina, me laissant entendre que sa confiance était sans condition.

La mort de Madsen avant la fin de mes travaux m'est apparue comme une terrible injustice. Il s'est éteint dans sa cabane suspendue dans les bois à la fin de l'automne 1980. Il m'avait invité à l'y rejoindre à l'été finissant pour qu'on passe

35

une journée ensemble. Je me souviens que nous avons eu une longue conversation sur l'échec du mouvement de la contre-culture en Occident. Personne n'avait su sortir de la marginalité autrement que par cet enfoncement progressif dans la drogue, tombeau de ma génération avant que la cupidité retrouvée n'aspire les survivants. Ce sujet nous tenait à cœur, et je sais que malgré son âge avancé il avait beaucoup espéré de cet éclairage du milieu des années soixante, progressivement éteint au cours des années soixante-dix en laissant un boulevard à la pathologie consumériste. Comme je lui disais que la mort de Robert Kennedy avait sonné le glas de cette expérience, il répondit : « Bobby devait mourir. C'était inscrit, non seulement dans son parcours personnel, mais aussi dans celui de notre société. Et vous avez raison, il était le premier à en être conscient. Rappelez-vous, le jour de sa mort à l'hôtel Ambassador de Los Angeles. Il est allongé par terre dans une mare de sang qui vient de sa blessure à l'arrière de la tête. Il est encore conscient et il parle. Sa seule préoccupation est pour les autres : "Est-ce que tout le monde va bien ?" Son sort est scellé. Il ne le sait pas depuis qu'il a reçu cette balle dans la tête, il en a conscience depuis cinq ans. Non seulement parce que les hommes qui ont tué son frère veulent sa mort mais parce qu'il a également compris que la société ne peut plus changer et que, même élu, il serait une sorte d'anachronisme. Deux minutes avant sa mort, il est le leader d'un mouvement dont la disparition est déjà programmée. »

Je pensais au contraire que la mort de Bobby avait été le signal envoyé par les ennemis du changement à ses défenseurs, que l'utopie à laquelle ils avaient bien voulu croire n'avait aucun avenir. Que devant la menace communiste ils ne laisseraient pas l'Occident s'affaiblir par une vraie réflexion sur lui-même. Que Bobby était la traduction politique de la contre-culture, une traduction édulcorée plus réaliste qu'ambitieuse. Aristote disait : « Ce sont les prétentions excessives et non les besoins nécessaires qui portent à commettre les injustices les plus graves. » Nous ne sommes pas parvenus à ramener l'humanité à ses besoins nécessaires et les injustices se sont transformées en crimes.

Madsen se mit à tousser, d'une toux qui l'emporta loin et dont il revint écarlate et désemparé. Curieusement, il choisit ce moment de détresse physique pour s'inquiéter de ma santé. Il le fit comme un proche parent et si directement qu'il me fallut un moment pour répondre.

« Je vais bien. Mes crises s'espacent et se raccourcissent.

— En êtes-vous certain ?

— Vous êtes la dernière personne à qui je mentirais. C'est un syndrome particulier qui me conduit à "m'absenter du réel" pendant une période de quelques jours. Puis tout revient à la normale.

— Vous êtes suivi pour cela, n'est-ce pas ?

— Oh oui ! Et c'est tout à fait explicable par mon histoire émotionnelle. Mon émotivité semble-t-il a été trop sollicitée dans mon enfance et, pour réagir à cette pression rétrospective, elle s'accorde parfois de courtes vacances. Le reste du temps, tout est normal, mon jugement et mon objectivité n'en ressortent jamais altérés.

— Mais n'est-ce pas une souffrance ? »

Sa sollicitude me toucha. Mais je ne pensais pas que le mot de « souffrance » puisse convenir. La nature m'offrait un grand voyage sans stupéfiants. Tout au plus, je vivais avec une appréhension, celle de ne pas en revenir. Cette perspective me semblait plus inquiétante pour les autres que pour moi.

« Je passe pour un paranoïaque complotiste et les gens voudraient que ma maladie en soit la cause. Une façon pas très originale de vous emballer un être humain, mais ma manière de questionner le réel n'a rien à voir avec ma maladie. Ceux qui nous gouvernent sont bien plus enfermés que moi dans une fiction, et c'est cette fiction que je leur conteste comme tout citoyen raisonnablement responsable devrait le faire. »

Je lui ai fait du café dans un récipient cabossé. L'automne descendait lentement sur la soirée. Le silence tombait sur la forêt où se préparaient les drames rituels de la vie animale. Le petit poêle à bois fumait légèrement et Madsen s'en inquiéta. Il n'était pas exclu qu'on s'intoxique. J'ai préféré l'éteindre. Il m'a prêté un sac de couchage, je me suis enroulé dedans à même le sol. J'ai quitté le repaire de Madsen au petit matin alors que l'aube pavoisait sur la cime des arbres. Il ne s'était pas encore réveillé. Plus je m'éloignais de son nid d'aigle, plus mon cœur se serrait, comme si le pressentiment de sa disparition prochaine m'envahissait.

3

Si Jackie Kennedy n'avait pas trouvé la maison si déprimante après sa fausse couche, Bobby n'aurait pas eu l'opportunité de l'acheter à son frère. Une façade oblitérée d'une vingtaine de fenêtres suffit à donner une idée de la dimension de la construction édifiée au milieu du XIXe siècle, alors que l'épisode le plus sanglant de l'histoire américaine, la guerre de Sécession, n'a pas encore eu lieu. Hickory Hill est à la fois un nom et une adresse, comme les plus prestigieux manoirs qu'on trouve de l'autre côté de l'Atlantique, en Angleterre. La propriété est entourée de conifères qui la protègent du regard des curieux. Deux cubes joints aux couleurs de pièce montée forment la résidence principale recouverte d'un toit gris à forte pente. Contre la clôture du fond, un tennis a été construit dans un angle. Dos à la maison, à l'écart, une longue piscine a été ajoutée devant un bâtiment d'agrément.

De nombreux arbres abritent la maison des vents dominants mais les chênes, les noyers et les érables qui peuplent l'entrée du parc se sont délestés de leurs feuilles rouge et or, alourdies par la bruine automnale. La pelouse en est jonchée ce vendredi de fin novembre.

Le soleil sorti du brouillard diffuse assez de chaleur pour permettre à Bobby et à ses invités, le procureur Morgenthau et son assistant, de déjeuner autour de la piscine loin du casernement familial qui résonne de cris d'enfants. Morgenthau a été nommé par les Kennedy procureur du district sud de New York. Ce fidèle démocrate, toujours vivant aujourd'hui, exercera jusqu'à ses quatre-vingt-dix ans. Quarante et un ans après la mort de celui qui fut son ministre de la Justice, il continuera à batailler sans relâche, à démêler l'inextricable, en particulier la mécanique des financements du Hezbollah par la drogue avec la complicité du Venezuela et de l'Argentine. Alors que Bobby et Morgenthau mordent à pleines dents dans un sandwich au thon, ce dernier n'imagine pas qu'il vivra aussi longtemps. Bobby ne pense certainement pas à la mort dans ce cadre apaisant, même s'il sait que des menaces sont régulièrement proférées contre lui et son frère. Elles lui sont rapportées par l'inoxydable directeur du FBI, J. Edgar Hoover, avec un détachement ironique. À chaque déplacement présidentiel, des rumeurs parlent d'attentat, mais les deux frères font confiance aux services secrets et à la garde présidentielle. Quant à Bobby, il imagine que, tant que son frère sera président, personne n'osera s'attaquer à lui. Le risque d'assassinat remonte à l'époque où pour rendre Jack célèbre auprès des classes populaires Bobby a monté et dirigé une commission d'enquête sénatoriale contre le crime organisé. Ce crime organisé, le sémillant directeur du FBI en nie l'existence parce qu'il entretient de troubles relations avec la pègre qui le fait probablement chanter sur son homosexualité, lui, le chantre de la morale victorienne.

Peu d'enfants naissent aussi favorisés que l'ont été les Kennedy. Pour donner un sens à leur existence dorée, ils se plaisent à la risquer. L'aîné des fils, Joe junior, a été jusqu'au bout de cette logique. Aviateur pendant la Seconde Guerre mondiale, il a accepté une mission de bombardement sur les Pays-Bas dont il avait très peu de chances de revenir vivant. Son bombardier a explosé en vol. Jack, le cadet, lui a succédé dans l'ambition familiale de voir un Kennedy accéder à la magistrature suprême, là où le père a échoué avant guerre, par manque de finesse et de jugement. Jack, atteint de la maladie d'Addison qui lui fait souffrir le martyre, est affecté dans un bureau du ministère de la Marine au début du conflit. Une coucherie avec une Danoise suspectée d'espionnage par Hoover le propulse en opérations sur un patrouilleur dont il revient auréolé d'un naufrage dans le Pacifique auquel il a survécu, sauvant sa vie et celle d'un de ses officiers. Bobby, trop jeune, n'a pas participé à la grande foire au courage, celle qui fait les réputations pour la vie. Alors il multiplie les expériences périlleuses. Moins réaliste et moins fataliste que Jack, le passé sombre de leur père, un affairiste antisémite et pro-nazis qui a fait fortune pendant la Prohibition, fait naître chez lui un fort sentiment de culpabilité. Cette fortune dont il profite tout de même largement est entachée du sang des affrontements entre trafiquants, et Bobby sait que l'ambition de son père ne doit rien à une pensée sur le monde, mais tout à l'obsession de voir un de ses fils catholiques irlandais damer le pion à ces maudits protestants britanniques qui ont fait d'eux une minorité méprisée.

Quand il risque sa vie en montagne ou sur des rapides qu'aucun homme raisonnable ne voudrait descendre, Bobby tente de la façon la plus puérile qui soit de se hausser au niveau de ses frères. Il reporte son affection filiale sur Jack. Très jeune, il s'est engagé pour lui, sans limites. Jack le flegmatique raille parfois l'acharnement de son jeune frère à le servir, jusqu'à l'humilier lorsqu'il déclare, un demi-sourire aux lèvres, l'avoir nommé ministre de la Justice uniquement pour lui donner une chance d'apprendre le droit. Ses yeux de chien battu, sa démarche trop étroite ne disent rien de l'énergie du troisième frère. À trente-huit ans, les expressions de garçon de messe boudeur de Bobby masquent une volonté qui aura finalement convaincu son frère, isolé dans l'exercice du pouvoir, d'en faire son unique confident. Il arrive que Bobby le fatigue par son excès d'énergie et par des manières d'Irlandais dont Jack s'est depuis longtemps délesté. Jack irrite par sa facilité, sa désinvolture, par l'arrogance du parvenu qui s'est donné peu de peine pour arriver. Bobby exaspère par son acharnement à refuser les engagements de son père. La Mafia, et ce n'est un secret pour personne sauf pour le peuple bien sûr, a massivement voté pour Jack. Bobby ne veut rien savoir de cet héritage qui n'entre pas dans sa mythologie, car c'est bien de mythologie qu'il s'agit pour le plus exalté des fils Kennedy qui refuse d'admettre que les contradictions dans lesquelles il a plongé sa famille sont par essence tragiques. « J'ai trouvé quelque chose que je ne savais pas. C'est que mon monde n'est pas le vrai monde. »

Cette phrase prononcée en 1968 est celle d'un autre homme que celui qu'il est encore au matin de ce 22 novembre 1963, un vendredi radieux qui s'ouvre sur une fin de semaine comme seul l'automne sait en offrir. Une fraîcheur vivifiante alliée à un soleil qui a vaincu sa timidité annonce des jeux en extérieur, des parties de football improvisées dont Bobby aime prendre l'initiative. Il y fédère ses nombreux enfants et parfois ceux de ses frères comme à Hyannis Port, le refuge de la famille dans le Massachusetts. En Irlande, un siècle plus tôt, Bobby aurait probablement suivi le séminaire avant de finir prêtre et d'exercer

42

son ministère avec fougue et méthode. Le Dieu qui l'anime est un Dieu de combat. Il pratique avec discipline et assiduité, et le dimanche matin qui vient ne devrait pas faire exception.

À 13 h 45, le téléphone qui se trouve à l'autre bout de la piscine sonne. Ethel, la consciencieuse épouse de Bobby qui lui a déjà donné sept enfants, décroche. J. Edgar Hoover est à l'autre bout. Bobby s'en étonne, Hoover ne l'appelle jamais chez lui. Ethel tire le fil jusqu'à son mari. Rien n'est jamais anodin avec le patron du FBI qui guette en permanence la moindre faille, manie l'insinuation avec délectation et tente de déstabiliser en permanence l'héritier missionnaire. Froid, presque cinglant, Hoover lâche : « J'ai des nouvelles à vous donner. On a tiré sur le président. » Le vieux tyran du FBI n'en dit pas plus et convient de rappeler Bobby quand il sera mieux informé. Le messager de l'apocalypse a pris du plaisir à lui annoncer la nouvelle, il en est persuadé. Mais peu importe, Bobby est tout à son anxiété. Il tourne en rond pendant une bonne vingtaine de minutes, implorant le ciel d'épargner son frère, de les épargner. La tragédie n'en est pas à sa première incursion dans la famille, incarnation contemporaine du bonheur aux yeux du monde entier. La mort de son frère Joe dans son bombardier, celle de sa sœur Kathleen dont le petit avion s'est écrasé en France dans la vallée du Rhône sont la preuve que la Faucheuse s'invite chez eux comme chez n'importe qui. Pour un personnage extrêmement énergique comme l'est Bobby, l'attente qui le cloue d'impuissance est intolérable. Le téléphone sonne à nouveau. À la voix de Hoover, il comprend que le pire est arrivé. Son timbre est celui d'un homme apaisé, presque soulagé de se savoir définitivement débarrassé des Kennedy, de cette fratrie qu'il avait pourtant accueillie lors de son accession au pouvoir comme l'aurait fait un grand-oncle bienveillant. Mais les deux frères ont empoisonné sa vie par leur arrogance et un manque flagrant de réalisme. Ils ne lui ont pas montré le respect qu'on doit à l'autorité morale incarnée d'une nation qu'il prétend avoir sauvée du communisme. Au lieu de cela, les deux frères le considèrent comme une vieille tante anachronique et manifestent en privé leur intention de se débarrasser de celui qui trône à la police fédérale depuis une bonne quarantaine d'années. Ils parlent même de le remplacer après la prochaine élection, en 1964, dans moins d'un an.

Ni précautions d'usage, ni condoléances, Hoover se contente des faits : « Le président est mort. » Puis il raccroche.

Bobby n'a plus qu'une infime partie de son esprit pour penser. Le reste est submergé par la douleur. Le regard fixe, il se bat contre la montée des larmes. Il ne doit pas pleurer. Pourtant il sait qu'il va céder. Morgenthau et son assistant sont conduits dans l'immense demeure où on les installe confortablement devant un poste de télévision. Bobby se retire pour apprivoiser sa peine. Il n'y parvient pas et, seul, se laisse aller à son chagrin, celui d'un homme qui a tout perdu. Il n'arrive pas à croire qu'il ne verra plus la silhouette voûtée de Jack, son sourire narquois, son fatalisme ravageur qu'il déployait jusqu'au cynisme. Jack savait qu'il allait mourir. L'attentat n'était qu'une hypothèse, la plus probable étant d'être emporté par la maladie d'Addison. D'une façon ou d'une autre, il savait qu'il ne verrait pas grandir ses enfants. Il a fait de la politique comme un jeune homme bien né qui cherche une vénérable occupation. Les autres lui en voulaient de n'avoir eu faim ni de politique ni d'argent, d'avoir percé aussi facilement dans ce qu'il considérait à ses débuts comme un hobby nécessaire pour éviter son propre désœuvrement. Il se serait bien vu écrivain, mais la plus haute distinction littéraire reçue dès son premier livre l'en a découragé. Sa proximité avec la mort, ajoutée à sa grande intelligence, l'installait sur des hauteurs inaccessibles aux besogneux qui obstruaient le paysage politique des années soixante. Transformer la grâce en charogne. Ils y sont parvenus, les croisés du cynisme et de la prédation.

Quant à Bobby, son frère est mort et avec lui son inspiration. Sur le deuil, profond, se greffent la destruction de ce qu'ils ont entrepris et l'effondrement de ses perspectives. Bobby a tout perdu sauf la fortune imméritée des Kennedy qui pourrait le porter encore des siècles. Le ciel a blanchi sur McLean Virginie. Des millions d'Américains convergent vers leurs postes de radio et de télévision. Sidérée, l'Amérique apprend qu'un tueur isolé, apparemment communiste, a tiré sur le président par-derrière depuis un dépôt de livres situé sur Elm Street, une artère de Dallas sur laquelle le cortège présidentiel s'était engagé à une allure anormalement faible. Accusé d'avoir tué l'agent Tippit venu l'arrêter pour le meurtre du président, Oswald est appréhendé par la police de Dallas, et les premières images diffusées après son arrestation sont celles d'un homme hébété qui ne comprend rien à ce qu'on lui reproche. La fiction est en marche. Elle donne subitement à Bobby le courage de l'indignation. Ce pauvre type, ce leurre, n'a qu'une fonction, éloigner le plus possible le peuple américain d'une réalité terrifiante qui est celle d'un coup d'État. L'implacable engrenage de la couverture de cette machination a commencé et promet d'être d'une violence sans précédent pour ceux qui seraient tentés de s'opposer à l'infantilisation du peuple par le mensonge. Bobby mesure le courage et la prudence qui vont lui être nécessaires pour faire la lumière sur les meurtriers de son frère et leurs commanditaires. Et ensuite? Il n'en sait rien. Il pourrait être le prochain. Ils n'oseront pas. Coupez le pied d'une plante grimpante et vous la verrez s'asphyxier, jaunir puis se figer sur la paroi sèche et poussiéreuse. Il est désormais quantité négligeable. L'âme damnée de son frère a quitté son corps inanimé, cette dépouille que l'on attend en fin de journée à Washington, à bord d'Air Force One, le Boeing 707 présidentiel. Indistinctement, dans la brume de son chagrin, Bobby commence à entrevoir les deux pans de l'alternative qui s'offre à lui, vouloir exister au risque de mourir ou accepter de se faire neutraliser puis lentement dissoudre par le système qui a condamné son frère à mort. Le temps n'est pas venu de décider, d'abord il veut savoir. Il doit connaître le nom de tous ceux qui sont impliqués dans ce coup d'État, leurs poids et responsabilités respectifs.

Alors qu'il attend toujours l'avion qui ramène le corps meurtri de son frère, sa belle-sœur Jackie et le nouveau président qui a prêté serment dans l'avion, il se souvient d'une phrase de Johnson, celui qu'il surnommera jusqu'à la fin « l'imposteur » : « Au Texas, un obstacle se présente vertical, s'il persiste, on le couche à l'horizontale. » C'est ce qu'ils ont fait. Ils ont couché son frère à l'horizontale. Qui « ils » ? Jack n'a pas été assassiné par hasard à Dallas. Les tueurs auraient pu l'exécuter n'importe où, mais Dallas est la ville idéale pour dissimuler les preuves, effacer les traces, brouiller les pistes. La police de Dallas est à la solde des comploteurs, il en est certain même s'il n'a pas encore de preuve. L'avion tarde. Bobby n'attend pas seul. Autour de lui, un aréopage d'officiels en tout genre, d'autorités graves, inquiétantes. Le ciel aspire la tour de contrôle et ses lumières vives s'estompent progressivement. Des mines de circonstance se mêlent à des hommes choqués que la démocratie ait pris un coup pareil. Ils sont sidérés, mais pas surpris. Non, les fidèles s'y attendaient. Aujourd'hui ou un autre jour. En tout cas avant la réélection dans quelques mois. Jack avait virtuellement perdu l'élection de 1960 sans l'aide de Giancana qui a su rendre plus présentables l'Illinois et la Virginie-Occidentale. Mais il était encore ce matin à 65 % dans les intentions de vote pour la prochaine présidentielle. Un vrai boulevard illuminé et animé par une foule en liesse. On a éteint la lumière. Le boulevard s'est transformé en une sombre piste d'aéroport où sont rivés tous les regards. Bobby en profite pour sonder quelques proches. « C'est qui, d'après vous ? Je dois savoir, on se reparle, n'est-ce pas ? » Il peut lire dans le regard de nombre d'entre eux que leur avenir ne passe plus par lui. Mais pour certains, l'odyssée Kennedy ressemble à la conquête de l'espace qu'a initiée Jack. L'explosion d'une fusée en pleine ascension ne doit pas conduire à renoncer à un programme. Le cercle d'adhésion s'était élargi avec l'aventure présidentielle. Il vient brusquement de se rétrécir. Une administration présidentielle est une convergence improbable formée à un moment donné dans des circonstances particulières qui se répètent rarement deux fois. La magie d'une nouvelle génération qui a repoussé les frontières de l'esprit profondément conservateur d'un peuple impérialiste contre son gré n'était-elle qu'un accident de l'histoire ? Bobby se pose forcément ces questions en scrutant la petite assemblée, persuadé que quelques visages impénétrables qui, sans feindre la douleur, s'interdisent de jubiler appartiennent à des hommes qui ont armé les tueurs.

Dans ce moment d'attente interminable, Bobby pense peut-être à ce Dieu qui est dans la constitution, dans toutes les professions de foi mais nulle part ailleurs. Le 707 présidentiel se pose lourdement, le cercueil de Jack pèse cent fois son poids. L'avion revient lentement du bout de la piste d'atterrissage dans le sifflement caractéristique des turbines. Les propos échangés depuis sa chambre avec Clint Hill lui reviennent comme le refrain d'une chanson. Bobby a dans un premier temps essayé d'appeler Kenny O'Donnell, le chef de cabinet de Jack, fidèle d'entre les fidèles. Kenny était l'homme le plus proche de Jack, juste derrière Bobby. Kenny, authentique héros de la guerre, n'a peur de rien et certainement pas de la bande de lâches qui ont assassiné Jack. Bobby sait que le point de vue de ce taciturne intraitable qui a sacrifié sa vie de famille au service de son frère sera déterminant pour lui. Mais il ne parvient pas à le joindre. Alors, toujours de sa chambre où il a vue sur le parc de cette résidence somptueuse à la démesure des moyens qui sont les siens, Bobby réussit à entrer en contact avec Hill. Cet agent des services secrets s'est précipité sur la voiture présidentielle pour protéger Jackie qui fuyait par le coffre. Il est le seul à être intervenu alors que tout a été organisé pour laisser le champ libre aux tueurs. Hill, choqué, traumatisé de ne rien avoir pu empêcher, de ne pas avoir pu protéger le président, lâche des bribes de témoignages saisissants. Quand il est monté sur le coffre de la limousine pour protéger la première dame, une partie du cerveau du président s'y trouvait étalée. Les tirs venaient de partout, il n'aurait jamais pu imaginer se trouver au milieu d'une telle embuscade. Derrière les détails macabres, Bobby comprend que la balle qui a projeté le cerveau de son frère sur le coffre du cabriolet ne peut pas avoir été tirée dans son dos. Dévasté, Hill est submergé par le sentiment d'avoir été abandonné par toute la sécurité du président. Personne n'a bronché, comme s'il ne s'était agi que de l'explosion de pétards d'enfants. Y a-t-il eu complot ? Prétendre le contraire, c'est un peu comme affirmer que les Alliés ne savaient pas que les nazis exterminaient les juifs. Pire, ce serait nier leur extermination.

« L'étoile qui brillait sans chaleur » aux dires d'une de ses maîtresses est dans cette boîte, glacée et meurtrie. Son corps sans vie aux prises avec la raideur cadavérique peut révéler des secrets, et les hommes qui s'affairent autour du cercueil pour le conduire à la salle d'autopsie de l'hôpital naval de Bethesda le savent. L'autopsie est une forme légale de viol. La société s'octroie le droit de souiller un corps, de le torturer pour le faire parler. Bobby s'en inquiète, il veut être présent, il en a le droit, il est encore ministre de la Justice. Il craint certaines révélations sur l'état de santé de son frère avant sa mort. Cortisone, amphétamines, traitement contre les maladies vénériennes contractées à la suite d'une pratique compulsive de la sexualité. Toutes sortes de femmes se sont succédé pour satisfaire la répétition impérative de l'acte qu'il exécute, depuis près de vingt-cinq ans, d'une manière morbide, parfois sordide, dans la seule position que son corps douloureux lui autorise, couché sur le dos. Une forme de tyrannie sexuelle fédère les mâles de la famille même si Bobby est le moins atteint. Joe le père a ouvert la voie, et ses frasques acceptées sans broncher par leur mère, l'inoxydable Rose, ne sont pas pour rien dans la profonde misogynie que partagent les fils. Une esthétique du mépris a fleuri derrière la légende. Le père et les frères communiaient dans la sexualité en l'excluant du péché. Joe avait été, dans les années trente, jusqu'à demander une dispense à l'archevêque de Boston pour pouvoir vivre avec sa prestigieuse maîtresse, Gloria Swanson. Lorsque, convaincu de coucher avec une espionne danoise, Inga Arvad, Jack est envoyé dans le Pacifique pendant la guerre, Joe s'estime en droit de succéder à son fils et exige son dû à la jeune femme sidérée. Après la mort de son frère Joe junior, Jack fait le voyage pour l'Angleterre et le remplace, le temps de quelques

nuits, auprès de celle qui partageait sa vie. Un Kennedy succède toujours à un autre auprès des femmes comme dans les
fonctions politiques, c'est une règle non écrite de l'organisation
de la tribu. La rumeur dit que Bobby a remplacé Jack auprès
de Marilyn Monroe quand le président a commencé à se las-
ser de ses caprices d'étoile au firmament du cinéma. Jack aime
les maîtresses d'un jour, ou bien si elles doivent revenir, c'est
pour l'écouter sans rien dire disserter sur les affaires en cours
de son mandat. Il parle, comme s'il cherchait à les honorer une
seconde fois en se confiant. Marilyn a été remerciée, comme
des centaines d'autres avant elle. Elle a noté les confidences de
Jack sur un cahier. Quand elle menace d'en révéler le contenu
à la presse, Bobby est dépêché à Los Angeles pour l'en dissuader. Le lendemain, on la retrouve sans vie, enroulée dans ses
draps de satin. Elle est morte pour avoir souhaité que son intelligence, sa finesse d'esprit, dissimulées derrière le paravent de ses
outrances et de ses caprices, soient mieux considérées que son
corps maltraité d'être trop désiré. Après la rupture avec Jack,
Bobby s'est-il présenté naturellement pour lui succéder comme
l'aurait fait n'importe quel Kennedy? Il se murmure qu'il avait
des sentiments pour elle. Pas au point de la laisser révéler des
secrets d'État et en particulier ce qui s'est tramé lors de l'affaire
de la baie des Cochons. Tout le monde surveille Marilyn, le
FBI, la CIA, les Kennedy, et chacun mesure le danger qu'elle
représente pour la sécurité de l'État. Qui a finalement décidé
d'éteindre la petite flamme qui brûlait péniblement en elle?
Bobby sait que ses détracteurs le désignent. Il sait également
que si, ce soir-là, avec l'aide de son médecin, il a administré
des calmants à la jeune femme désespérée, il n'avait pas l'intention de la faire taire à jamais. Pour la meute des ennemis
des Kennedy dont l'âme est noire de mépris pour l'humanité,

la mort de Marilyn n'est jamais que la triste fin des pérégrinations d'un morceau de viande que se sont repassé Sinatra et les autres mafieux au cours de soirées orgiaques. Les maladies vénériennes dont se soignait Jack, par qui les a-t-il attrapées ? Par des femmes qu'il partageait avec Giancana ou d'autres de ces hommes qui ont conspiré contre sa vie ? Ces mêmes hommes ont diffusé la rumeur que, s'agissant de la gent féminine, Jack ne s'appartenait plus, que ses confidences ajoutées à son priapisme mettaient l'Amérique en danger.

La dépouille du défunt président est gardée plus jalousement qu'il ne l'était de son vivant. Aux regards assassins portés sur lui, Bobby comprend qu'ils feront dire à ce corps ce qu'ils veulent et que rien ni personne ne pourra les en empêcher. Ils sont là, ces hommes de l'ombre, pour bâtir une histoire, une fable, celle d'un président assassiné par un homme seul, probablement inspiré par des convictions en faveur de Castro.

De retour dans le couloir de la morgue, des images défilent devant les yeux de Bobby. La peau tendue par la morbidité est celle d'un visage au réveil après une longue nuit sur le dos. Les yeux restés ouverts embrassent l'univers, inquiets de n'entrevoir aucune limite. Ses cheveux ourlent, collés, humides de sang et de matière cérébrale. Alors qu'on s'apprête à prendre des photos au milieu des sommités dont la plupart n'ont rien à voir avec la médecine légale, Bobby distingue certainement le rafistolage grossier de l'arrière droit de la tête de son frère. Le morceau de calotte crânienne a été récupéré et clôt la béance créée par une balle de gros calibre qui lui a arraché plus d'un quart de la tête. Mais il distingue probablement à peine l'orifice qu'a creusé une balle en entrant à la base de son cou. Cette balle expliquera plus tard le geste de Jack qui y porte ses deux mains comme s'il simulait un étranglement. Les experts mandatés par les comploteurs expliqueront qu'il ne s'agit pas d'une entrée de balle mais de la sortie d'un projectile entré par la nuque. Pour appuyer leur dire, une fois la porte refermée derrière Bob, ils s'emploient à élargir le trou qui est à la base du cou, selon la logique qui veut qu'une balle fait plus de dégâts en sortant qu'en entrant. Les quelques experts réunis autour du cadavre œuvrent devant une muraille de militaires de haut rang qui cachent leurs gestes et étouffent le son de leurs commentaires. C'est de ce corps trituré qu'émanait, il y a quelques heures encore, l'esprit de son frère dont Dieu seul sait désormais où il se trouve. Bobby pense à ces moments de grande intimité qu'ils ont eus l'un et l'autre quand l'avenir de la planète était entre leurs mains. De plus en plus méfiant, les mois passant, Jack s'était replié sur sa relation avec son frère auprès duquel il testait toutes ses idées avant de les diffuser. Il voulait bien assumer la solitude du pouvoir mais pas seul.

Cet hôpital naval uniformément gris a tout d'une représentation méticuleuse de l'impasse humaine. Comme un feu clignotant dans l'esprit de Bobby s'allument les images de Jackie dans l'avion où il s'est précipité dès l'ouverture des portes, bousculant Johnson qui n'oubliera jamais cette manifestation de son mépris. Après de vaines discussions avec les militaires pour que seuls les proches de JFK soient autorisés à porter le cercueil, Bobby et Jackie se sont retrouvés côte à côte dans l'ambulance qui a conduit le corps à l'autopsie. Elle ouvre son manteau qui dissimule sa robe rose, maculée de sang. Elle n'a pas souhaité en changer, elle veut que les gens voient ce qu'ils ont fait à Jack. Quant à elle, elle réalise qu'ils n'avaient pas plus l'intention de l'épargner que de la tuer. Elle ne comptait pas. Elle était juste un pot de fleurs rose posé sur une scène de crime. Elle déroule pour son beau-frère cette journée qui s'annonçait comme un défilé de mode du couple présidentiel le plus charmant de l'histoire de la nation devant le bon peuple texan bouleversé de voir ces icônes de ses propres yeux. O'Donnell lui a donné du whisky à boire pour la première fois de sa vie dans l'avion, elle n'en sent même pas les effets, l'alcool semble avoir été aspiré par les prodigieux efforts de sa mémoire pour restituer le drame seconde après seconde, de sa petite voix haletante qui n'a rien perdu de son charme. Personne n'aimait Jack plus que son frère ne l'aimait. Pas même elle. Elle lit dans le regard de Bobby sa détresse, sa culpabilité de ne pas avoir pu le protéger. Alors que l'ambulance est entrée dans le périmètre de l'hôpital naval, Jackie lui serre le bras et lui murmure, exaltée : « Ils nous tueront tous, Bobby, ils nous tueront tous. »

Les trois légistes inexpérimentés consignent sous le regard menaçant de plusieurs militaires du haut commandement des conclusions qui infirment les observations des médecins de l'hôpital de Parkland à Dallas où JFK a été déclaré mort. La pression de l'armée sur les scientifiques conduit Bobby à penser qu'elle est impliquée à un niveau ou à un autre dans l'assassinat de son frère. Jack n'aimait pas les militaires et il se servait de son humour distancié pour le dire à qui voulait l'entendre : « Je ne fais pas confiance aux militaires en général et encore moins pour les affaires militaires que pour le reste. »

Pendant la crise des treize jours, qui aurait pu conduire à l'éradication de l'espèce humaine de la surface du globe, les militaires avaient pris le parti de la guerre après la découverte à Cuba de missiles soviétiques pointés sur les États-Unis. La gestion du conflit avait valu aux frères une réputation de couards. Pour le haut commandement de l'armée américaine, ces deux poids plume aux accents pacifistes s'appuyant l'un sur l'autre pour supporter la charge de la responsabilité présidentielle n'avaient pas l'envergure pour faire face à un paysan retors comme l'était Nikita Khrouchtchev, qui cachait sous un air malin une exceptionnelle propension à éliminer son prochain ainsi qu'il l'avait prouvé en 1937 lors de l'extermination de sept millions de koulaks, ces paysans ukrainiens dont le seul tort était de faire prospérer leurs terres. Face à un homme aussi déterminé, on n'installe pas à la Maison-Blanche un fils de famille à la belle coupe de cheveux, flanqué d'un frangin entêté qui n'est là que parce que son grand frère n'a pas la force de décider seul. Les militaires, même s'ils ne sont pas directement impliqués dans le meurtre, ont tout intérêt à contribuer à masquer la conspiration. Convaincre l'opinion qu'un pro-castriste a tué le président des États-Unis, c'est fonder une légitime défense à envahir Cuba.

Mais dans les premières heures qui ont suivi le décès de Jack, Bobby, victime de son impétuosité, joint par téléphone un des hommes avec qui il était en contact à la CIA pour régler le problème de Castro. Éliminer Castro est une obsession au sommet de l'État bien avant les Kennedy. Sous Eisenhower et son vice-président Richard Nixon, l'idée prévaut que Cuba ne tient que grâce à son leader charismatique. Assassiner Castro puis envahir l'île : le plan conduit à une triangulation trouble entre la présidence, la CIA et la Mafia qui est étroitement associée à l'opération comme spécialiste du meurtre rapproché. La Mafia est particulièrement intéressée à reprendre le contrôle de l'île qu'elle avait transformée du temps de Batista en un gigantesque tripot. L'Amérique y avait alors imposé l'une des facettes de sa civilisation, un mélange apparemment subtil d'ensoleillement stable, de pêche au gros en pleine mer, de filles vénales et d'hommes dépravés. Aux excès en succèdent souvent d'autres, et les barbus en veste kaki ont remplacé les tenanciers de bordel épuisés par l'alcool et les nuits blanches. À l'opportunisme criminel a succédé une idéologie déjà rance, le communisme. Le plan est d'une simplicité déconcertante, même pour les militaires. Il consiste à tuer Castro puis à envahir l'île à l'aide de troupes constituées d'exilés cubains entraînés pour la plupart au Guatemala où l'Amérique teste sa politique sud-américaine. Une politique qui conduira plus tard à installer Videla en Argentine et Pinochet au Chili. La plus grande démocratie du monde n'a trouvé que la dictature à opposer à la montée du communisme, favorisée dans ces pays par le vol des multinationales américaines aidées par des élites corrompues et complices.

Envahir Cuba avant l'élection de 1960 aurait suffi à assurer la victoire de Nixon. Mais la Mafia se sent plus à l'aise pour traiter avec les Kennedy qu'avec Nixon « le renard ». Joe Kennedy, le père, n'est-il pas, après tout, lui-même, une sorte de parrain d'une mafia issue de la diaspora irlandaise. Alors que l'élection approchait, Nixon s'impatientait de voir Giancana assassiner Castro. Mais le parrain de Chicago n'a pas bougé un orteil. Mieux même, il a fait basculer deux États dans l'escarcelle de Kennedy en achetant des voix via les syndicats pour le compte de Joe qui ne regarde pas à la dépense. C'est un Giancana halluciné qui entre en contact avec le nouveau président après l'élection, par l'intermédiaire de leur maîtresse commune, la somptueuse Judith Campbell qui est aux beautés brunes ce que Marilyn est aux fausses blondes. Giancana ne comprend plus rien. Alors qu'il a rempli ses engagements, Bobby devenu ministre de la Justice met la pression sur lui pour qu'il assassine Castro. Il le fait sans manières. Enquêtes, contrôles fiscaux, arrestations, Giancana est médusé. Jack tempère son frère, mais Bobby croit bien faire en les pressant de tuer Castro avant le débarquement de forces anticastristes dans la baie des Cochons. Les multiples tentatives d'assassinat échouent, et Jack accepte le principe du débarquement de forces clandestines sans élimination préalable du leader charismatique. Mais il prévient que, pour éviter toute crise internationale, il ne cautionnera pas officiellement l'opération, ni n'autorisera le soutien de l'intervention par l'armée régulière en cas de difficultés. Le débarquement dans la baie des Cochons vire au désastre. Les hommes supplient pour que l'aviation vienne à leur secours. Jack, sollicité à plusieurs reprises, refuse. Les survivants de ce massacre sont autant d'hommes décidés à retourner leur fusil contre le « maudit fils de pute qui les a laissés crever dans le sable ». C'est ce qu'on entend dans tous les bars, de Dallas à La Nouvelle-Orléans en passant par Miami où les réfugiés cubains vitupèrent le jeune président qui a creusé la tombe de leurs espoirs de récupérer un jour leur île. Ces espoirs connaîtront une seconde mort quand, après l'affaire des missiles de Cuba, Kennedy ordonnera de ne plus rien entreprendre contre Castro. Jack porte la responsabilité de l'échec du débarquement dans la baie des Cochons avec honneur. Mais Bobby en veut à la Mafia de ne pas avoir su créer les conditions de l'invasion et accentue la pression sur le milieu. Sans faiblir, il repart en croisade contre ses principaux chefs. Dans cette affaire largement téléguidée par le département des opérations noires de la CIA, l'inexpérience de Bobby, qui n'avait d'égale que sa hargne à s'imposer, s'est heurtée à un mur derrière lequel marinaient les instincts les plus sombres de l'humanité. Bobby s'est essayé au cynisme comme les enfants s'essayent à la guerre mais il n'était pas de taille, et au fond de lui-même il le savait. Après la baie des Cochons, premier échec cinglant de l'administration Kennedy, Jack a fait le ménage à la CIA sans être conscient que les hommes qui appartiennent à cette organisation un jour lui appartiennent pour toujours.

Aucun appel passé par Bobby ce 22 novembre après-midi n'est empreint d'autant de naïveté que quand il joint un de ces obscurs agents avec lesquels il coopérait pour lui demander « si la putain de Centrale a quelque chose à voir avec les événements horribles de la journée ». À quoi s'attendait-il? Que l'agent en question lui donne la liste des hommes déguisés en clochards qui, installés derrière une palissade, ont arrosé la limousine présidentielle de projectiles jusqu'à ce que l'un d'eux emporte un bon quart du crâne de son frère? Il récidive un peu plus tard lorsque McCone, le directeur de la CIA nommé par son frère en remplacement d'Allen Dulles, l'appelle chez lui à Hickory Hill. L'Irlandais lui assure que la Centrale n'est pour rien dans la mort de Jack. « Pour ce qu'il en connaît, se dit Bobby, pour ce qu'il en connaît. »

Il appelle les uns et les autres, frénétiquement. Ruiz-Williams d'abord, un vétéran de la baie des Cochons : « C'est un de vos hommes qui a fait ça, n'est-ce pas? » James Rowley ensuite. Le patron des services secrets chargés de veiller sur le président est incapable de dissimuler à Bobby que « son frère est mort victime de tirs croisés de trois ou quatre hommes. Une organisation puissante est derrière ça, monsieur Kennedy ». Rowley se rétractera lors de sa comparution devant la commission Warren nommée par Johnson pour éteindre consciencieusement la lumière sur l'assassinat du président. Il faut préciser qu'à l'époque de son témoignage le bal des intimidations avait commencé, mêlant harmonieusement menaces, assassinats de témoins déguisés en suicides et en accidents.

Johnson, le vice-président bonhomme, s'était apparemment effacé derrière la légende Kennedy. Le Texan au franc-parler, qui bouscule volontiers l'establishment issu de Harvard et qui manipule la métaphore avec un soin particulier, ne fait pas mystère de ses ambitions. S'il reste à l'ombre, c'est qu'il fait trop chaud en plein soleil. Mais quand le soleil a disparu à l'ouest, derrière la montagne, tout le pousse à sortir de l'ombre. Sa haine des Kennedy est notoire, envers ces deux gosses de riches qui, ayant grandi dans le terreau de la Mafia, se donnent des airs de fonctionnaires internationaux. Bobby est des deux celui qui s'est acharné à lui faire le plus de tort. Johnson hait l'enfant de chœur aux pantalons trop courts à qui tout arrive par népotisme. Le « fils de » s'est doublé d'un « frère de » et c'est assez pour qu'à moins de quarante ans il se targue d'influencer la marche du monde. Il a court-circuité tous les pouvoirs établis, des diplomates aux militaires en passant par le renseignement, pour mener son frère au désastre. Johnson, qui n'a jamais su se faire aimer des électeurs, déteste ce rapport de séduction que les deux frères ont su créer avec le grand public en subjuguant la presse. Ce 22 novembre 1963, Bobby n'est pas en état de définir la place exacte de Johnson dans le processus d'élimination de son frère. Comme ministre de la Justice, de nombreuses informations lui sont parvenues ces dernières années concernant le vice-président. La première remonte à 1951 quand Malcolm Wallace, son homme de main, a assassiné l'amant de sa femme, qui était aussi celui de la sœur de Johnson. Cette dernière, dépressive et alcoolique, aurait fait à la victime des révélations concernant le financement de la vie politique de Johnson. Johnson, qui suit le procès de près, fournit à Wallace son propre avocat, et par son influence sur les juges lui obtient une peine de cinq ans avec sursis. Dix ans plus tard, en 1961, le suicide d'un fonctionnaire du ministère de l'Agriculture qui enquêtait sur le détournement de subventions suscite l'attention du ministre de la Justice. Henry Marshall se serait suicidé en se tirant cinq balles... Toutefois, ce jour-là, un homme correspondant à la description de Wallace aurait demandé son chemin en direction de la ferme de Marshall. Alors que l'assassinat de JFK se prépare, il est acquis pour Johnson qu'à moins d'être lui-même président, il ne pourra pas étouffer les remontées de l'affaire Marshall qui vont le désigner à plus ou moins long terme comme le bénéficiaire du détournement de subventions destinées à la culture du coton. Et de fait comme commanditaire du crime.

Johnson est à Dallas le 22 novembre, dans la voiture qui suit immédiatement la décapotable où sont installés le couple présidentiel et Connelly, le gouverneur du Texas. Bobby va immanquablement être tenté de savoir comment s'est comporté Johnson ce jour-là. On lui répondra qu'il était dans l'état d'esprit de quelqu'un qui attend qu'on lui porte les clés d'une nouvelle location en meublé. Il est certain pour Bobby que Johnson, se sentant aux abois sur l'affaire Marshall, n'aura pas eu de grandes difficultés à solliciter les contributions de riches pétroliers pour la promotion d'un Texan à la présidence des États-Unis, surtout au moment où les Kennedy, grisés de justice fiscale, parlaient de remettre en question les privilèges des magnats de l'or noir.

Quand Bobby s'est précipité dans l'avion qui ramenait la dépouille de son frère, on l'a dit, son empressement l'a conduit à bousculer Johnson qui l'a regardé, sidéré par sa désinvolture. Bobby n'a même pas daigné croiser le regard de Johnson, dont il méprise l'imposture. Cet homme, qui n'aurait jamais pu être élu pour lui-même, s'est empressé de chausser les bottes du défunt. Pire, la sollicitude feinte de Johnson pour Jackie lui évoque forcément la tragédie d'Hamlet. Alors que la couronne usurpée par un assassinat lui est acquise, il se montre magnanime avec la veuve du défunt. Cette symbolique est insupportable à l'impétueux Irlandais.

Le jour n'est pas loin de se lever sur la Maison-Blanche en ce 23 novembre. Bobby, seul, front et main posés sur le cercueil de son frère, sanglote et murmure : « Pourquoi, mon Dieu, pourquoi ? »

Sheridan, son homme de confiance depuis ses débuts dans les années cinquante à la commission sénatoriale sur le crime organisé, est dans le Sud pour assister à un n-ième procès de Jimmy Hoffa, le chef du syndicat des camionneurs. Bobby, qui devient le promoteur secret de la théorie du complot, charge Sheridan de retrouver les assassins. Il cite la CIA, la Mafia, les anticastristes. Johnson, les Texans, l'armée ne sont forcément pas loin, même s'ils ne sont pas les commanditaires directs. Sans oublier l'industrie militaire, inquiète de la volonté de Kennedy de sortir du conflit vietnamien. Ce pays qui se plaît à laisser penser que la foi et les valeurs morales le dirigent ne reconnaît principalement que l'intérêt comme ciment d'une communauté prompte à s'organiser et à se libérer de tout scrupule quand il s'agit de le défendre.

Le lendemain dimanche, les Américains croient voir surgir dans leur poste de télévision à 12 h 21 une scène d'un vieux film de gangsters. Alors que Lee Harvey Oswald, l'assassin présumé, s'avance au bras de deux policiers dans les locaux de la police de Dallas dont ils s'apprêtent à sortir pour rejoindre une voiture, un homme surgit, revolver en main, et tire sur Oswald, en plein ventre, à bout portant. Oswald décède dans le même hôpital que Kennedy, une heure plus tard. Les États-Unis se sont transformés en république bananière, c'est le sentiment d'Eisenhower et de bien d'autres responsables qui comprennent que le politique est passé sous le contrôle de forces obscures qui entendent dicter les nouvelles règles du jeu avec un aplomb inimaginable. Leur sentiment est appuyé par la révélation de l'identité de l'auteur du crime, Jack Rubenstein, alias Jack Ruby, qui gère pour le compte du milieu un club de strip-tease à Dallas où les policiers municipaux ont table ouverte, ce qui expliquerait pourquoi Ruby a pu accéder à Oswald si facilement. Le leurre dont on ne savait plus quoi faire a été à son tour « horizontalisé ». Ruby est sorti des rangs avec autant de ridicule et d'invraisemblance qu'un amant sort d'un placard dans une pièce de théâtre de boulevard. Ces gens-là ne lisent pas Shakespeare, cette scène a les traits d'une bouffonnerie italienne à l'usage des quakers.

4

« Votre manuscrit n'a rien d'une thèse, c'est un point de vue. Tel quel, ils vous le refuseront. »

Cet avertissement dispensé par Madsen à la lecture des premières pages de mon travail, quelques jours avant sa disparition, n'a rien changé à ma façon de procéder entre enquête journalistique et construction littéraire. Le mensonge impose d'être démonté, et de nombreuses années sont nécessaires pour y parvenir. C'est là-dessus que s'appuient les falsificateurs, convaincus que le temps joue en leur faveur. Une vérité n'a pas la même force selon sa place dans la chronologie. L'évidence d'un complot fomenté pour tuer JFK aurait explosé à la face du monde le lendemain de sa mort, les conséquences en auraient été différentes. Cinquante ans après, des milliers de chercheurs travaillent de bonne foi à exhumer le moindre indice prouvant qu'Oswald ne pouvait pas être le tueur, et l'aurait-il été, il n'aurait pas pu l'être seul. Pour avouer la réalité de cette conspiration, il faudra que ses derniers acteurs, comme George Bush père, aient rejoint l'autre monde, celui où il est plus facile d'entrer que de sortir. Quand le mensonge est à ce point énorme, c'est faire trop d'honneur à ceux qui l'ont fomenté que de vouloir le démonter scientifiquement. Quel tueur se préparant à assassiner le président des États-Unis se fait envoyer un fusil par la poste ? Quel tueur se serait installé, le plus mauvais fusil du marché en main, à l'étage d'un dépôt de livres sachant que la voiture présidentielle lui serait forcément cachée par le feuillage d'un arbre ? Nous étions à peine douze ans après l'assassinat de Robert Kennedy, et je ne voulais pas que le temps procède sur cette affaire comme le souhaitaient ses instigateurs, par lente décomposition.

L'enquête sur ma famille me semblait plus difficile, curieusement. J'ai décidé de mon premier voyage à Paris à la fin de l'année 1980. Madsen est mort le matin où j'ai foulé le sol français pour la première fois, et je ne l'ai su qu'à mon retour. La fatigue du voyage n'a pas submergé l'émotion de découvrir ce pays où j'avais une moitié de mes origines, même si en remontant plus loin celles-ci filaient en partie vers l'Europe centrale.

Dans l'avion, mon voisin s'était mis à me parler après deux ou trois verres de vin. Une mission pour le département d'État le conduisait à Paris mais il m'a semblé évident qu'il s'agissait là d'une couverture pour un homme du renseignement qui venait observer les possibles modifications du paysage politique en France. Les Français entrevoyaient un basculement à gauche avec une probable participation des communistes au gouvernement, ce qui induisait obligatoirement l'ouverture d'un couloir d'information direct entre Paris et Moscou. Pour un homme de l'ombre, il était plutôt disert, preuve que son importance dans le dispositif de surveillance devait être relative, mais il était cultivé, ce qui nous a permis d'échanger sur Hemingway. Quand je lui ai parlé du sujet de mes recherches, il a d'abord souri, puis d'un ton très paternel m'a mis en garde contre les dangers que je courais à m'intéresser à cette histoire sur laquelle, selon lui, on ne ferait jamais la lumière. Il a semblé étonné d'apprendre que la relation de ma famille à cette tragédie prenait le pas sur la tragédie elle-même, et j'ai vu dans son regard tout à la fois complaisant et ironique qu'il me suspectait d'être un mythomane, un de ces hommes faibles qui raccrochent la médiocrité de leur existence à de grands événements pour exister enfin. Après cela, je l'ai vu repiquer du nez dans ses rapports confidentiels. Mes efforts pour ranimer la conversation en évoquant la façon dont la CIA avait géré le problème du terrorisme en Italie n'ont servi à rien.

Paris, comme beaucoup d'autres grandes métropoles, se laisse désirer en infligeant au visiteur la traversée d'interminables banlieues. Chacun y entretient une dignité entamée par une architecture regrettable qui, par endroits, intellectualise son propre échec. Je n'avais jamais vu une telle concentration d'indigence sauf peut-être dans certaines réserves indiennes, plus petites et tellement plus désolées.

Arrivé dans un petit hôtel de la rive gauche près du Sénat, dans une rue dont j'ai oublié le nom qui descend discrètement jusqu'à la rue Monsieur-le-Prince, je me suis donné deux jours pour découvrir les merveilles de la capitale, deux jours pendant lesquels j'ai pris des contacts pour des rendez-vous ultérieurs.

Je me souviens d'un froid hésitant et assez humide pour que les feuilles mortes prennent au sol l'aspect d'algues. Le ciel gris dessiné à la mine de plomb descendait sur les toits. L'humeur maussade des Parisiens contrastait avec les splendeurs qui les entouraient. Malgré cela, il leur restait une incroyable élégance, un soin à paraître depuis longtemps révolu en Amérique du Nord où la fonctionnalité avait pris définitivement le pas sur l'esthétisme. Élégantes, fringantes, arrogantes, les Parisiennes avaient une façon unique d'apparaître.

Après m'être éreinté de musée en musée, j'ai rejoint les bords de Marne en quête d'éventuels vestiges de l'enfance de ma grand-mère, mais l'urbanisation avait tout emporté. J'ai erré longuement sur la berge « du côté de Nogent ». Quelques péniches amarrées ont réveillé des souvenirs que Maine avait évoqués pour moi. J'ai envié le nomadisme des bateliers.

Au 15 de la rue de Condé, ma grand-mère et mon père avaient vécu les six années d'après la Libération. Mon père exerçait rue Saint-Sulpice. Je n'ai pas trouvé trace de son cabinet sans doute réaménagé en appartement. Je me suis adressé à des associations d'anciens déportés pour savoir si mon père avait tissé des liens avec eux, puisqu'il m'avait été confirmé qu'il avait œuvré, à leur retour, pour les aider à entrevoir le monde autrement que sous forme de privation, de torture et d'anéantissement. Son aide ne s'était pas réduite à une assistance psychologique, il les avait aussi accompagnés dans les démarches qui devaient les conduire à retrouver leurs biens. L'aide psychologique gratuite aux hommes et aux femmes revenus des camps l'avait mobilisé toutes ces années-là, en plus de sa clientèle ordinaire qui lui permettait de vivre assez confortablement, si j'en jugeais d'après le quartier où il résidait.

Il me fut permis de rencontrer plusieurs de ses anciens patients qui louèrent son travail quand il les avait aidés à reprendre pied dans la vie ordinaire. Nombre d'entre eux ne comprenaient pas qu'après avoir survécu à une tragédie aussi douloureuse, l'existence puisse les ramener à un quotidien d'une telle banalité, où le dérisoire avait repris ses droits comme si jamais rien ne s'était passé. L'un d'eux, un intermédiaire dans la confection, dont les bureaux donnaient sur la place de la

Bourse, me reçut chaleureusement comme si j'étais le fils d'un très vieil ami. M. Ruckenberg avait le charme des ombres et conservait avec ses interlocuteurs une distance polie. Il se souvenait de n'avoir vécu pendant plusieurs mois que pour les séances de thérapie avec mon père. Il parvenait alors à peine à travailler et encore moins à dormir. Son sommeil s'était transformé en un cinéma passant toujours le même film, tellement horrible que les journées parvenaient à peine à en effacer le souvenir. En faisant la demande d'une nouvelle identité à l'état civil, il avait espéré devenir un homme neuf, mais ce changement lui avait été refusé au prétexte que rien n'était dérangeant ni discriminatoire dans ce patronyme de Ruckenberg. Il m'avoua avoir pensé à plusieurs reprises à mettre fin à ses jours, solution qu'il excluait immédiatement au souvenir des efforts qu'il lui avait fallu pour survivre. Mais cette contradiction le minait au point qu'il s'était mis à boire. On lui avait ainsi recommandé mon père. Il s'en souvenait comme d'un personnage souriant mais froid. La confiance qu'il avait en lui-même se transmettait involontairement à ses patients. Il les mettait sous hypnose, état qui lui permettait de faire circuler leurs souvenirs d'un hémisphère du cerveau à l'autre de façon, selon sa propre expression, à les appauvrir en émotivité. Cet homme se rappelait avoir recommandé mon père à plusieurs anciens déportés qui comme lui trouvèrent dans sa thérapie un soulagement qui leur permit d'envisager de vivre à peu près normalement. Sa disparition brutale les surprit. Ruckenberg la datait du mois de juin 1951. Un rendez-vous avait été pris pour une consultation dans le courant du mois. Lorsque le patient, qui ne ratait jamais une séance, s'était présenté rue Saint-Sulpice, le cabinet était fermé et mon père avait disparu.

Il me fut assez facile de retrouver la logeuse de mon père et de ma grand-mère. Elle était âgée quand je la rencontrai et elle ne semblait pas plus se soucier du passé que de l'avenir qui, si j'en jugeais par son état de santé, ne lui offrait pas de longues perspectives. Le souvenir de ma grand-mère et de mon père s'était estompé comme celui de bien des locataires qui s'étaient succédé depuis. Elle creusa longuement dans sa mémoire avant d'en sortir un détail qui l'avait marquée. Elle se rappelait effectivement une mère et son fils qui avaient brutalement quitté les lieux. Elle avait d'abord pensé qu'ils ne lui paieraient pas le loyer restant dû, mais une liasse de billets lui était parvenue quelques jours plus tard, qui soldait leur dette en tenant compte de la valeur estimée des meubles qu'ils lui laissaient, après déduction d'une décote forfaitaire, elle se souvenait très bien de la formule. Ses réminiscences semblaient s'arrêter là et elle me le fit comprendre d'une moue fatiguée. Puis, alors que je m'apprêtais à la quitter, elle se rappela soudainement que deux officiers de police étaient venus demander mon père un mois plus tard. Elle avait cherché à en connaître le motif par curiosité mais aucun des deux policiers n'avait daigné lui en faire part.

M'adresser à une association de médecins pratiquant l'hypnose me parut le plus court chemin pour en savoir davantage sur cette affaire judiciaire qui avait conduit ma famille à s'enfuir. J'imaginais que mon père avait été une notoriété dans ce milieu professionnel étroit et qu'à ce titre son départ avait dû provoquer un émoi suffisant pour qu'il soit gravé dans les mémoires. J'essuyai plusieurs refus d'entretien motivés par un manque de disponibilité de mes interlocuteurs. Les praticiens de bonne volonté ne se souvenaient pas de mon père qui était d'une génération plus ancienne que la leur et qui, de toute évidence, ne s'était lié à aucune association professionnelle, ce qui collait bien avec son caractère solitaire. C'est finalement un psychiatre plus âgé que ne l'aurait été mon père s'il avait été vivant qui me reçut dans une impasse du 14ᵉ arrondissement où il pratiquait dans une maison ancienne aux murs recouverts de chaux. Je poussai un portail vert en fer forgé tout écaillé et gagné par la rouille. Je patientai un long moment dans une salle d'attente en feuilletant des livres d'art contemporain disposés sur une table basse. Une jeune femme longue et blanche aux yeux curieusement éteints, soulignés de cernes mauves, sortit du bureau du psychiatre en ondulant et en laissant la porte ouverte. De l'intérieur de celui-ci, un vieil homme me fit signe d'un geste affectueux de la main. Il était assurément né au plus tôt avec le siècle. Ses rides donnaient à son visage une expression de dérision et de chaleureuse bienveillance qui se manifestait dans chacun de ses gestes. Il avait visiblement oublié le motif de ma visite mais se plut à me le redemander en souriant. Il se souvenait très bien de mon père qui avait été, selon lui, le plus doué et le plus mystérieux de ses élèves à Sainte-Anne. Hypermnésique, passionné d'hypnose, quelque chose le prédisposait à en devenir un des plus grands spécialistes français. Une sale affaire l'avait poussé à quitter la France mais ils avaient correspondu jusqu'au milieu des années soixante. Je sentis le vieil homme hésitant à me livrer les raisons de ses ennuis. Mais il comprit l'importance qu'il y avait pour moi à savoir ce qui l'avait chassé de France. Je vis à son regard que ses révélations allaient m'empoisonner l'esprit mais qu'il tenait à ma disposition l'antidote. Deux plaintes pour abus sexuel sous hypnose provenant de deux femmes différentes l'avaient conduit en correctionnelle. Un doigt courbé, posé sur la bouche, les yeux plissés, il observa ma réaction et me laissa un long moment aux prises avec cette information surprenante. Puis il se mit à sourire de plus en plus franchement avant de briser le silence.

« Votre père n'aurait jamais extorqué un consentement. Le procès s'est tenu en correctionnelle. La pénétration n'a pas pu être démontrée. Et pour cause... nous savons tous qu'elle n'a pas eu lieu. Mais il a été condamné. Une peine de prison de quatre ans ferme. Accompagnée d'une interdiction d'exercer. Il a fait un mois de prison, tout au plus. Puis il a été libéré. J'ai été en contact avec votre père juste avant que le procès ne commence. Il était très serein. Il m'a appelé au téléphone et m'a parlé de conspiration, d'une voix très détendue. Selon lui, il ne faisait aucun doute qu'il allait être condamné à une lourde peine de prison. "Que je ne ferai pas", a-t-il ajouté très sûr de lui. Je n'ai pas osé lui demander les raisons de son optimisme. Il m'a rappelé la veille du procès sur le ton de quelqu'un qui va subir une opération chirurgicale bénigne, tout à fait confiant d'y survivre. Il a ajouté qu'il n'aurait pas l'occasion de me revoir avant son départ et qu'il s'en excusait. Tout s'est déroulé exactement comme il l'avait prévu. Dans ses lettres du Canada, il ne mentionne jamais cette histoire comme si elle n'avait été pour lui que la marche à franchir pour s'installer sur un nouveau continent. Ensuite notre correspondance est devenue essentiellement professionnelle et j'ai compris qu'il avait pris en Amérique du Nord la place qui lui revenait en France. Il ne s'en plaignait pas, tout au contraire. »

Le vieil homme m'interrogea ensuite longuement sur les circonstances mystérieuses de la mort de mon père. Il sembla profondément affecté d'apprendre que celui qu'il considérait comme le plus doué de ses élèves était mort prématurément, dans des circonstances aussi tragiques.

Je sortis de cet entretien soulagé. Je me mis à marcher, persuadé d'aller dans la bonne direction. Sauf que je ne savais pas où cela me menait, d'autant que je n'avais pas l'intention d'aller où que ce soit. Par je ne sais quel prodige, je me retrouvai parc Montsouris. Je m'assis sur un banc où je sentis monter le froid. Un froid intérieur, contre lequel on ne peut rien. Je le compris assez vite pour ne pas chercher inutilement un abri où me réchauffer. Un homme s'installa un peu plus loin, sur un autre banc. Il serrait contre lui un pardessus gris foncé et s'alluma une cigarette qu'il fuma profondément. Il fixait le sol devant lui en évitant soigneusement de croiser mon regard. Transis, je me remis à marcher dans le sens inverse de celui qui m'avait conduit jusqu'au parc. Je reconnus chacun des lieux que j'avais longés. J'allongeai le pas jusqu'à la maison du vieux praticien. Je ne la retrouvai pas, pas plus que le papier sur lequel j'avais écrit l'adresse. Pour calmer une angoisse grandissante, je me dirigeai vers une large avenue où je hélai un taxi qui me reconduisit à mon hôtel. Je mentionnai l'impasse où j'avais eu rendez-vous. En quarante-cinq ans d'exercice de son métier, le chauffeur n'avait jamais entendu parler de cette impasse. Je fis en sorte de ne plus y penser.

Pour une raison que j'ignorais, des embouteillages s'étaient formés dans Paris. Je descendis du taxi et marchai. Je repensai au vieux psychiatre. La facilité avec laquelle il s'était ouvert à moi était intrigante tout autant que la fluidité du chemin qui m'avait amené à lui. Le visage de la femme qui tenait une sorte de secrétariat bénévole de l'association des psychiatres hypnotiseurs me revint pendant que je marchais, obsédant. Je l'avais trouvée avenante. Elle avait parcouru une sorte de Bottin où se déroulaient les noms des praticiens inscrits à l'association depuis sa création avant guerre. Elle en avait sélectionné trois ou quatre qui lui semblaient correspondre à ma demande. La façon dont les premiers m'éconduisirent me parut aussi suspecte que la bienveillance du vieux psychiatre dont je ne parvenais pas à me rappeler le nom qui figurait sur le même bout de papier que l'adresse.

Comme je traversais le boulevard Saint-Michel devant la station Port-Royal, je remarquai l'homme qui s'était assis non loin de moi dans le parc Montsouris. Il fumait toujours en regardant nulle part. Il était campé devant une statue dont j'ai oublié le nom du personnage qu'elle est censée figurer. Je vins résolument me placer près de lui, dans son champ de vision. Son regard me traversait comme si je n'avais aucune matérialité. Chaque fois qu'il changeait de direction, je le suivais. Finalement il entra dans La Closerie des lilas et alla s'asseoir au fond, dans le coin, près du bar. Je fis de même et me plaçai dos au mur face à la salle. Il ouvrit un journal qui titrait sur une possible entrée des communistes au gouvernement en cas de victoire de la gauche aux prochaines élections. Pendant un long moment, il ne leva pas la tête. J'en profitai pour me plonger dans *Paris est une fête* de Hemingway. La traduction me parut démodée. C'est alors que je réalisai que j'avais emporté ce livre depuis Vancouver où je l'avais acheté dans une librairie la veille de mon départ. Mais je l'avais acheté en anglais, j'en avais la certitude. Mon angoisse ressurgit comme si elle n'attendait qu'un événement de cette sorte pour revenir au premier plan. L'homme que je surveillais avait commandé un grand crème au garçon et il tournait sa cuillère en lisant. Le journal lui servait de paravent pour m'observer. Quand je me décidai à partir, j'appelai le garçon pour le régler puis je me levai. Je me mis à marcher doucement en direction du piano près de l'entrée. Je n'étais pas encore sorti que l'homme se rua sur moi. Je me retournai brusquement et nous nous fîmes face une seconde avant qu'il ne s'excuse et ne s'en retourne à sa table d'une démarche lente et désabusée. Je me dirigeai vers le boulevard Saint-Michel sous une pluie fine et froide. Le vent soufflait dans mon dos. Mon projet de traverser le jardin du Luxembourg disparut sous l'averse qui s'installa pour durer. Arrivé devant la porte de mon hôtel, je remarquai que l'homme que j'avais laissé derrière moi à La Closerie des lilas arrivait d'un bon pas dans ma direction. Je l'attendis, mais il passa devant moi sans me regarder, visiblement préoccupé.

Pour vérifier les propos du vieux praticien concernant mon père, il me suffisait de m'adresser à la police ou à la justice et d'obtenir copie des archives que cette affaire avait laissées. Il était trop tard pour m'atteler à ce travail fastidieux dont il était peu probable que j'aie le résultat avant mon départ. La prudence m'incitait à lancer ces démarches depuis Vancouver, par l'intermédiaire de l'ambassade ou du consulat, afin de leur donner un tour plus formel et davantage de poids. Il était préférable de les entreprendre officiellement au nom de l'université dans le cadre de recherches plus larges sur l'assassinat des frères Kennedy.

J'ai effectué cette requête plusieurs semaines après mon retour à Vancouver, le temps de me remettre de la mort de mon cher Madsen. Sa disparition m'a profondément affecté. Je suis resté prostré plusieurs jours dans mon appartement à écouter de la musique et à chercher la mer dans l'horizon bouché par les volutes humides de gros nuages de pluie. Au moment où je m'apprêtais à solliciter l'aide de mon psychiatre, j'ai repris pied. J'ai repris contact avec le réel quand la baie a retrouvé le soleil.

Le successeur de Madsen comme directeur de mes travaux de recherche était beaucoup plus jeune que lui. Je le connaissais pour l'avoir eu comme professeur plusieurs années auparavant. Je crois qu'il appréciait ce qu'il appelait chez moi « le désordre structurant », l'approche artistique d'une matière « prétendument scientifique », pour reprendre ses propres mots. Les origines irlandaises de Finnegan nous ont immédiatement rapprochés même si nous ne connaissions pas grand-chose de l'Irlande ni l'un ni l'autre. C'est le principe des diasporas que de se rassembler autour des mythes.

5

Johnson est un artiste de la duplicité. Alors que le crime lui profite doublement, tout dans son attitude laisse accroire qu'il lui est étranger. Il s'offusque de la mise en scène grotesque de Dallas et s'inquiète de son effet sur la presse internationale. Il exhorte Bobby à s'impliquer pour éviter que cet attentat ne ternisse la réputation de l'Amérique. Pour toute réponse, Bobby le regarde, consterné par son cynisme. Incapable de cacher sa joie d'avoir été hissé à un niveau inespéré, le Texan prend des poses apitoyées qui révulsent le frère du défunt. Bobby sait qu'une fois les funérailles passées, Johnson s'empressera de faire le ménage dans l'administration Kennedy et qu'il en sera une des toutes premières victimes. Alors que le vice-président n'était déjà pas grand-chose dans l'appareil d'État, Bobby s'était permis de le supplanter. Jack n'avait choisi Johnson que pour draguer le Sud, hostile à ces Irlandais catholiques du Nord-Est et à leurs idées progressistes en matière de droits civiques. Puis il en avait fait une plante verte de la Maison-Blanche. La proposition de Johnson de travailler la main dans la main avec Bobby dans l'enquête sur l'assassinat de Jack, Bobby le sait, n'a qu'une motivation pour le nouveau président : découvrir jour après jour ce que la famille Kennedy sait de l'affaire.

À mesure que les heures passent, il est clair dans l'esprit de tous les observateurs de bonne foi que Ruby a tué Oswald pour le faire taire. Le leurre Oswald a été préparé de longue date. Bobby peut s'imaginer sans risque de se tromper qu'il était employé en sous-main par le FBI, la police fédérale, comme indicateur et agent clandestin. Pour donner de la consistance à son personnage, on l'arrête alors qu'il distribue des tracts en faveur de Castro à l'angle d'une rue de La Nouvelle-Orléans. Son arrestation avant qu'il ne soit rapidement relâché laisse une trace dans les fichiers. D'ailleurs, tout ce que fait Oswald laisse des traces, consciencieusement répertoriées. Son mariage avec une femme russe après plusieurs séjours en URSS en fait un allié naturel de l'ennemi héréditaire et fournit la preuve que le tueur solitaire a été préparé de longue date par les services secrets.

Oswald ne sait pas pourquoi son employeur, un riche Texan, l'a envoyé à Dallas. On lui donne rendez-vous dans le dépôt de livres. Il s'y rend et y déjeune. Puis, ne voyant rien venir, décide d'aller se promener avant de rentrer se faire une toile dans un cinéma, dépité de son propre désœuvrement. Oswald aura probablement été le dernier homme à Dallas à apprendre l'assassinat de Kennedy. Quand il comprend qu'on veut lui faire porter le chapeau d'un crime qui va le conduire à l'échafaud, il se rebelle et décide de parler. Il n'en a pas le temps. Ruby s'est déjà précipité sur lui, vengeur : « Tu as tué le président, espèce de rat », suivi d'une détonation qui lui perfore l'estomac pour provoquer une hémorragie fatale. Les photomontages sur Oswald diffusés dans le monde entier montrent un personnage au corps étroit, au visage falot, affublé d'un fusil trop grand pour lui.

Ruby voulait venger la famille Kennedy. Bobby n'en croit

pas ses oreilles. Alors que Jack attend dans son cercueil d'être emmené vers sa dernière demeure, tiré par quatre chevaux comme l'aurait été une pièce d'artillerie, Bobby lance ses fidèles, Draznin et Sheridan, sur les traces de Ruby, l'homme qui voulait laver l'honneur de sa famille. L'enquête n'est pas simple. Bobby le sait, il a contre lui le vieux Hoover qui mobilise le FBI pour que la vérité soit consciencieusement dissimulée. Le relevé des conversations téléphoniques de Ruby dans les semaines précédant l'exécution d'Oswald laisse Bobby sans voix. Chacun des hommes qui y figurent a comparu à un titre ou à un autre devant la commission sénatoriale sur le racket et le crime organisé quand Bobby y siégeait à la fin des années cinquante pour le compte de son frère. Avec la célérité d'un fidèle dévoué corps et âme, Sheridan établit en vingt-quatre heures que Ruby, en plus de gérer une boîte de strip-tease, est un tueur à gages de la Mafia. Sheridan montre à Bobby les preuves que Ruby a été payé une forte somme d'argent pour son geste. De quoi effacer ses dettes qui l'auraient expédié un jour ou l'autre dans un monde forcément meilleur, raison pour laquelle Ruby a accepté l'argent que lui proposait Allen M. Dorfman, un proche de Jimmy Hoffa, pour rester en vie et, en contrepartie, effacer la misérable existence d'Oswald, entré dans l'histoire pour un crime qu'il n'a pas commis. Un informateur anonyme mentionne une rencontre de Ruby avec les principaux chefs du syndicat du crime au début de 1962 au Brass Rail, un bar pour homosexuels de San Diego qui leur servait de couverture. Bobby, rompu à l'investigation depuis ses travaux à la commission sénatoriale, lance ses limiers sur une piste cruciale. Les membres des services secrets chargés de la protection de Jack ont-ils été payés par la Mafia pour faciliter la préparation et l'exécution de tirs croisés ? Ses enquêteurs sont formels, la Mafia n'a corrompu aucun membre des services secrets en charge de la sécurité du président. Cette réponse est la preuve qu'ils ont agi sous la pression d'une autre autorité. Une loi était en préparation, prête à être signée par le défunt président, transférant l'autorité des gardes du corps présidentiels des services secrets au ministre de la Justice. Une initiative de Bobby face à la menace grandissante qui planait sur la présidence de son frère. Il s'en est fallu de quelques jours, Bobby le sait, comme ils le savaient eux aussi. Faire circuler le couple présidentiel dans un cabriolet ouvert sans gardes du corps debout sur les marchepieds, à une vitesse en dessous des règles édictées pour un convoi officiel de cette importance : le patron des services secrets prétend qu'il en a été ainsi à la demande du président lui-même, qui souhaitait une large ouverture vers son peuple. Jackie le démentira comme tous les documents officiels collectés ultérieurement sur l'organisation de la journée. Bobby, qui connaît bien les coutumes du « milieu », est frappé par un fait qui va l'obséder. Autant le tir de Ruby sur Oswald, à bout portant, est conforme aux usages de la Mafia dans la façon qu'elle a de régler ses comptes, autant la préparation de tirs croisés comme ceux qui ont eu raison de la vie de Jack n'est pas dans ses traditions, preuve que d'autres forces, coordonnées avec la Mafia, sont intervenues selon leurs propres méthodes. Même si des tireurs de la Mafia peuvent avoir été adjoints à l'opération, les tirs croisés n'étaient pas sous la responsabilité du crime organisé. De même que la Mafia n'est pour rien dans l'absence de sécurisation des lieux qui a permis l'installation de plusieurs hommes derrière une palissade à l'avant droit du cortège officiel. Jackie, malgré sa douleur, lui a repassé oralement plusieurs fois le film de l'attentat. Elle se précipite sur le coffre de la limousine parce qu'elle a vu y surgir une partie du crâne de son mari, et comme une mère se précipiterait sur le doigt coupé de son enfant dans l'espoir qu'on le recouse, elle a pensé que son mari ne pourrait espérer vivre sans cette partie de sa tête qui venait de se détacher de lui.

Le cortège funéraire, Bobby, contre l'avis de ses fidèles, décide de le suivre à pied. Sa bravoure n'en est pas la seule raison, il ne peut pas croire les conjurés assez aveuglés par leur haine pour prolonger la tragi-comédie. Qu'auraient-ils à offrir aux masses crédules? Qu'un nouveau tueur isolé s'est glissé dans la foule éplorée pour assassiner Robert Kennedy et venger Oswald abattu par Ruby au nom des Kennedy? Assez! Assez de bouffonneries macabres. Le deuil et la culpabilité rivalisent dans les yeux de Bobby qui suit le cercueil de son frère à petits pas, Jackie à son bras, devant une foule consternée.

Au soir, ils sont seuls à la Maison-Blanche. Les proches qui avaient afflué par centaines ont repris le chemin des quatre coins de l'Amérique. Vers minuit, Bobby suggère à sa belle-sœur de rendre une dernière visite à leur cher disparu. Ils se rendent, serrés l'un contre l'autre, devant la tombe de Jack, s'agenouillent et prient. Une complicité, une solidarité, une fraternité s'est scellée entre eux mais ils la considèrent avec la pudeur de l'émotion et du deuil. Jackie sait qu'elle ne peut compter que sur Bobby pour survivre dans ce clan où les liens, parfois artificiels, s'affirment d'autant plus fort que d'autres en sont exclus. Depuis son arrivée dans la tribu, elle a eu le sentiment d'appartenir à la communauté des autres, celle des gens utiles qui servent les Kennedy en espérant recevoir en retour un peu de leur éclat. La différence pour Jackie vient du fait que, s'alliant avec Jack, elle l'a aidé à créer la légende d'un couple parfait, adulé partout sur la planète. Futilité d'un monde où l'image commence à l'emporter sur le fond des choses, ses robes sont commentées par la presse autant que les discours de son mari. La jeunesse s'est installée au sommet du plus puissant des États et avec elle la promesse d'un monde où la vie l'emporterait sur la tentation de la destruction totale. En ce siècle le plus funeste de l'histoire, l'humanité a tenté par deux fois de se suicider. Depuis, l'arme nucléaire a fait ses preuves, et avec elle a émergé la menace de l'anéantissement le plus radical. Les deux blocs dressés sur leurs ergots attendent le signal de l'apocalypse. Depuis l'élection de son mari, lors de la crise du mur de Berlin puis celle des missiles de Cuba, Occidentaux et communistes ont frisé à deux reprises l'affrontement. Le monde libre a rendu grâce à Kennedy d'avoir évité le piège de ces hommes mauvais qui de part et d'autre du rideau de fer rêvaient d'en découdre. S'il n'a pas pu éviter l'escalade au Vietnam, Jack a montré autant d'humanité dans sa gestion des relations internationales qu'un président américain peut décemment le faire.

À quelques semaines de sa candidature à la présidentielle de 1960, Jackie était décidée à divorcer, fatiguée des frasques de son mari qui donnait à ses innombrables maîtresses des rendez-vous quotidiens, parfois dans l'enceinte même de la Maison-Blanche, et jusque dans la piscine de la résidence présidentielle où ils les emmenaient se baigner nues aux heures du déjeuner. Le divorce aurait été non seulement catastrophique auprès de la ménagère américaine mais il aurait anéanti les promesses de construire la légende du couple le plus photogénique de l'histoire politique mondiale. Joe Kennedy, le père, en a une conscience instinctive et réagit comme il en a coutume. À coups de millions de dollars, il sécurise Jackie et ses enfants en leur créant un fonds financier dédié. Respectant sa part d'engagement, Jackie tient le rôle pour lequel elle a été payée sans jamais désespérer que leur couple ne reprenne forme, même après avoir été humiliée devant les spectateurs du monde entier lorsque, pour la cérémonie d'anniversaire de Jack, Marilyn Monroe chante a cappella, moulée dans une robe diabolique, un très suave « bon anniversaire, monsieur le président » qui restera dans toutes les mémoires comme une ode à la sensualité d'une relation inavouable. Les femmes, professionnelles ou pas, qui lui sont amenées dans ses déplacements officiels pour de furtives étreintes sont à peine fouillées. Parmi elles se sont glissées des espionnes, dont une Allemande de l'Est, mais aucune criminelle. Kennedy assassiné dans son lit comme le révolutionnaire Marat l'a été dans son bain, l'affaire aurait été plus simple à monter que des tirs croisés pendant un voyage officiel, mais la fonction en eût été salie en heurtant la pudibonderie du peuple américain. Jackie est résignée parce qu'elle se sait impuissante, le comportement de son mari ne relève plus depuis longtemps des fantasmes. Les derniers mois, ils se sont retrouvés, leur intimité renaît, timide, comme s'ils redécouvraient lentement ce qui peut les rapprocher. La question n'est pas de pardonner mais d'oublier que Jack a vécu depuis les débuts de leur relation comme si son corps ne lui appartenait pas. Elle y est prête, et lui aussi. Jack sait que sa femme a eu une relation avec Onassis. Le milliardaire grec s'en vante tout en se plaignant de la maigreur de la femme du président des États-Unis, lui qui aime les femmes bien en chair. Sa vulgarité n'atteint pas Jack, il a trop à faire avec ses propres pulsions pour ne pas se préoccuper de celles des autres, fussent-elles celles d'hommes qui convoitent sa femme comme un trophée. Joe Kennedy, le père, a élevé ses fils dans la doctrine de la stricte séparation de l'amour et du sexe comme d'autres ont imaginé la séparation de l'Église et de l'État. Mais Jack, pas plus que son père, ne semble savoir ce qu'est l'amour. Un fond de misogynie entretenu par une mère glaciale, peu aimante, aveugle à toutes les traîtrises de son mari, ne l'y aide pas.

Leur couple prenait une nouvelle direction tracée par la maturité, sans la nostalgie d'un temps qui n'avait jamais vraiment existé. Jackie en était intimement persuadée et on le lit sur son visage radieux à la descente de l'avion présidentiel, à l'aéroport de Dallas. Son ambition de redevenir la première femme de son mari est inscrite dans son allure. Elle rayonne pour lui plus que pour le peuple américain, sa gloire est payée de si lourdes contraintes. La robe rose qu'elle porte a été revêtue pour qu'il ne la perde jamais des yeux. Dans son esprit, cette journée s'annonçait comme une parenthèse dans la laideur du monde.

Jackie, fleur délicate réputée ne pousser qu'à l'ombre des grands arbres, a montré une force inattendue au milieu de ce déchaînement de violence qui aurait pu l'atteindre. Elle se souvient d'un moment très court où la volonté d'abattre Jack était si forte que les hommes derrière la palissade ont tiré, pleins de rage, sans se soucier d'elle. Bobby aime citer cette phrase qu'il tient de son défunt frère qui la tenait de Churchill : « Le courage est, de toutes les qualités, la plus importante et c'est elle qui détermine toutes les autres. » Pour lui, Jackie a montré une bravoure surprenante. Des deux, Bobby est celui qui admire le plus Jack, il est d'autant plus reconnaissant à Jackie de sa bravoure. Il a servi son frère comme il servait la messe, sans se poser de question sur les fondements de ses gestes. Il avait toute la reconnaissance de Jack mais devait subir aussi parfois son agacement devant cette opiniâtreté. Il arrivait que Bobby le fatigue à être plus ambitieux pour lui qu'il ne l'était lui-même.

81

Il avait fallu que l'isolement du pouvoir fonde sur lui, pour qu'il réalise l'importance de la fidélité et de la dévotion de son cadet. Mais une fois son frère disparu, Bobby ne sait plus qui servir. Dans l'ordre de la succession, il est, après Joe Junior et Jack, l'héritier du pouvoir, de cette malédiction voulue par leur père qui, terrassé depuis plusieurs mois par une attaque cérébrale lui interdisant de s'exprimer, a vu de sa télévision le cercueil de son fils drapé du drapeau étoilé descendre dans la terre d'Arlington.

Bobby se promet de s'occuper de Jackie, jusqu'où, il ne le sait pas, et de ses deux enfants dont le dernier a à peine trois ans.

De retour de leur visite à Jack, Bobby et sa belle-sœur rentrent à la Maison-Blanche, ce palais vide et effrayant où l'imposteur Johnson ne va pas tarder à installer ses quartiers. Il vient de se sceller entre eux des sentiments qui vont au-delà de l'affection que Jackie avait pour son beau-frère, le seul de cette grande famille à lui avoir montré du respect et de l'attachement quand d'autres la méprisaient. Rompus de fatigue, ils ne peuvent pas être partis se coucher sans avoir évoqué la conduite à tenir dans les prochaines semaines au regard de toutes les questions que pose l'assassinat de Jack. Faut-il profiter de l'émotion considérable pour jeter à la face du monde la théorie du complot ? Une façon pour Bobby de se protéger. Nommément désignés, les auteurs de l'assassinat de son frère ne pourront pas s'en prendre à lui sans se dénoncer. Mais ce serait courir le risque que la Mafia ou la CIA n'en viennent à dévoiler la face obscure du clan Kennedy, celle dont il ne voulait pas entendre parler, gérée essentiellement par son père et son frère. Au risque de discréditer à jamais la famille, de la ramener dans le monde réel, celui dont elle s'est consciencieusement abstraite par l'image, véhicule immatériel au service du mensonge servi au public, cette masse qu'il faut convaincre sans nécessairement la respecter. Jusqu'où pourraient-ils aller pour faire tomber le mythe envolé vers des hauteurs inaccessibles depuis la mort de Jack en martyr? La fleur Kennedy a poussé sur du lisier, voilà l'exacte vérité. « Ce que la justice n'a pas eu sur leurs têtes, c'est raison qu'elle l'ait sur leur réputation. » Montaigne le disait des princes, les Kennedy sont des princes, une aristocratie du Nord-Est fondée sur les failles morales du libéralisme des premières heures de l'Amérique.

Rien de tout cela n'échappe à Bobby. Jack s'en accommodait comme si le passé devait rester à la place que lui assigne la chronologie, avant le présent et loin de l'avenir qu'il tentait de rendre plus sûr pour le peuple américain par un pacifisme qui lui a valu pour partie d'avoir été assassiné. Mais Bobby nage en pleine confusion, entre profonde culpabilité du péché originel et déni de celui-ci. Il veut s'en extraire, s'en exonérer. Que sa première action politique, déjà en faveur de son frère, ait été son rôle à la commission contre le crime organisé le prouve. Les principaux chefs mafieux inquiétés en sont médusés. Comment le fils d'un bootlegger irlandais, qui a su certes se rendre respectable depuis, peut-il s'acharner sur eux avec une telle férocité? Passe pour cette fois. Mais il recommence après l'élection. Il ne peut tout de même pas ignorer la transaction passée entre son père et Giancana. Le vieux Joe prévient ses deux fils : « Vous êtes dans le pétrin, vous courez aux ennuis, ces gens-là ne pardonnent rien. » Bobby jubile de déstabiliser l'inoxydable Hoover qui prétend que le crime organisé n'est qu'une invention destinée à affaiblir la lutte contre le communisme dont il s'est fait le chantre depuis le début des années vingt. La définition du mal par l'honorable directeur du FBI n'a de sens que pour le communisme et les déviations sexuelles. Parmi celles-ci, le priapisme dont Jack est pour lui un exemple navrant. Mais aussi l'homosexualité qu'il considère comme un fléau. Sa propre homosexualité en est exclue car, loin d'être fondée sur le désir immoral des hommes, elle repose sur le respect absolu de la femme qu'il ne conçoit pas de souiller. S'il ferme les yeux sur le crime organisé, c'est que ses représentants ne sont pas étrangers aux soirées où il s'abandonne avec de jeunes hommes pour purger les tensions insupportables que lui infligent ses contradictions. Bobby, son ministre de tutelle, l'oblige contre son gré à poursuivre le crime organisé, ce qui précipite Hoover dans une situation des plus inconfortables. En agissant ainsi, sans doute Bobby voulait-il tuer le père. Mais c'est son père de substitution qui est mort, celui sur lequel il s'est reposé sans calcul, poussé par une irrépressible nécessité. Hoover avait prévenu son père, le vrai. Il a même rendu visite à celui qui dans un parfait jeu de dupes était devenu correspondant du FBI dans les années trente. Au vieil aphasique, cloué dans une chaise roulante depuis 1961, il reproche d'avoir initié une interminable tragédie en laissant ses charmantes têtes blondes fouler son héritage.

Bobby en parle longuement avec Jackie, comme il avait l'habitude de le faire avec son frère, assis dans un canapé, mains posées sur les genoux, penché en avant, les yeux rivés sur le sol. Ils ne savent pas les mêmes choses. Les informations dont elle dispose sont floues, presque brouillées par des confidences infectées par des non-dits. Ils mesurent ensemble les risques à dévoiler une conspiration prouvée par les faits mais qui ne conduit pas encore aux responsables. Que la CIA vienne à être désignée comme complice, ce dont Bobby est certain, et on ne parlera plus de complot, mais de coup d'État fomenté par des ultra-conservateurs contre la nouvelle génération de progressistes. Qui peut le dire ? Qui peut l'entendre ? Le mythe Kennedy ne survivra pas à un tel déballage, ils le savent l'un et l'autre, et pour Jackie qui a tant fait pour l'esthétique de ce mythe, c'est la négation de tant d'années où, stoïque, la femme a accepté de tout sacrifier à l'image. Ensemble, ils choisissent le repli, le silence. Bobby continuera bien sûr ses investigations, mais rien ne doit transparaître aux yeux du public. Ni vérité ni vengeance, l'apparence d'un deuil qui s'enfonce inexorablement dans les eaux profondes et mortelles d'un lac endormi. Le couple ne témoignera pas, ne sera d'aucune commission. Leurs ennemis ne doivent rien connaître de ce qu'ils savent, ni de leurs intentions. À ce moment de leur discussion, la peur de Jackie est de toute façon plus forte que sa curiosité. Protéger ses enfants, se protéger en espérant que Bobby saura ne pas réveiller la bête immonde qu'elle seule a approchée dans le feu nourri des tirs croisés.

Mais avant de se plonger dans cette retraite mutique, ils considèrent l'un comme l'autre que leur devoir vis-à-vis de Jack est de faire savoir que le ou les tueurs ne sont pas des communistes comme voudront le faire croire les nouvelles autorités. Et pour ce faire, ils décident de reprendre le canal officieux, responsable de la haine du département d'État pour les deux frères. Au moment de la crise des missiles de Cuba, Jack et Bobby se sont offerts à discuter directement avec le Kremlin par l'intermédiaire de Bolshakov, un diplomate en poste à Washington. Ils confient le message à Bill Walton, un vieil ami de la famille : l'Amérique réactionnaire a repris les commandes et une nouvelle ère de tension s'ouvrira sous la pression des conservateurs soutenus par le complexe militaro-industriel impatient de s'enrichir par la guerre. Bill Walton était prêt à partir pour Moscou le 22 novembre, mais les nouvelles de Dallas l'ont cloué au sol.

Il devait y promouvoir des accords de coopération culturelle, Jack considérant que l'art permet aux peuples de s'exprimer au-delà de leurs idéologies. Jackie et Bobby demandent à Walton d'effectuer son voyage tel qu'il avait été prévu, dix jours plus tard. On lui conseille d'éviter l'ambassadeur des États-Unis à Moscou, un homme que Bobby n'apprécie guère. En émissaire de la famille Kennedy et d'elle seule, Walton est agréablement surpris de l'accueil qu'il reçoit. La femme de Khrouchtchev loue le pacifisme de Kennedy, et ses efforts considérables pour maintenir la paix. Elle sait qu'une guerre mondiale est le résultat d'un engrenage qui à un moment ou à un autre dépasse la volonté des plus hauts dirigeants. Elle est d'autant plus reconnaissante aux Kennedy d'avoir empêché la guerre au moment de la crise des missiles de Cuba que les Soviétiques étaient à l'origine de la tension. L'installation par l'URSS de missiles de croisière dans l'île représentait une menace intolérable pour les États-Unis. Au lieu d'une attaque de Cuba qui aurait inévitablement conduit à l'escalade, Jack et Bobby avaient préféré, contre l'avis de l'armée, procéder à un blocus de l'île jusqu'au retrait des missiles. Pendant la crise qui avait duré treize interminables jours, provoquant la fuite des plus pessimistes de la côte Est pour se mettre à l'abri, les deux frères avaient senti une redoutable hostilité interne. Le président disposait d'une kyrielle de généraux aguerris à tous les types de conflits. Plutôt que de suivre leurs conseils, il avait préféré s'enfermer seul avec son frère de trente-cinq ans et décider de mettre hors circuit le haut commandement. Les militaires lui pardonneront d'autant moins cette humiliation que le succès des Kennedy, qui vaut un regain de popularité au président, est une victoire à la Pyrrhus. En imposant un blocus de l'île, Jack a obtenu un retrait des missiles de Cuba mais, contrepartie déshonorante, il a accepté de retirer ceux pointés sur l'URSS depuis la Turquie et, surtout, de ne plus jamais rien entreprendre contre Castro. Une île communiste à une demi-heure des côtes de la Floride narguera la bannière étoilée longtemps encore. Les généraux lui en garderont une rancune sourde tout comme la Mafia, résignée désormais à ne jamais réinstaller ses casinos dans l'île.

Bobby comme Jackie savent que le sort de Jack s'est joué lors de la crise des treize jours où il s'est transformé en irréductible ennemi du complexe militaro-industriel, de la Mafia et des anticastristes qui, après le désastre de la baie des Cochons, conservaient un mince espoir que l'administration Kennedy reprenne ses efforts pour se débarrasser de Castro.

« Jack est mort des concessions qu'il vous a faites et de son idéologie pacifiste, ne l'oubliez pas. » Le message de Walton n'est pas formulé ainsi mais il résume l'initiative du frère et de la veuve du président. Il met en garde les Soviétiques contre le retour des ultras et des nouveaux risques de guerre mondiale qui en découlent. Cette démarche, plus inspirée par Bobby que par Jackie, est en pleine guerre froide un aveu de son romantisme dissimulé derrière son intransigeance à défendre les positions de son frère. Son monde est-il le vrai monde ? La question l'obsède immanquablement à cette heure tardive. Son réalisme n'a-t-il jamais été autre chose que la représentation sur terre d'un fantôme qui se faufile entre ses illusions et sa foi ? On peut le tolérer d'un homme de trente-cinq ans sauf lorsqu'il se veut le seul conseiller de son frère dont dépendent les grands équilibres de la planète. « Pour qui nous sommes-nous pris ? » Il ne peut pas éluder cette question face à des hommes persuadés que la démocratie ne vaut que pour le droit de vote qui y est attaché à condition qu'il ne contrarie pas la marche de leurs intérêts. « Nous n'avons été que de riches rêveurs qui s'inventent des personnages généreux pour des jeux de fin d'après-midi lorsque l'obscurité descend progressive et caressante sur nos vies d'adolescents nantis. À vouloir protéger le sang des autres, c'est le nôtre qui coule, et il ne peut pas en être autrement. »

À cette heure tardive où Jackie et Bobby se séparent, le fantôme de Jack s'épuise à se maintenir dans la Maison-Blanche. Demain celle-ci résonnera des sarcasmes et de la vulgarité de l'embusqué qui, à cette heure, compose dans sa tête la commission Warren, chargée de faire la lumière sur l'assassinat. Un nom vient déjà à l'esprit de Johnson, Jerry, Jerry Ford, Gerald Ford pour les non-intimes, qui, futur vice-président comme l'était encore Johnson il y a trois jours, deviendra ensuite président des États-Unis à la faveur du Watergate. Johnson sait pourquoi il a choisi Jerry pour siéger à la future commission Warren. Il le dit lui-même à qui veut l'entendre. Parce qu'il est « tellement stupide qu'il n'est pas capable de penser et de péter en même temps ». L'élégance, le style Kennedy a fait son temps.

Peu à peu, Bobby sent les affres de la dépression s'insinuer en lui. Une peur diffuse s'installe, plus proche de l'angoisse que de la crainte. L'ennemi intérieur s'ajoute aux adversaires qu'il a identifiés depuis trois jours. Plutôt que de se joindre à la tribu rassemblée dans le fief de Hyannis Port, il passe les fêtes de Thanksgiving à Hickory Hill, dans son propre domaine avec Ethel, sa femme, et ses nombreux enfants. Ses fidèles sont invités à l'entourer. Ils le retrouvent absent, égaré dans ses propres souvenirs. Abattu, il réagit en proposant des parties de football où chacun mesure la violence qui est en lui. Ses trois aînés sont morts. Son père passe de sa chaise roulante à son lit. Parfois au prix d'un effort surhumain, il est capable de dire non, le seul mot que son cerveau endommagé l'autorise encore à prononcer.

Bobby ressasse sa responsabilité. Jack est mort à cause de lui. Il n'a pas su le protéger. Pire encore, il a, par son intransigeance alliée à son inexpérience, levé de puissants ennemis contre son frère.

Il se tourne naturellement vers la religion. Pour découvrir que le Dieu qu'il implore ne peut rien pour lui. Son Dieu ne résulte pas d'une quête spirituelle. Il l'a reçu en héritage, comme cette énorme maison, comme tout ce qu'il possède. Même ce Dieu catholique n'est pas à lui en propre. Sans mieux se connaître lui-même, sans s'extraire du conditionnement auquel il s'est plié jusqu'ici, il ne pourra rien entreprendre. Le temps d'une introspection sincère est venu.

6

J'ai poursuivi mon enquête sur les événements qui avaient conduit Maine et mon père à quitter précipitamment la France en 1951. Plusieurs mois m'ont été nécessaires pour obtenir le casier judiciaire de mon père qui confirmait sa condamnation à de la prison ferme. D'autres mois se sont ajoutés pour retrouver l'avocat qui l'avait défendu. Relativement âgé au moment du procès, il était mort depuis longtemps mais son successeur en avait le souvenir, et il me promit de m'envoyer copie des principaux éléments du dossier. La partie la plus intrigante de l'affaire tenait à la libération de mon père très peu de temps après sa condamnation. L'avocat n'en savait pas plus que moi sur le sujet et dut reconnaître que cette libération anticipée sans qu'aucune grâce officielle n'intervienne l'intriguait aussi. Rien ne figurait dans le dossier à ce propos, indication que cette libération avait eu lieu hors procédure. Il avait été incarcéré à la prison de la Santé le 5 juin 1951 et en était ressorti le 3 juillet 1951. Mes démarches auprès de l'administration pénitentiaire ont été longues et fastidieuses. J'ai pensé un moment refaire le voyage vers la France pour les activer, mais la réponse m'est parvenue quand je ne l'attendais plus. Mon père avait été libéré sur ordre de la Chancellerie. Il me fallait maintenant remonter jusqu'à celle-ci pour savoir, presque trente ans après, ce qui avait motivé cet élargissement. Le ministère de la Justice n'a répondu à aucune de mes requêtes. Dans ma dernière lettre, je précisais que ma demande s'établissait dans le cadre d'une recherche universitaire sur la mort de Robert Francis Kennedy, mais cette justification de ma démarche a dû les inquiéter plus qu'autre chose, car leur réponse n'est jamais venue. Pendant cette longue attente, j'ai eu l'intuition que la clé de cette histoire résidait dans la personnalité de la victime.

Janine Lusardin, née Lonsac, était, selon les minutes du procès, originaire du village de Saint-Émilion en Gironde où son père était le maître de chai d'un cru classé. Elle avait épousé en premières noces Robert Lusardin, négociant en vins de Bordeaux et conseiller municipal de la métropole girondine. Les faits relatés parlaient d'attouchements pendant une séance d'hypnose prolongée puis d'une tentative de viol. Mon père les avait évidemment contestés. C'était sa parole contre celle de la plaignante, ce qui, faute de preuve, aurait normalement suffi à lui assurer un non-lieu, si quelques semaines avant l'ouverture du procès une autre plainte n'avait été déposée selon les mêmes accusations par une autre patiente elle-même originaire de la région bordelaise. Cette plainte en cours d'instruction au moment du procès avait fait peser la balance de la justice en faveur de son accusatrice. La région de Bordeaux revenait deux fois dans cette affaire. Et par deux fois, ces femmes avaient pris le train pour Paris, uniquement pour y être soignées par mon père.

Il avait passé trois ans dans cette ville pendant la guerre. Il y avait rejoint la Résistance dès le début de l'occupation allemande. Il éprouvait une certaine fierté à ne pas s'être engagé uniquement pour fuir le service du travail obligatoire. Bien que communiste, l'invasion de l'Union soviétique par les Allemands n'avait pas été non plus le facteur déclencheur de sa lutte contre l'occupant. Comme nombre d'hommes et de femmes impliqués dans des réseaux clandestins, il en parlait peu. Il en tirait une gloire silencieuse. Les minutes de son procès mentionnaient que, pour sa défense, son avocat avait brandi ce passé de résistant. Le juge avait répondu que prendre les armes contre l'occupant ne garantissait en rien les qualités morales d'un individu. Le procès avait visiblement basculé au moment précis où mon père avait rétorqué que les faits de résistance lui avaient été reconnus non seulement par la France mais de façon plus convaincante pour lui par la Grande-Bretagne qui l'avait distingué du « *Distinguished Service Order* » remis en personne par la reine. « Je ne me souviens pas en revanche, monsieur le juge, que beaucoup de vos pairs aient été choqués lorsque les lois anti-juives de Vichy ont été promulguées. Je crois même pouvoir dire qu'un seul magistrat a démissionné en cette occasion sur tout le territoire français, et apparemment vous n'en étiez pas, donc vous me permettrez, monsieur le juge, de contester votre aptitude à juger mes qualités morales, d'autant plus que cette affaire a tout, selon moi, d'un coup monté, si vous voyez ce que je veux dire... »

J'aurais aimé voir ce qu'il voulait dire. Mon père s'est arrêté sur cette insinuation que le juge n'a ni relevée ni commentée. Il s'est contenté de poursuivre comme si de rien n'était. J'ai longtemps réfléchi à ce que pouvait être ce coup monté et j'en ai conclu que selon lui cette histoire trouvait ses racines dans son passé de résistant, que, de peur qu'il ne dévoile le vrai visage des uns et des autres, avait été montée contre lui une opération de nature à ôter toute crédibilité à son témoignage, s'il venait en particulier à contester le passé de résistant de certains personnages publics ou pire encore à révéler leur rôle dans la collaboration.

Finnegan m'a donné le nom d'un chercheur universitaire américain, rare spécialiste de cette période de l'histoire de France que les Français eux-mêmes trouvaient trop ambiguë pour être examinée de près. Cet historien avait été le premier à contester la théorie selon laquelle Vichy avait joué un double jeu auprès des Allemands pour protéger les Français. Au contraire, sa théorie mettait en lumière une franche adhésion aux idéaux des nazis, en particulier sur la façon de traiter les juifs dont Vichy avait facilité la déportation avec un zèle qui avait dépassé les espérances des occupants. Ce professeur de Columbia me confirma que la France avait, après la guerre, pratiqué une épuration de surface en jugeant les principaux responsables dont certains avaient été condamnés à mort, mais que le pays s'était reconstruit avec un personnel politique dont certains membres avaient un passé de résistant pour le moins douteux quand il ne s'agissait pas d'anciens collaborateurs.

Cette consultation auprès d'un éminent spécialiste a conforté ma théorie, et par la suite je l'ai considérée comme acquise. J'aurais probablement dû me rendre à Bordeaux, enquêter sur la plaignante et surtout sur son mari, mais je n'avais pas les moyens de financer un second voyage en Europe, et l'université ne m'aurait certainement pas alloué les crédits pour travailler sur une histoire qui paraissait éloignée du sujet de mes recherches. En lisant une seconde fois les minutes du procès, j'ai été frappé par l'assurance de mon père. Il ne fait référence au complot qu'une seule fois. Aux questions du président du tribunal correctionnel, il répond d'une façon très laconique.

À la relecture, le dossier m'a fait l'impression d'une audience nécessaire que chacun est prêt à oublier le plus rapidement possible. La plaignante, gravement indisposée, n'était représentée que par son avocat. Le président évoque une seconde plainte mais curieusement elle ne sera jamais instruite ni jugée. Le juge comprend assez rapidement que l'affaire le dépasse et ne s'attarde pas pour démêler le vrai du faux. Il est là pour condamner mon père sachant probablement qu'il ne fera pas sa peine, ce que mon père sait déjà lui-même à l'évidence. Fait étonnant alors qu'il se considère innocent, mon père ne fait pas appel de la décision du tribunal qui le condamne. Sa condamnation apparaît alors comme un des termes d'un marché qu'il ne remet pas en cause. Il a probablement déjà des garanties d'être relâché quelques semaines après le jugement. Mais par qui ? Certainement pas par la justice mais par une tierce partie en contact avec la Chancellerie. Les termes d'un échange ont été scellés, l'exécution de la peine est abandonnée contre une sortie définitive du territoire.

J'en suis arrivé à conclure que les services britanniques sont intervenus dès qu'ils ont été informés du guet-apens qui se préparait contre lui. Ils ont négocié sa libération avant de faciliter son arrivée au Canada pour laquelle mon père n'a rencontré visiblement aucun obstacle. Il s'y est installé du jour au lendemain, j'ai eu l'occasion de le vérifier, comme s'il y était attendu. Une telle facilité ne se comprend que par l'intervention puissante du service pour lequel il a travaillé pendant la guerre.

7

Un rien pouvait compromettre le nouvel équilibre de la terreur, et Jack savait que ce rien pouvait aussi bien provenir des États-Unis, ce pays à l'histoire profondément violente, que des Soviétiques qui n'avaient que la guerre pour fuir l'échec de leur funeste expérience. Nombres de sémillants experts de Washington pensaient que la seule façon d'assurer la chute du bloc communiste était de le forcer à l'escalade militaire pour appauvrir le reste de son économie ce qui conduirait un jour ou l'autre à une implosion du système. Une telle escalade ne pouvait se produire sans qu'un jour l'un des deux rate une marche. L'homme mettant lui-même fin à l'expérience de la vie sur Terre, cette éventualité hantait Jack. Mais on ne se présente pas à la présidence des États-Unis avec des visées pacifistes. Jack est entré en politique pour se distraire de ses douleurs, alors il joue le jeu, encore mieux que l'infect vice-président Nixon qu'il suspecte de vouloir la guerre. Lors d'un débat télévisé décisif, il l'agresse sur l'immobilisme de l'administration d'Eisenhower à Cuba. Il l'accuse d'avoir abandonné l'île aux communistes et d'avoir laissé s'installer le modèle collectiviste aux portes de l'Amérique. Nixon, qui prépare une offensive secrète, on le sait, ne peut rien dire, d'autant moins que la Mafia qui y est associée pour éliminer Castro a retardé son intervention pour aider Kennedy. Nixon est piégé. Jack sait que celui qui montre le plus d'agressivité quant aux affaires internationales est celui qui emportera le plus de suffrages au final. Il a transigé avec son pacifisme le temps d'une élection. Les Américains veulent d'une Amérique forte. L'extraordinaire essor du matérialisme ménager du début des années soixante, durant lesquelles le réfrigérateur, le lave-linge, le lave-vaisselle et l'aspirateur envahissent les foyers, les a convaincus que l'équilibre de la terreur est le seul modèle qui convienne à leur confort.

Lisse, son visage l'est autant que sa personnalité. Pour le reste tout laisse à penser qu'Allen Dulles est la version presbytérienne du Florentin. Sa bouche aux dents gâtées par la pipe qu'il fume en continu s'ouvre sur une voix inconsistante et policée. Tout concourt chez cet homme de soixante-dix ans à gommer la dureté sauf son regard, alerte et opaque. Ce fils de pasteur offre en permanence à ses interlocuteurs un sourire esquissé, à peine perceptible. Le premier directeur civil de l'histoire de la CIA a certainement entendu la sentence de son éviction sans broncher.

Né espion comme d'autres naissent tueurs en série, il est plongé dans une retraite inimaginable quelques jours plus tôt. Cet avocat de formation a connu « l'intelligence » d'avant-guerre, puis celle du conflit mondial avant la guerre froide. Son apogée date du début des années cinquante quand son frère était le ministre des Affaires étrangères d'Eisenhower, un homme qu'il appréciait infiniment plus que le gringalet qui doit à son traitement à la cortisone de remplir son costume. Kennedy, inexpérimenté dans la fonction suprême, fait une proie de choix. Allen Dulles sait que les troupes entraînées au Guatemala pour débarquer à Cuba ne permettront pas d'envahir l'île. Il s'agit là d'un prétexte à une invasion militaire massive. Kennedy ne pourra pas refuser, il en est convaincu. Après tout, Cuba est dans la zone d'influence des États-Unis. Il a noté, pendant la campagne de la présidentielle, toute la détermination du jeune héritier à vouloir récupérer l'île. L'opération « Mongoose » tourne rapidement au désastre prévu. Dulles en fait part au président qui accepte d'apporter une aide militaire discrète, mais c'est insuffisant, et quand il s'agit d'intervenir massivement, il refuse, entêté à un point que Dulles n'imaginait pas. Kennedy le congédie ensuite comme il l'aurait fait d'un valet de pied indiscret qui se serait répandu sur les exploits d'alcôve de son maître. Bobby connaît la violence sourde qui stagne au fond de l'âme saumâtre de Dulles. À son âge il rêvait d'une autre sortie, et Kennedy l'en a privé au nom d'un pacifisme de couard. La phrase d'Eleanor Roosevelt, veuve du défunt président, gauchiste assumée, lui revient certainement à l'esprit. Faisant référence au livre primé de Jack, *Profiles in Courage*, elle avait lâché que Kennedy « devrait passer moins de temps de profil et montrer plus de courage ». Probablement Dulles se souvient-il à ce moment précis de ses réussites comme directeur de la prestigieuse Centrale, terreur des chefs d'État qui refusent de lui faire allégeance.

« Jamais si petit pays n'a été soumis à une pression si grande. » Cette phrase est d'Árbenz, démocratiquement élu président du Guatemala en 1951. Il n'a rien d'un communiste, il croit seulement à un peu plus de justice entre les hommes, et sa première action est de proposer une réforme agraire d'envergure. Les terres de son pays ont été confisquées par une minorité qui les laisse en friche sur 85 % du territoire, abandonnant au peuple, des Indiens pour la plupart, des parcelles dérisoires. Árbenz décide de racheter ces terres pour leur valeur fiscale déclarée dans le but de les redistribuer. United fruit, le géant américain du fruit, s'est créé au Guatemala une gigantesque réserve foncière de plusieurs centaines de milliers d'acres qui figurent à trois dollars l'acre dans ses déclarations. Pourtant la multinationale refuse de vendre ses terres à moins de soixante-quinze dollars l'acre. Le bras de fer s'engage entre United fruit et le gouvernement guatémaltèque. Bien avant la guerre, l'entreprise américaine était un client majeur du cabinet d'avocats des frères Dulles. Les liens n'ont fait que s'affirmer au point que, lorsque la crise éclate, ils figurent parmi les actionnaires principaux du groupe fruitier. L'opération de renversement du gouvernement élu prend le nom de PBSUCCESS. Elle est justifiée auprès d'Eisenhower par la découverte fictive d'une cache d'armes, à l'origine stationnée au Nicaragua, en provenance du bloc de l'Est. La CIA, qui œuvre depuis son ambassade en armant une guérilla, renverse le régime, obligeant Árbenz à la fuite.

Mahammad Mossadegh a moins de chance. Le chef d'État iranien est destitué par la CIA pour permettre à British Petroleum de mettre la main sur son pétrole avec l'appui du Shah qui lui succède.

Dulles pensait de bonne foi que Kennedy était sur la même ligne que lui. Comme Joe le père l'aurait été. La lutte contre le communisme de l'immédiat après-guerre avait été le prétexte à anéantir toute autorité démocratique qui menaçait les intérêts américains ou plus particulièrement les intérêts de certains de ses citoyens comme les frères Dulles. Cuba était l'exemple même de ces intérêts croisés. Castro, en se drapant de rouge, causait un préjudice considérable au tourisme et à l'industrie du jeu.

Dulles ne comprend pas son éviction par Kennedy après le désastre de l'invasion de Cuba et ne veut pas la comprendre. Pour lui, elle est l'acte d'un amateur désespéré qui veut évoluer dans la cour des grands, cour pour laquelle il n'est pas préparé. Le pacifisme, le travail législatif en faveur des minorités, la juste taxation des profits pétroliers ne peuvent sortir que du cerveau d'un catholique charitable jusqu'à la niaiserie. La démocratie ne doit et ne peut s'exercer que dans un cadre qui défend scrupuleusement l'avidité d'une minorité, en laissant croire aux masses incultes qu'elle œuvre pour un bien-être qui, sans son réalisme scrupuleux, serait livré à des idéologies liberticides. Nous ne sommes qu'en 1961, Kennedy est élu jusqu'en 1964. Si les Américains venaient, par une nouvelle méprise, à le réélire, l'Irlandais dirigerait le pays jusqu'en 1968. À soixante-dix ans, Dulles n'est pas certain de vouloir assister à cette décomposition d'une nation pour laquelle il pense avoir largement œuvré, la valorisation de sa fortune n'en étant que la juste rétribution.

La signification de sa nomination à la tête de la commission Warren, où il agira en maître, ne peut pas échapper à Bobby. Viré par Jack, Dulles revient nommé par Johnson pour faire la lumière sur son meurtre. Johnson, Dulles et Hoover se retrouvent sur leurs valeurs communes et la froide dissimulation des véritables raisons de la mort de Jack.

Lors de l'élection de Jack, Bissell, le patron des opérations noires, est pressenti pour succéder à Dulles avant la fin du nouveau mandat. En privé il se réjouit de ce changement au sommet de l'État. Les opérations noires n'ont pas pour habitude de prendre leurs ordres à la Maison-Blanche, leur pragmatisme les conduit à des initiatives qu'Eisenhower réprouve secrètement. Mais Kennedy lui semble plus déterminé dans la lutte contre les ennemis de l'Amérique que le vieux général qui, à la fin de son second mandat, renâcle à approuver les coups tordus. Sa première surprise vient de l'avertissement de Jack à propos de l'opération Mongoose. Il se réserve le droit de la faire avorter et il stipule clairement à plusieurs reprises que l'armée américaine n'interviendra pas. La première réaction de Bissell est de faire passer le message aux commandos stationnés au Guatemala, des anticastristes formés au coup d'État, que quelqu'un là-haut n'est pas dans l'état d'esprit souhaité. Mais Bissell est convaincu d'une chose : ces commandos seront forcément débordés et, devant le risque de débâcle, Kennedy paniquera. Il paniquera par peur que la première opération noire de son mandat, initiée par Nixon, ne vire au désastre. Alors que l'opération commence à tourner vraiment mal, Bissell se précipite à la Maison-Blanche pour essayer de convaincre Jack, à peine sorti, en queue-de-pie, de la réception annuelle du Congrès. Il est entouré de Johnson, qui, le regard bas et la bouche torve, assiste à la vraie prise de pouvoir du blanc-bec. Bissell trouve un allié dans le comité d'accueil en la présence de l'amiral Burke pour qui Kennedy reste un lieutenant de vaisseau dont le seul fait de gloire a été de survivre au naufrage de son patrouilleur. Burke pense ne faire qu'une seule bouchée des Cubains, pourvu qu'on laisse approcher un destroyer des côtes. Jack réalise que les plus hautes autorités de l'armée et de l'intelligence ne le prennent pas au sérieux. Il leur rappelle qu'il les a prévenus qu'il ne transformerait pas cette intervention clandestine en guerre. Bissell insiste, réclame l'intervention de l'aviation. Kennedy ne cède pas. S'il se laissait aller au moindre compromis, il sait alors que son mandat serait inféodé à la CIA et à l'armée. Une raison supplémentaire de refuser. Intraitable, il met fin à la réunion et renvoie chacun dans ses foyers. Au matin, deux cents complotistes sont morts, mille deux cents sont entre les mains de Castro qui leur promet un sort peu enviable. La déception de Bissell est à la hauteur des espoirs qu'il avait fondés sur une éventuelle panique de Kennedy. Non seulement le président n'a pas lâché mais il le limoge, ruinant une carrière méticuleusement construite. Bobby l'apprendra plus tard, Castro était informé de ce qui se tramait. Plus inquiétant du point de vue de l'affaire, Dulles savait parfaitement que Castro se préparait à un débarquement de forces paramilitaires d'exilés cubains entraînés par la CIA au Guatemala. Dulles imaginait donc bien que, telle quelle, l'opération Mongoose allait conduire à un désastre, mais il était certain, au vu du massacre, de faire basculer Kennedy dans une aide militaire totale. « Dulles est capable de sacrifier deux cents vies à ses plans, à sa conception de la guerre, comment imaginer que la vie de mon frère ait été un obstacle à leur continuité ? »

Bobby est conscient que le 18 avril 1961, à peine trois mois après l'investiture de Jack, Dulles et Bissell ont été jetés dans la nature, dépités, amers. Robert sait que rien n'est plus dangereux que ces sombres personnalités. Elles nourrissent leur psychologie pathologique dans l'exercice d'un pouvoir dont elles refusent de voir qu'il profite avant tout à leur cerveau malade. « La plus belle des ruses du diable, disait Baudelaire, est de vous persuader qu'il n'existe pas. » Les deux hommes de la CIA ont passé leur carrière à servir ce précepte, et la perte d'une fonction, d'un titre, ne pourra rien y changer. Il leur reste deux ans et demi pour ressasser leur ressentiment et lui donner la forme qui convient le mieux à leur caractère.

Jack, contrairement à nombre de ses prédécesseurs, n'a pas jugé utile lors de son élection de faire le ménage dans l'administration défunte. Dulles et Bissell n'auraient certainement pas macéré dans la même rancune si Jack les avait démis au moment de son investiture. Ces limogeages sonnent le glas d'une coopération pacifique entre la vieille garde protestante et les jeunes catholiques bien coiffés. Bobby se souvient du désarroi de son frère, roi esseulé, trahi de toutes parts par des hommes à qui il avait laissé le bénéfice du doute. Au soir du désastre de la baie des Cochons, Jack envisage de nommer Bobby à la tête de la CIA. Qui contrôlerait alors le maléfique Hoover dont le poids est au moins aussi considérable que l'était encore celui de Dulles le matin du débarquement ? Mais le maître de l'hypocrisie n'a pas collecté comme Hoover des milliers de pages de renseignements qui compromettent particulièrement Jack et son père. Les deux frères n'ont pas d'autre solution que de conserver Hoover qui ne se laissera jamais démettre, dût-il se momifier dans son bureau du FBI. Hoover, boulimique de renseignements, pour fortifier plus encore son pouvoir exorbitant, avait rêvé de mettre la main sur l'OSS, l'ancêtre de la CIA. On le lui avait refusé, jugeant sa capacité de nuisance suffisante. Avec le FBI et la CIA entre ses mains grasses, Hoover ne se serait pas contenté de faire chanter l'Amérique, il en aurait fait la plus grande formation de castrats.

Pour Bobby, il ne fait aucun doute que Dulles et Bissell ont profité de leur retraite prématurée pour propager l'idée que Kennedy est irréaliste, faible et dangereux. Ils expliqueront en privé à des interlocuteurs attentifs que la baie des Cochons portait en elle les germes de la crise des missiles de Cuba, ces treize jours qui resteront dans l'histoire associés à la plus dangereuse crise internationale. « Si Kennedy avait ordonné au Pentagone d'intervenir en avril 1961, les Soviétiques n'auraient jamais eu l'opportunité d'installer à Cuba des missiles de longue portée orientés vers les États-Unis. » Une campagne s'est donc ouverte dans l'ombre contre Kennedy, au plus haut dans les sondages, pour qu'il ne puisse pas se représenter en 1964. Les deux premiers à avoir abordé la question en privé sont certainement Dulles et Johnson. Le vice-président a assisté à l'entretien de la dernière chance où Bissell a essayé de convaincre Kennedy d'intervenir. Il témoigne de la vigueur de l'Irlandais à s'obstiner dans sa faiblesse. Son refus d'intervenir n'avait rien à voir avec la situation, il voulait simplement s'affirmer comme celui qui décide. Le pouvoir légal qu'ont perdu Dulles et Bissell, ils le retrouvent au centuple dans la clandestinité. La question n'est plus de se débarrasser d'un leader charismatique africain ou d'un illuminé d'Amérique centrale qui voudrait partager des richesses, mais de remettre leur propre pays dans le droit chemin. Mission divine et providentielle.

La CIA possède plusieurs lieux reculés propices à la réflexion où les agents se retirent pour se détendre. Dulles y est toujours chez lui, même viré de la direction, il appartient à la CIA jusqu'à sa mort. Du fond de sa retraite studieuse, Dulles tire sur sa pipe par petites bouffées successives, comme un vapeur remontant le Mississippi. Ceux qui le croisent en ces moments ont gardé pour lui la même considération, la même déférence. Son esprit d'analyse n'a rien perdu de son acuité. Il se rappelle en particulier qu'il a développé, depuis 1953, un programme secret duquel rien ne filtre, développé sous le nom de MK-Ultra. Inspiré des travaux entrepris par les nazis, ce programme est confié au docteur Gottlieb, un homme passionné de danse folklorique bien que la nature l'ait affublé d'un pied bot. Personne ne sait rien de ce programme ambitieux sur le contrôle des individus. L'individu s'entend aussi bien comme masse que comme personnalité nuisible aux intérêts supérieurs de l'Amérique. Dans l'esprit d'un homme aussi expérimenté que Dulles, renverser le cours des choses coûte cher. Les coups d'État sont non seulement rarement discrets, mais ils impliquent des fonds conséquents et donc des autorisations au plus haut niveau des institutions qui gênent la marge de manœuvre de la CIA. L'assassinat, s'il est notablement moins coûteux, a des conséquences politiques rarement assumées par les administrations en place. Dulles et certains des grands esprits qui l'entourent ont imaginé développer des techniques d'assassinat discrètes mais aussi de conduire la cible à se détruire elle-même. Les recherches portent en particulier sur la chimie du cerveau et le développement de substances conduisant à sa destruction partielle ou totale. Ce programme d'envergure se targue d'explorer les ressorts les plus intimes de l'individu, comme l'ambition, et d'agir sur eux. On comprend aisément qu'il est plus confortable d'ôter son ambition à un homme politique subversif que de le supprimer. Des recherches de plus long terme portent également sur l'activation d'un être humain à distance. Dulles sait que son programme vise à prendre le contrôle de tout individu dès le moment où la Centrale le souhaite. Bien que les chercheurs se soient attelés à creuser ce puits sans fond depuis près d'une dizaine d'années, peu de ces travaux ont conduit jusque-là à des techniques de contrôle ou d'élimination totalement satisfaisantes.

Si les deux frères avaient pris la décision de déplacer Bobby de la tête du ministère de la Justice dont relève le FBI à celle de la CIA, ce dernier en aurait certainement plus appris sur ce programme et sur les expérimentations auxquelles il donnait lieu. Le programme MK-Ultra agissait à l'image des départements de recherche et de développement des grandes sociétés et, sauf à diriger l'entreprise, il est rare de savoir ce qui s'y trame. Il en a tout de même entendu vaguement parler quand après la baie des Cochons, blessé du camouflet infligé à son frère, il s'est mis en quête de nouveaux moyens pour éliminer Castro.

Dans cette traversée du désert confortable qui conduira Dulles à ne reprendre du service que lorsqu'il siégera à la commission Warren, sur invitation du nouveau président, il est évident que l'ancien directeur de la CIA a recensé les moyens recelés par l'Agence pour mettre fin efficacement et discrètement à la vie d'opposants. Ce genre de décision s'installe dans un premier temps dans un coin de la tête avant de germer en pleine conscience. Quand cette idée devient réelle, il est parfois trop tard. Ou, tout au moins, le temps imparti pour l'exécuter se révèle trop court. On n'élimine pas un président des États-Unis comme un roi nègre, le sujet demande des précautions particulières, un dispositif sans faille, la certitude d'être capable de contrôler la période qui suit la tragédie, de faire taire les témoins gênants, de dissuader les fouineurs, d'alimenter les mensonges avec un aplomb inimaginable. Il faut en outre de grandes dispositions à la dissociation, pouvoir se dire en toute bonne foi : « Je ne l'ai pas fait, je n'y suis pour rien. » Une telle entreprise qui implique autant d'intervenants de toutes sortes peut-elle se concrétiser en deux ou trois ans ? La situation, il est vrai, présente quelques avantages. Johnson le Texan sera dans la place et y restera sous l'effet de l'émotion populaire. Johnson, sous pression avec ses affaires douteuses, aurait la préférence pour un terme raisonnable. Le gardien de vaches dégingandé a aussi son orgueil, il aimerait bien être directement élu en 1964, ce qui serait forcément le cas si Kennedy était mis hors course lors du présent mandat. Il suffirait à Johnson de chausser ses bottes quelques semaines comme la constitution l'y autorise, avant de se présenter en 1964 en héritier du défunt. Dulles et Bissell refont leur calcul. Avec Johnson au sommet de l'État pendant cinq ans, ce serait assez pour étouffer la vérité. Il reste à faire le tour des hommes qui partagent les mêmes intérêts et à déceler parmi eux ceux qui sont assez fiables pour mener à bien, sans trembler, une opération aussi délicate.

8

« Pourquoi faut-il forcément mourir ? »

Cette question, je ne passais pas un mois sans la poser à ma grand-mère. Elle me répondait en souriant que Dieu avait choisi d'installer la vie et la conscience dans une substance périssable et de laisser les matières minérales éternelles se morfondre dans leur hébétude.

Ma mère est morte l'été 1967, mon père une année plus tard. J'avais quatorze ans. Nous sommes restés ensuite, Maine et moi, comme deux âmes en peine.

Le monde changeait à toute vitesse autour de nous. La guerre du Vietnam jouait pour beaucoup dans la désaffection des jeunes pour les valeurs de famille, de travail, de consommation. Intuitivement, j'ai compris qu'il se passait quelque chose d'important, et je voulais en être. La contre-culture commençait à se répandre, mouvement spontané pacifique en réaction à l'idéologie de la terreur guerrière dont la jeunesse voulait s'affranchir une bonne fois pour toutes. La capitale de ce mouvement spontané, San Francisco, s'épanouissait plus au sud, dans le prolongement de Vancouver. Les paysages dans lesquels nous vivions correspondaient parfaitement à ce mouvement de retour à la nature, à plus d'authenticité et à moins de violence. L'amour était sur toutes les lèvres, le désir se libérait, celui des filles surtout. La côte ouest d'Amérique du Nord était devenue un large laboratoire d'expériences psychédéliques. L'herbe et le LSD aidaient notre génération à vaincre sa timidité, à s'affirmer, mais très vite j'ai dû m'abstraire de cette dimension-là, après que mon psychiatre m'a prévenu des risques que je courais. Ma première crise d'hallucinations à la fin de l'été 1967 avait été sévère et ces substances ne m'étaient pas recommandées. Ne pas prendre de drogue m'a un peu marginalisé dans ce mouvement où la promesse de paradis artificiels était dans toutes les têtes. Alors que l'idéologie libérale, car il s'agissait bien d'une idéologie sous nos latitudes, s'affrontait avec l'idéologie communiste au Vietnam, une troisième voie se dessinait, floue, dont les fondements étaient surtout de refuser les deux autres, deux cadres matérialistes qui avaient en commun de concentrer les pouvoirs entre les mains de minorités tyranniques. Certes la société libérale nous permettait de faire notre petite révolution sur nous-mêmes pendant que les cocos brimaient leur jeunesse, mais on peut aussi expliquer cette tolérance par la promesse de nouveaux marchés. La contre-culture a compris très vite que ce mouvement, miné par la drogue et les bonnes intentions, qui vendait de l'amour à crédit, allait se fracasser sur la réalité, celle d'un monde poussé par la force irrésistible de l'appropriation. La dimension spirituelle de notre mouvement était empruntée à la brocante de l'esprit amérindien, à des philosophies d'Extrême-Orient qui, à l'usage, n'avaient pas eu de meilleur effet sur les instincts primaires des individus. De cette pause de quelques années dans la course à l'accumulation et à la prédation, il restera, pour ceux qui ont survécu au voyage psychédélique, une impressionnante créativité musicale, ciné-matographique et, surtout, une libération sans précédent de la condition féminine.

Le mouvement de la contre-culture n'a vraiment pris son envol que lorsque l'assassinat de Robert Kennedy a sonné le glas d'un changement politique en juin 1968. Mais j'ai le sou-venir d'une vague montante qui portait en elle les stigmates de son désespoir. Sa traduction politique était déjà morte avant sa réelle éclosion, et nous le savions. Nous le portions sur nous, et l'enfoncement progressif dans la drogue en a été la confirma-tion la plus flagrante. L'overdose a fait autant de morts dans nos rangs que le napalm dans les rizières du Vietnam.

Découvrir l'autre sexe pendant ces années-là était une bénédic-tion. L'avortement, la contraception avaient rendu aux femmes leur corps et, par un effet de générosité, je me souviens avec quelle grâce elles nous en ont fait profiter. Le sexe ne conduisait plus systématiquement à donner la vie et pas encore à donner la mort comme une quinzaine d'années plus tard quand le sida rédempteur ferait son apparition. L'amour libre et le retour aux fondements du christianisme se mélangeaient dans un mouve-ment en recherche d'harmonie. Nous avons conquis notre liberté mais nous n'avons pas su quoi en faire.

Chaque individu appartient à une époque, et à une seule, comme un chien n'a qu'un maître.

Ce n'est pas forcément celle de notre enfance, de notre ado-lescence, c'est celle qui s'imprime en nous à travers des images, des sensations, des odeurs gravées pour toujours.

Les femmes de mon époque révélaient leur corps trop long-temps caché. Elles déambulaient, radieuses et enchantées, les che-veux lâchés, prêtes à de nouvelles expériences, où il n'était plus question d'appartenir à quelqu'un, ni de risquer une grossesse si elle n'était pas désirée. Les filles entreprenaient ce qui était encore impensable quelques années plus tôt, elles choisissaient les hommes avec lesquels coucher en attendant de les aimer ou pas, et il en était ainsi, sans plus de conséquences.

Mes premiers émois remontent à l'automne 1968 quand j'ai vu, dans la côte qui remontait de la maison à la route principale, une fille de mon âge qui marchait en balançant son corps généreux. Sa robe transparente ne cachait rien de ses formes amples et assurées. Elle s'arrêtait régulièrement pour cueillir de grandes fleurs violettes qu'elle coupait pour les nouer dans ses cheveux. Elle s'est retournée vers moi et m'a souri. Sa robe était couverte de fleurs imprimées qui s'arrêtaient à la taille, relayées alors par un tee-shirt orné d'une chrysalide jaune. Elle portait une croix autour du cou, une croix simple en olivier poli. De très longs cheveux blonds couraient dans son dos cambré de ses épaules jusqu'à sa taille. La couleur de ses yeux m'était occultée par un violent contre-jour mais en m'approchant j'ai vu qu'ils étaient d'un bleu calme. Elle devait avoir un ou deux ans de plus que moi. Elle n'était pas grande et plutôt ronde, les lèvres généreuses, sans vulgarité. Elle m'a attendu, son sourire dévoilant de belles dents régulières. L'époque n'était pas aux longues présentations prudentes. Nous avons fait route ensemble, sans véritable but. De sombres histoires familiales l'avaient conduite chez sa tante qui occupait une maison proche de la nôtre mais sans accès à la mer. Elle venait de la campagne autour de Seattle où ses grands-parents exploitaient une ferme modeste. Des deux drames successifs qui avaient frappé ma famille à un an d'intervalle, elle savait tout. Elle les avait appris par sa tante qui lui avait indiqué le bout du chemin, celui qui conduisait à la mer, comme une voie sans issue maudite par le sort. On lui avait parlé d'un garçon plus jeune qu'elle vivant seul avec sa grand-mère. Il arrivait d'ailleurs fréquemment que sa tante vienne s'approvisionner à la boutique que Maine avait tenue presque sans discontinuer malgré les tragédies. Elle repoussait la curiosité naturelle de sa clientèle en relevant la tête et en souriant à ses questions, lui montrant ainsi sa détermination à surmonter les épreuves, mais ne disait jamais rien.

La perte soudaine de mes parents m'a plongé dans un brutal désenchantement. Je commençais à me consoler lentement de la disparition de ma mère et des circonstances atroces de celle-ci lorsque la nouvelle de la mort de mon père nous est arrivée un matin par l'entremise d'un officier de police qui nous l'a annoncée, aussi bouleversé que s'il s'était agi de quelqu'un de sa propre famille. Il me semble qu'il est remonté dans sa voiture des larmes aux yeux qu'il cachait derrière des lunettes sombres. J'ai eu à peine le temps de reconnaître l'homme qui était venu constater le décès de ma mère et enquêter sur les circonstances de celui-ci. Un tel acharnement du sort sur cette vieille femme minuscule et sur son petit-fils dans ce cadre paradisiaque devait lui être insupportable.

Le soleil venait de poindre dans une brume matinale légère avec l'air décidé de qui s'installe pour la journée. J'ai détesté un moment cette nature qui ne semblait affectée par rien, indifférente à nos drames.

La nécessité de comprendre la cause de ces tragédies tout autant que son devoir à mon égard ont permis à Maine de survivre. Mon père s'était montré prévoyant en souscrivant une assurance-décès d'un montant considérable auprès d'un agent américain du centre de Vancouver, tout près du cabinet où il exerçait. Cet argent devait nous permettre de conserver la propriété et de payer nos frais bien au-delà de ma majorité.

Pendant toutes ces épreuves, ma grand-mère s'est fait assister par un avocat, un certain Georges Effner, qui n'était ni très bon ni très cher, un homme rougeaud au physique altéré par l'obésité. Il passait régulièrement à la maison et je ne saurais l'expliquer, mais son apparente insensibilité à nos malheurs me rassurait, comme s'il suffisait de changer de point de vue pour en ôter le caractère tragique. Je le revois assis et essoufflé, dans le petit salon de la maison de Maine, dans un fauteuil à oreillettes, recouvert d'un tissu épais aux motifs chargés. Il tenait, au bout des doigts d'une main, une cigarette sans filtre qui dégageait une fumée bleue épaisse. Maine était assise en face de lui, dos à la fenêtre. Ma grand-mère, les papiers de l'assurance sur les genoux, tournait les pages en s'humectant les doigts. De la cuisine où je les épiais, je les voyais de profil et j'entendais distinctement leurs propos. «Les premiers éléments de l'enquête concluent à un suicide, Georges. La police d'assurance stipule expressément que le suicide n'est pas couvert. Pourtant, alors que cette présomption pèse fortement sur l'enquête qui n'est pas encore terminée, je reçois un courrier de l'assureur, signé d'une huile d'Olympia, qui dit que l'examen des conditions du décès de mon fils montre que rien ne s'oppose au versement de la prime prévue au contrat. Ça ne vous gêne pas, Georges?» Georges pouffa en s'agitant. «Moins que l'inverse. De quoi nous plaignons-nous? – Je ne me plains pas, Georges, je m'étonne. A-t-on déjà vu un assureur dans son droit ne pas en profiter?» Georges aspira brièvement une bouffée de sa cigarette et, sans recracher la fumée, esquissa un sourire : «Si j'en juge par mon expérience, jamais. – Vous ne trouvez pas cela étrange?» Alors Georges se leva difficilement et s'avança vers la fenêtre qu'il lorgnait depuis son arrivée. Une fois campé devant, il se redressa complètement. « Oui, c'est étrange, mais tant de choses sont étranges dans l'existence qu'en général je me limite à ce qui contrarie mes clients. » Maine poursuivit en lui expliquant que, selon elle, des forces se liaient pour que l'on ne connaisse pas les vraies circonstances de la mort de son fils. « On nous achète pour nous pousser à ne pas chercher à en savoir plus ? » Pour Georges, la question était de savoir si notre absence de curiosité valait ce prix ou pas. Maine ne lui répondit pas mais encaissa quelques jours plus tard la prime d'assurance. C'est après cette conversation dont j'avais volé l'essentiel que je suis parti me promener en remontant vers la route principale. Ma rencontre avec Grace semblait arrangée par la Providence. Tomber amoureux d'elle ne m'a demandé qu'un court instant, un temps qu'elle a jugé suffisant pour m'annoncer qu'un très beau garçon l'attendait à Seattle. Sans cruauté, elle a sorti une photo de sa poche qui confirmait ses dires. Elle précisa que ce garçon souffrait d'un handicap qui n'était pas visible sur le cliché, un bras atrophié à la suite d'un choc malheureux avec un bus scolaire. Cet accident l'avait privé de ses espoirs de devenir un grand batteur de musique pop, ce que j'ai voulu devenir immédiatement après avoir entendu cette histoire. Grace m'expliqua avec force détails son attachement à Cole alors que nous marchions ensemble. Après avoir bifurqué, nous avons retrouvé la côte en empruntant un chemin recouvert d'aiguilles de pin. Une extrême douceur enveloppait nos pas. Grace s'est mise à parler de mes parents, mais elle l'a fait comme s'il fallait placer ces événements derrière moi et n'entrevoir que le merveilleux avenir qui s'offrait, elle en était persuadée. Nous avons peu discuté des circonstances respectives de leur mort. Elle avait compris que l'un et l'autre s'étaient suicidés. Je n'ai jamais démenti cette version. Elle m'arrangeait. S'ils avaient mis fin à leurs jours à un an d'intervalle pour entrer dans une nuit infinie, c'est qu'ils avaient jugé que je ne les rattachais pas assez à la vie pour qu'ils s'y maintiennent. Qu'est-ce qui avait pu être plus fort que l'amour de leur fils, je n'en savais rien et je ne voulais pas le savoir. Je pensais que mon salut viendrait de la dispense que je m'accordais de m'enfoncer dans le deuil, de m'apitoyer sur moi-même, de me conformer au rôle de pauvre orphelin qui m'était destiné. Quand Grace m'a embrassé sans crier gare, juste avant d'arriver au camping qui bordait la pointe, de l'autre côté de la grande plage de sable, j'ai d'abord pensé qu'elle avait pitié de moi et qu'elle pratiquait à sa façon une forme de charité. Mais je dois reconnaître que j'ai découvert alors un nouveau monde et que le sentiment de solitude qui m'étreignait depuis des mois a immédiatement disparu. Cette plénitude s'est effacée aussitôt en pensant à Cole, à son bras atrophié. Si elle le trahissait, elle pouvait tout aussi bien me trahir. Je lui en ai fait la remarque qu'elle a prise en riant. « Tu devrais te laisser pousser la moustache et porter une chemise bleue à manches courtes en fermant le bouton du haut. Comme ça, tu ressemblerais à tes idées. » J'imaginais que vouloir une fille rien que pour soi était une exigence naturelle, mais l'époque n'était plus à l'appropriation, disait-elle, jamais plus les femmes ne se laisseraient enfermer dans une relation avec tout ce que cela impliquait ensuite. « Ta famille a été un modèle ? La mienne est un modèle ? C'est ça que nous devons reproduire indéfiniment ? » Grace n'avait pas la virulence des militantes de la cause féministe, elle ne s'opposait pas au système, elle lui échappait, lui glissait entre les doigts comme une charmante fugitive. L'été finissait, les après-midi devenaient plus courts mais il faisait encore chaud, assez pour que quelques baigneurs s'avancent dans l'eau froide. Nous avons continué à marcher ainsi pendant plus d'une heure en nous tenant la main. J'avais très envie de vivre pour elle mais je comprenais que de telles intentions n'étaient plus de notre époque. Je n'ai plus jamais connu par la suite cet envahissement progressif et presque tyrannique des sentiments pour une autre personne. Nous nous sommes arrêtés sous trois grands pins tordus dont les troncs presque joints se séparaient progressivement en prenant de la hauteur. L'air n'avait jamais été aussi parfumé. Elle a pris ma tête et l'a posée contre sa poitrine. De ce léger promontoire, il était possible d'apercevoir Vancouver, au loin. Grace a sorti du papier à cigarette de sa poche et de l'herbe de sa chaussette.

Elle a roulé un joint en souriant et nous l'avons fumé en regardant les volutes s'envoler, poussées par un léger vent venu de l'est. Nous avons commencé à nous élever, ensemble. Elle s'est allongée, les bras en croix, à même le sentier, ma tête toujours posée sur sa poitrine, fixant le ciel pour suivre le ballet de nuages blancs d'altitude. Elle m'a demandé si je croyais en Dieu et j'ai répondu que je n'étais pas en situation de me priver d'un allié. Elle a beaucoup ri et je me suis mis à rire aussi, la première fois depuis au moins deux ans. J'ai cherché à en savoir plus sur les circonstances qui l'avaient conduite chez sa tante. « Mes parents ne sont vraiment pas cool. Mon père surtout. Il boit beaucoup et souvent. Il lui arrive de se ruer sur ma mère comme si elle était la cause de tous ses problèmes. Il ne la bat pas vraiment, il se rue sur elle en gueulant. Après, il se met à pleurer. Le lendemain tout se passe comme si de rien n'était, il reprend son travail à la chambre d'agriculture. Et puis le soir, ça recommence. » On ne se connaissait pas depuis une heure qu'elle m'a proposé de partir faire la route. « Au nord ou au sud ? » Les deux la tentaient. Au nord, c'était la route vers l'Alaska. Au sud, celle de San Francisco où le mouvement battait son plein.

San Francisco était le rendez-vous des fugueurs, des objecteurs de conscience, des déserteurs, de tous les jeunes qui fuyaient leurs parents, l'école, l'armée, les supermarchés, les usines, les bureaux, et tous ces lieux où convergeaient les producteurs et les consommateurs d'un asservissement généralisé. Je pensais qu'il fallait de l'argent pour faire la route. Grace prétendait qu'on en gagnait au fur et à mesure en trouvant des petits boulots dans les fermes, les bars, les restaurants, les stations-service. Le projet m'enchantait, je le lui ai dit. Ce que je ne lui ai pas dit, en revanche, c'est qu'il me semblait préférable que l'on fasse l'amour avant pour savoir si on s'accorderait durablement. Comme si nos pensées avaient communiqué, elle m'a tiré sur elle, m'enserrant la tête de ses mains fines. La suite ne concerne que nous. Tout ce que je peux en dire, c'est que j'ai trouvé là une très bonne raison de vivre. Mais le projet de faire la route m'obligeait à laisser ma grand-mère. J'ai oscillé un moment entre l'appel du large et mes devoirs de petit-fils. J'ai finalement déclaré que je ferais la route. Elle s'en est réjouie, sachant tout aussi bien que moi que je ne partirais pas.

À la rentrée des classes, Grace ne s'est pas inscrite. Je la retrouvais presque tous les après-midi après mes cours. Les premiers temps, on s'échappait pour de longues randonnées sur la côte ou à l'intérieur des terres, et puis le jour s'est couché de plus en plus tôt sur l'horizon. L'arrivée de l'automne rendait impensable de faire la route au nord vers l'Alaska. Il se disait qu'à San Francisco l'effervescence était à son comble. Je sentais Grace hésitante. Je n'ai jamais douté de sa sincérité. Elle nous décrivait comme deux carcasses de voitures accidentées, fondues pour faire un cabriolet rutilant. Grace ne se payait pas de mots, et quand elle parlait de fusion, elle le pensait vraiment.

Puis la pluie s'est installée. Il pleuvait presque tous les jours. Ma grand-mère voyait Grace d'un mauvais œil, même si elle n'en laissait jamais rien paraître. Grace était sa seule rivale, la seule femme qui pouvait la condamner à une solitude totale au milieu des fantômes de mes parents qui erraient dans leur maison jouxtant la sienne. Nous nous étions aménagé la cabane où mon père rangeait des outils de jardin dont il ne s'était jamais servi. Elle avançait sur la mer, sous un arbre qui se déployait généreusement et dont certaines racines affleuraient à la surface du plancher. Il était convenu avec Maine que ce lieu m'appartenait. On y faisait l'amour, Grace et moi, en écoutant les Doors. Je parvenais à rester dans les lieux de mon enfance, laissant les souvenirs douloureux s'installer dans mon âme comme les eaux profondes et calmes d'un lac souterrain.

Grace avait manifestement dételé de l'école. Elle préférait passer des journées à lire chez sa tante ou dans notre cabane. L'enseignement des livres lui suffisait et elle puisait chez les grands écrivains américains l'expérience qu'elle jugeait appropriée pour enrichir son existence. Dos Passos, Kerouac, Jack London, Hemingway, Faulkner et Salinger s'entassaient dans un coin de notre repaire. Et puis, comme je le pressentais, les voyages littéraires ne lui ont plus suffi. Sans doute par peur de la douleur des adieux, elle est partie vers le sud sans rien dire, sans me demander de l'accompagner, connaissant d'avance la réponse que je lui ferais à contrecœur. Je l'ai laissée aller sans tristesse, pensant qu'elle reviendrait un jour. Elle n'est jamais revenue.

Je suis parti à sa recherche des années plus tard, à l'époque où j'ai entrepris des investigations sur ma famille et sur les Kennedy. Je l'ai retrouvée à Seattle, serveuse dans un bar fréquenté par des anciens de la génération beatnik. Elle avait épousé Cole, l'homme au bras atrophié, et ils avaient eu ensemble trois petites filles. Lorsque j'ai pénétré dans le bar où elle travaillait, au terme de fastidieuses recherches pour la localiser, elle m'a regardé, étonnée et bienveillante. Elle n'était pas moins belle, mais la flamme de son adolescence s'était éteinte et avec elle celle de notre génération. Au contraire de moi, elle en avait vécu l'expérience. Mais cela ne faisait aucune différence au bout du compte. Elle et son mari avaient rejoint par la petite porte la grande armée du matérialisme conquérant. Ils conservaient l'apparence de la marginalité et de fortes convictions écologistes mais je voyais bien qu'ils n'avaient plus l'illusion ni la force de changer quoi que ce soit au monde alentour. Elle me raconta qu'après notre séparation elle était bien descendue jusqu'à San Francisco où elle avait vécu plusieurs mois de petits boulots mais avec le sentiment gratifiant d'être à l'intérieur d'un cœur qui bat. Puis, les semaines passant, elle s'était mise à fumer de plus en plus, à prendre de l'acide, à coucher facilement jusqu'à s'en écœurer. Quand il était encore temps, elle avait quitté San Francisco pour remonter vers Seattle où elle s'était réfugiée chez celui qui était désormais son mari. Racontée comme cela, l'histoire était courte et décevante, mais comment s'attendre à mieux, comment s'imaginer qu'elle ait pu, elle, trouver la voie, quitter le troupeau, alors que des millions d'autres jeunes avaient échoué de la même façon. Ceux qui n'étaient pas morts d'overdose avaient repris la même route du retour avec la lenteur d'un convoi funéraire qui enterrait les espoirs d'une génération.

Comme souvent, il pleuvait sur Seattle lorsque j'ai retrouvé Grace dans son bar. La matinée semblait creuse de vie et de projets. Un homme buvait un café allongé au bout du zinc en regardant devant lui, pris dans les glaces de ses songes.

Elle est venue s'asseoir près de moi, une tasse de thé entre les doigts pour se réchauffer. Le propriétaire des lieux était un de ses amis, il avait d'autres intérêts dans d'autres commerces. Elle envisageait ainsi de reprendre ses parts pour ne pas rester simple salariée, et elle ambitionnait d'organiser quelques concerts avec des groupes en devenir. Et peut-être ce bar permettrait-il à Cole de la rejoindre et d'abandonner ainsi son travail à la compagnie des eaux. Il se voyait bien évoluer de comptable à organisateur de concerts. « Comme ça, il sera plus près de moi, pas seulement le soir et la nuit. » Elle avait gardé cette fidélité enveloppante que je lui avais connue. Elle s'est souciée de moi avec sincérité. Je lui ai parlé de ma récente quête de vérité sur les circonstances de la mort de mes parents. Le sujet l'a intriguée. Je lui ai fait part de ma conviction que ni l'un ni l'autre ne s'était donné la mort et que leur disparition avait probablement un lien avec l'assassinat de Robert Kennedy. Elle aurait aimé en savoir plus, mais je n'ai rien voulu lui dire, persuadé que son intérêt relevait plus de la curiosité que d'une profonde envie de comprendre. Certains secrets, pour être partagés, doivent être vraiment désirés. Nous nous sommes quittés en nous promettant de nous revoir, sachant chacun que cela ne se reproduirait pas. J'aurais aimé lui parler des troubles psychiques récemment apparus qui me faisaient repasser en boucle les images de notre rencontre et des semaines qui avaient suivi. C'était la seule façon que j'avais trouvée de la garder près de moi, sans la contraindre ni l'importuner. Cole est arrivé à ce moment-là. Il a rapidement évalué que je n'étais pas un danger pour lui, ni pour personne, et il s'est montré ensuite tellement sympathique que je me suis senti obligé de partir, poussé dans le dos par tant de gentillesse.

9

Il ne quitte pas sa mère d'une semelle. Quoi qu'elle fasse, il s'arrange pour être auprès d'elle. Il se prend pour son chien de garde. Les autres le voient comme son teckel, s'en étonnent, s'en amusent. Les filles ont la dent dure autant que les garçons. On rit beaucoup des autres dans cette famille. Rarement de soi. Bobby est l'exception. Élégants, assurés, Joe junior, son aîné de dix ans, et Jack, son aîné de huit ans, connaissent parfaitement l'évangile de la conquête écrit par leur saint père qui les exhorte à faire toujours mieux que les protestants, à paraître meilleurs, à être meilleurs. Ils y réussissent remarquablement. Bobby, dans le regard de ces deux jeunes gens accomplis, se voit tel qu'il est, petit, lent, apeuré. Troisième dans l'ordre de succession des mâles, il sait en lui-même qu'il ne sera jamais appelé à régner. Josie Fitzgerald, sa grand-mère, ne l'épargne pas : « Il ne faudrait tout de même pas qu'il devienne une chochotte. » Ni sa mère, dont il est pourtant le préféré, qui craint qu'il ne se féminise. L'anormalité est une peur panique qui rôde dans cette grande lignée. Elle appelle de violentes réactions. Rosemary, l'aînée des filles, en a été la victime. Anormale, elle aurait pu finir par se jeter sur n'importe quel homme. La tache. La tache dans une merveilleuse composition florale. Joe la fait admettre en secret dans une clinique où elle est lobotomisée. L'opération se passe mal, l'anormalité humaine s'est transformée en normalité végétale. Joe conseille à sa femme de s'abstenir de lui rendre visite. Il l'a effacée. Le patriarche a cette violence en lui qui est à l'origine de tant de secrets.

Devant son manque de coordination physique, certains parleraient aujourd'hui de dyspraxie. Maladroit, Bobby laisse tomber les objets comme si son cerveau se désintéressait d'eux dès le moment où il les saisit. Adolescent, les paupières pèsent sur ses yeux comme le poids de son anxiété. Il passe de longues heures à prier, seul, dans une église, à chercher la force qui lui manque, cette force si facilement exaltée par ce père distant, qui ne dit jamais rien à ses fils de ses affaires, qui chuchote au téléphone, qui reçoit ses innombrables maîtresses sans se soucier de l'honneur de sa femme. Un tel père est-il admirable ou simplement méprisable? Le pendule oscille interminablement.

Le vieux sait comment marche le système : un minimum d'idées, d'énormes moyens. Il le dit avec le tact qui le caractérise : « Avec l'argent que j'ai, je pourrais même faire élire mon chauffeur à la tête de cette nation. » Ce ne sera pas son chauffeur. L'argent gagné au prix de tant de sacrifices moraux doit être investi dans la famille. Joe junior sera président. Comment Bobby a-t-il pu garder de l'estime pour son père, lui, le protégé de sa mère si ouvertement humiliée? Parce que, de tous, Bobby est le plus profondément irlandais. Il porte en lui la mémoire de la tragédie irlandaise, d'une occupation coloniale scandaleuse, d'une ignoble spoliation qui a précipité un peuple dans la famine et l'exil. La revanche est à prendre sur ce sol d'immigration où les Britanniques ont exporté au cours des siècles la lie de leur humanité, un mélange de puritains exterminateurs et de marginaux à l'âme mitée. Les faux-culs ont leur royaume où il était, il y a encore peu, recommandé aux Irlandais de ne pas postuler pour certains emplois. Le vieux est entré en résistance, il a persévéré, seul, avec une énergie considérable, flanqué de sa morale douteuse, mais il se bat. Et cette obstination suffit seule à l'excuser.

Plutôt que de s'apitoyer sur lui-même, Robert s'apitoie sur les autres, ces hommes et ces femmes démunis qu'il apercevait de la fenêtre de son train quand il rentrait de sa pension catholique pour fils de nantis. « Est-ce qu'on ne pourrait pas faire quelque chose pour eux ? » demande-t-il à son père. Pour Joe le père, s'occuper des autres n'est pas sa façon de faire de la politique, même s'il se veut démocrate. D'abord on se fixe des objectifs, une ambition. On y alloue des moyens. Ensuite, il est toujours temps d'habiller cette ambition, de la rendre présentable aux yeux du plus grand nombre, de la relier à ces hommes, ces femmes, ces enfants qui ne peuvent en aucun cas être à l'origine de la vocation d'un Kennedy. Pour le vieux Joe, on ne devient charitable qu'après avoir accompli tout le reste. Joe junior était sur la même ligne. Jack, c'est différent. Sa maladie qui l'immobilise fréquemment pour de longues périodes lui laisse le temps de lire et de penser différemment du patriarche. Il sait à quel point il peut être facile pour un enfant Kennedy d'accéder aux plus hautes fonctions. Il s'en amuse. Mais il est convaincu qu'on doit à cette ambition facile de lui coller quelques idées courageuses sur la marche du monde.

L'échec politique du père est un sujet de réflexion pour ses fils. Comment a-t-il pu, alors qu'il avait toutes les cartes en main, se vautrer à ce point pour laisser un tel espace à Roosevelt, ce paralytique doublement handicapé par sa femme, une vieille chouette à la fois gauchiste et lesbienne ? Roosevelt avait une pensée.

C'est tout ce qui manquait à Joe. Mais c'était énorme, au moment où l'Amérique traversait la plus grande crise économique de son histoire. Lui, Joe, en était encore à profiter du malheur des autres, à imaginer comment tirer parti de cette crise en achetant au plus bas pour revendre un jour au plus haut, et étendre son immense fortune au-delà des frontières de la décence, alors que des millions d'Américains étaient jetés sur les routes par le chômage et la faim. Qu'on le veuille ou non, on trouve chez Roosevelt un fond d'empathie. Roosevelt a effacé le vieux qui a passé son tour pour tout miser sur ses fils. Il a au moins cette intelligence. Bobby n'est rien dans ce dispositif de transfert d'une ambition dévorante. En a-t-il seulement l'envie? Tout dans sa démarche, dans son allure, démontre qu'il cherche sa place. Jusqu'à sa façon de s'asseoir sans vraiment s'installer, recroquevillé sur lui-même. Et s'il ne prouvait rien? Son père ne s'en apercevrait même pas. Sa mère sans doute car, par coquetterie, elle se plaît à miser sur le plus malingre des chevaux de son haras.

Dans sa maison de Hickory Hill, quelques jours après l'assassinat de Jack, alors qu'il tente de mesurer la force qui est en lui, Bobby se repasse obligatoirement le film de ce dimanche, un 13 août, où deux prêtres se sont présentés à Hyannis Port. Le père faisait sa sieste et Rose ne voulait pas le réveiller. Les deux prêtres ont insisté. Joe a d'abord pensé que, comme pour Jack porté disparu dans le Pacifique, la mort de son fils aîné n'était qu'une péripétie de plus de cette guerre finissante. Mais, au détail qu'ils donnèrent, il n'eut plus de doute. Son bombardier avait explosé en plein vol au point d'endommager les avions qui l'accompagnaient. Les dix tonnes de TNT qu'il transportait s'étaient soudainement transformées en une énorme boule de feu dont il ne restait rien.

123

Joe repartit s'enfermer dans sa chambre après avoir demandé à ses enfants de prendre soin de leur mère. Jack quitta la maison pour marcher seul sur la plage.

Les voilà morts tous les deux, les grands arbres qui l'ont mis dans l'ombre. Il ne l'avait jamais souhaitée, cette lumière à laquelle ses yeux bleu pâle, la seule chose qu'il a en commun avec son père, s'habituent péniblement.

La mer, quand elle se fond dans l'horizon, a ceci de particulier qu'elle l'oblige à plonger en lui-même. De sa terrasse, son père la fixe, la bouche entrouverte. La nature ne lui offre plus que le spectacle de sa propre impuissance. Il pense encore. Il les avait mis en garde contre les convictions et ce qu'elles attirent de malheur dans les destinées politiques. Jack en avait. Bobby les a appuyées. Mais pourquoi ? Alors que rien ne les y obligeait, il suffisait de se glisser dans le moule, de prendre la mesure des intérêts dominants et de les caresser aimablement. On ne leur demandait rien d'autre. L'essentiel avait été accompli, un Kennedy à la Maison-Blanche. L'arrogance du patriarche cache une humilité inattendue. Quand on a mis une telle énergie pour conquérir le pouvoir, il est sage de l'exercer sans vague. Jack n'est pas mort de l'ambition de son père mais d'un malentendu qui lui a fait croire qu'une fois élu il s'emploierait à changer le monde. Eisenhower les avait mis en garde, ainsi que tout le peuple d'Amérique, dans son discours d'adieu, contre la voracité du complexe militaro-industriel qui puise dans la guerre froide la justification de son indécente prospérité. Ils entretiennent la confrontation pour mieux promouvoir de considérables investissements publics qui échappent aux plus pauvres d'une nation qui vit, décomplexée, ses discriminations. Associés aux plus grandes entreprises américaines, ils se servent de la guerre froide et de la menace communiste pour barrer la route à la moindre initiative de répartition plus équitable des richesses. Quel besoin avaient ses deux fils de s'installer en travers de leurs plans. Mais sait-il seulement quels étaient leurs plans.

À l'été 1961, le 20 juillet plus exactement, Jack s'est vu présenter un plan officiel au conseil national de sécurité émanant conjointement du général Lemnitzer et de celui qui est encore directeur de la CIA, l'incontournable Allen Dulles. Les frères « Folamour », en stratèges aguerris, ont une idée qui n'est pas seulement la leur, mais le résultat de la réflexion de l'état-major des Armées dans son entier. Cette idée est présentée à Kennedy sur le ton neutre et ennuyeux d'une directrice de maison de retraite proposant à son conseil d'administration d'augmenter son budget floral. Elle est inspirée par une réflexion limpide sur l'état des forces en présence. À cette date, il est établi que les États-Unis présentent en termes de force de frappe une avance sensible sur les Soviétiques. Des renseignements convergent pour prouver que les Rouges engagent une énergie et des moyens considérables pour combler leur retard. Cette supériorité temporaire démontrée par les deux orateurs ouvre une réelle opportunité, celle d'une attaque nucléaire préventive. Jack, pris de nausée, s'est levé et a quitté le conseil au milieu des débats, sidéré selon ses propres mots que de tels individus puissent se prévaloir d'appartenir à l'espèce humaine.

Dès la fin de la première année de son mandat, l'extrême droite américaine accuse Jack de faiblesse, de lâcheté. L'État-providence des démocrates n'est qu'une émanation du socialisme qui n'est rien d'autre que la voie vers le communisme. L'extrême droite demande sa destitution, et Jack comprend que l'œil de l'Amérique, celui qui pèse sur chaque administration, est violemment, profondément, réactionnaire. L'Amérique éternelle est là et seulement là, tout le reste n'est que parenthèses, respiration dans une histoire qui est en permanence sous le contrôle des gardiens du temple de la haine. Bobby se souvient d'un de ces moments privilégiés avec son frère, parmi tous ceux dont sa mémoire est pleine, juste l'un et l'autre devant la croissante hostilité des fanatiques de tout bord. Jack se leva difficilement, comme chaque fois, en essayant d'épargner ce dos qui était, de loin, son pire ennemi. Puis il vint à la fenêtre et lança : « J'ai envie de foutre le camp ! » Bobby resta un instant interdit. « Foutre le camp d'où, Jack ? » Il se retourna, rassurant. « De cette planète, Bobby, seulement de cette planète. »

Dès les premières semaines du mandat de Jack, le vieux Joe s'est mis à trembler, et il a mis en garde ses fils à plusieurs reprises. Jusqu'à l'attaque cérébrale qui l'a foudroyé en pleine partie de golf, il n'a jamais connu la sérénité qu'est en droit d'attendre un homme qui a placé deux de ses fils au sommet de l'État. Ils ne l'écoutaient plus depuis l'élection, ils n'en faisaient qu'à leur tête. Le patriarche sait qu'ils ont tué Jack comme il sait qu'ils auraient tué les deux frères s'ils avaient pu le faire sans éveiller les soupçons. Le vieux Joe n'a certainement pas fait le rapprochement entre son embolie, qui l'a laissé paralysé et muet, et la révélation par Bobby d'écoutes de Giancana, le patron de la Mafia de Chicago, cinq jours avant. Hoover s'était délecté. Comme souvent lorsqu'il avait les cartes en main, il avait dû croiser Bobby dans les couloirs et lui proposer une entrevue que celui-ci avait dû décliner, trop occupé par les affaires du pays pour perdre son temps à remuer la vase avec cet imprécateur. « Dommage, j'aurais pu vous parler d'écoutes de Giancana, captées par mes services. Elles sont édifiantes. Mais je comprends que le ministre de la Justice ait mieux à faire. » Il lui avait ensuite tourné le dos pour s'éloigner. Bobby l'avait rattrapé pour lui proposer une entrevue sur-le-champ, mais il était trop tard. Le vieux Hoover n'entendait pas qu'on lui dicte son emploi du temps. Il avait finalement proposé une heure à son ministre de tutelle et il s'était fait un plaisir de venir avec son matériel d'écoute pour lui permettre d'entendre les bandes originales. Celles-ci faisaient clairement état du mécontentement du parrain. « Ces putains de fils Kennedy nous ont trahis, ils n'ont rien respecté des accords que j'avais avec leur père depuis l'élection. » Ce qui surprend Bobby, c'est l'emportement et la violence des propos de Giancana comme si ce constat appelait une vengeance inévitable. Joe, informé par Bobby, reste un long moment silencieux avant de répondre : « Je vais m'en occuper, ne vous inquiétez pas, cela ne prendra pas cinq minutes pour que Giancana et moi soyons de nouveau sur la même longueur d'onde. » Il prend quelques jours pour réfléchir à sa stratégie et faire comprendre à la Mafia que ses fils n'ont pas rompu le pacte volontairement. Reste à organiser la rencontre. Rien ne peut se passer au téléphone, les deux sont sur écoutes. Joe l'est depuis plus de trente ans, ce qui a créé entre Hoover et lui une forme d'intimité. Quand Joe s'en va jouer au golf, il est serein, le processus est en marche. Dans quelques jours, le boss de la Mafia sera rassuré, il en est certain. Et puis la Providence a appuyé sur l'interrupteur, lui interdisant définitivement de communiquer, de transmettre des directives à ses fils sur la façon de gérer la crise avec Giancana.

Les deux fils n'ont pas voulu reprendre à leur compte les engagements de leur père. Le vieux payait pour tout, mais à qui, en contrepartie de quoi, ils ont fait mine de ne pas vouloir le savoir.

Jack et Bobby vivent dans le péché originel. Jack s'en accommode, Bobby moins. En ont-ils parlé au cours de ces tête-à-tête où chacun mesure le réconfort d'être avec l'autre? Cette fortune gigantesque, ils la vivent forcément en catholiques. Ils pourraient en user comme la plupart des fils de milliardaires du pays, dans une vacuité absolue, mais ils ont fait le choix du service public, une façon de payer leur dette. Et leur action se fera en faveur des plus démunis, pour autant qu'on les y autorise. La fin justifie les moyens. Jack en est convaincu, et seule compte la finalité de son action qui est d'éviter un conflit nucléaire généralisé, de permettre aux minorités d'acquérir plus de droits et de mettre un peu plus d'éthique dans les rapports entre les principaux pouvoirs qui gouvernent le pays. Ces bonnes intentions doivent suffire à faire oublier la noirceur de l'origine des fonds dont ils profitent. Ils ont été loin dans le déni avec la commission McClellan sur le racket, allant jusqu'à persécuter à la fin des années cinquante tous les anciens alliés de leur père. Les syndicats en ont pris ombrage tout autant que les chefs mafieux inquiétés, mais Joe, avec sa grande persuasion, a su leur prouver que tout cela n'était pas directement dirigé contre eux. Pour preuve, l'accord qu'ils scellent lors de l'élection où Giancana fait l'intermédiaire pour le rachat de voix. Mais le service a été largement rémunéré, ils sont quittes. Giancana ne considère pas qu'ils le sont; pour lui, les Kennedy ont une dette. Les deux frères ont pris le parti de se placer au-dessus de ces contingences, raison pour laquelle Jack a décidé de mettre son frère à la tête de la justice du pays. Bobby, lassé de se coltiner les sales types, syndicalistes, mafieux, politiciens véreux, corrupteurs, corrompus, n'était pas convaincu de ce choix. Après avoir dirigé la campagne présidentielle de Jack, il se voyait plutôt prendre la présidence d'une université ou devenir gouverneur du Massachusetts.

De telles responsabilités, à trente-cinq ans, une telle précocité artificiellement promue parce qu'il était avant tout le frère
du président, n'est-ce pas la cause du drame qui s'est joué ? Il
n'avait pas encore la carrure ni l'expérience pour protéger son
frère depuis ce poste de procureur général du pays, où conflue
tout ce qu'une nation a de plus sordide.

Toujours les mêmes questions, reposées à l'infini, qui se succèdent dans la partie de son esprit laissée libre par le deuil et le sentiment de dépression qui l'envahit. Une rengaine obsessionnelle
qui revisite, sous tous les angles, un peu moins de trois ans d'une
présidence foudroyée. Bobby est conscient de la nécessité de ce
travail sur lui-même, sur ses souvenirs, si subjectifs puissent-ils lui
paraître. Il n'est plus temps de se mentir sauf à choisir de renoncer. S'il veut trouver la force de poursuivre le travail de son frère,
il lui faudra tracer une ligne claire, disposer chaque fait à sa place
dans sa juste proportion, ne céder à aucun sentiment, à aucune
colère pour finalement, s'il en a le courage, reprendre le flambeau
dont le dernier porteur vient de mourir. Les détours incessants de
son esprit l'ont convaincu d'abord de l'incontestable réalité du
complot et de l'absolue nécessité de ne pas adhérer publiquement
à cette thèse, pour éviter qu'elle ne vienne obstruer le champ de
son action dans les semaines, les mois, les années à venir. Lui
qui n'a vécu que pour protéger les autres, avec plus ou moins de
réussite, que peut-il espérer d'une aventure au milieu d'ennemis
déclarés, sans d'autre protection que sa foi ?

L'ombre de Johnson plane au-dessus des figures du renseignement, de la pègre, du complexe militaro-industriel et de
l'industrie texane qui se sont unies pour tuer son frère. Ce politique dont l'apparente franchise des propos pourrait faire penser

qu'il est un homme entier est pour Bobby un monstre de dissociation, de fragmentation hypocrite et calculatrice. La façon dont il organise la commission Warren, chargée de faire la lumière sur l'assassinat de son frère, l'écœure, et pourtant il sait qu'il ne doit rien dire, se murer, rentrer dans sa coquille pour un temps indéterminé et continuer à travailler avec Johnson aussi longtemps qu'il en aura la force et que Johnson le supportera à ses côtés. Une question de semaines, de mois tout au plus, mais un délai suffisant pour glaner de nouvelles informations, voir de nouvelles incohérences se dessiner.

En reconstituant les faits comme un procureur scrupuleux, Bobby trace une ligne chronologique des menaces. Selon un ancien délégué syndical des camionneurs de Baton Rouge (Ed Partin, qui a servi longtemps d'informateur pour le gouvernement), Jimmy Hoffa, le patron du syndicat, lors d'une réunion au siège, aurait largement détaillé ses plans concernant l'assassinat de Robert Kennedy. Hoffa aurait observé lui-même les mouvements autour de la maison familiale de Hickory Hill pour en conclure qu'elle n'était pas protégée. Seul un chien du nom de Brumus veillait sur la propriété d'un œil distrait et, comme tout labrador, son insatiable appétit le rendait corruptible. Hoffa présenta deux plans à son comparse. Le premier consistait à mettre le feu à la grande maison, de nuit. Un brasier dont personne ne sortirait vivant, ni sa femme ni un seul de ses sept enfants. La solution de l'incendie était tellement atroce que personne n'imaginerait qu'il puisse s'agir d'autre chose que d'un accident. La seconde option correspondait très exactement à la procédure suivie à Dallas quelques mois plus tôt, un tir tendu dans la tête de Bobby, conduisant tranquillement son cabriolet, cheveux au vent. Bobby était coutumier de ces balades, seul au volant, où il goûtait la liberté des voitures décapotables. Le flot de menaces grimpant considérablement au cours des mois, y compris celle de défigurer ses enfants à l'acide, Bobby avait fait renforcer la sécurité autour de ses têtes blondes et de sa femme Ethel lors de leurs déplacements. Mais il rechignait toujours à s'encombrer de gardes du corps. Pour éloigner les soupçons, Hoffa avait malicieusement imaginé faire exécuter ce plan lorsque les pérégrinations de Bobby le conduiraient vers le sud où son assassinat par un tueur isolé pourrait être aisément mis sur le compte des adversaires des droits civiques pour les minorités. On tuait pour moins que cela dans le Sud où les racistes patrouillaient en semant la mort en toute impunité.

L'une ou l'autre des options aurait été mise à exécution si les deux associés de Hoffa ne l'en avaient pas dissuadé. Marcello, le patron du crime organisé pour le Texas et la Louisiane, avait jugé que tuer Bobby en premier était une erreur. Hoffa était en confiance avec Marcello et Trafficante, son alter ego pour la Floride. Hoffa avait d'ailleurs converti les fonds de retraite des camionneurs en banque de la Mafia. Trafficante partageait le point de vue de Marcello : une fois la tête du chien coupée, il ne mord plus et sa queue se décompose comme tout le reste. Trafficante est d'ailleurs celui qui a le plus perdu avec les Kennedy. La perte de ses investissements à Cuba s'est montée à vingt millions de dollars. Il a même connu les geôles castristes à leur début et n'en est sorti que par la corruption de quelques officiels du nouveau régime, vingt-cinq mille dollars ayant été convoyés par un dénommé Jack Ruby, le même Ruby qui n'écoutant que son cœur brisé tuera à bout portant l'assassin de Jack.

C'est donc bien ainsi que les menaces qui pesaient sur Bobby se sont finalement reportées sur son frère, la tête du chien honni par cette fange qui ne se cachait même plus pour annoncer la mort de Jack. Un tueur isolé? Tu parles! Ils ne devaient plus savoir où se mettre, derrière la fameuse palissade, ces tueurs à gages de la Mafia et de la CIA qui se pressaient en espérant décrocher la timbale. Tant de projectiles allaient être tirés qu'il serait difficile d'attribuer la balle fatale à l'un ou l'autre de ces tireurs déguisés en clochards itinérants, repérés par nombre de témoins qui l'un après l'autre seront dissuadés de parler.

Le crime organisé a la rancune tenace et ne peut pas se considérer quitte avec Bobby par la seule mort de son frère. Son jour à lui viendra. Plus il s'enfonce dans cette divagation, plus il en est convaincu. Pas tout de suite. Il faudra plusieurs années pour enterrer la vérité sur l'assassinat de son frère. Un temps propice aux conspirateurs pour analyser ce qui est perfectible dans l'assassinat de Jack. Ils y travaillent déjà peut-être dans le service du fameux docteur Gottlieb à la CIA, l'homme qui a proposé toutes les solutions techniques pour tuer Castro. L'élimination du leader charismatique et celle des frères Kennedy relèvent de la même philosophie, des mêmes expériences éprouvées au sein de l'agence de renseignement, au sein du programme de contrôle et d'élimination des adversaires politiques de l'Amérique. Mais comment en savoir plus sur le fameux programme MK-Ultra? Bobby sait qu'il n'y aura jamais accès.

Allen Dulles a été remplacé par McCone à la tête de la CIA depuis le 21 novembre 1961. Républicain, il ne vient pas du monde de l'espionnage mais de celui de l'industrie de l'acier puis du nucléaire. McCone est un loyaliste et il agit dans un cadre légal défini par le président. Mais chacun sait que McCone n'est pas le vrai patron de la CIA. Richard Helms, l'ancien adjoint de Bissell à la planification et aux opérations noires, est monté d'un cran depuis la destitution de son chef par Kennedy. Hautain, il est issu de l'aristocratie du renseignement. Pour avoir fait son apprentissage pendant la guerre, il connaît les liens qui se sont noués à la fin du conflit entre l'espionnage et la Mafia. À New York où la Mafia a prévenu des opérations de sabotage par l'ennemi, et lors du débarquement en Sicile facilité par les relations de Lucky Luciano avec l'establishment mafieux local. Richard Helms n'a pas à proprement parler d'illusions sur son pays et sur la façon dont il fonctionne. La plupart des grandes fortunes se sont faites dans des conditions morales douteuses, et sans l'action des frères Kennedy, qui ont mis en lumière le racket et la corruption à la fin des années cinquante au sein de la commission McClellan, dans le seul but de se faire remarquer, la large conspiration du silence n'aurait pas été brisée.

Pour Bobby, Helms a forcément entendu la rumeur qui montait autour de lui, le mécontentement bruyant de ses adjoints comme Harvey, ajoutés aux péroraisons des parrains. Il est clair pour Helms que les Kennedy portent la responsabilité des morts de la baie des Cochons et que leur obstination à refuser l'élimination physique directe du dictateur cubain est une posture grotesque alors que la guerre froide se joue là, à quelques dizaines de kilomètres des côtes de la Floride où Castro s'est permis d'installer un laboratoire d'idées qui pourraient contaminer tous les pays pauvres de la planète. Helms est suffisamment éduqué pour savoir que le communisme n'est, dans bien des cas, que la réponse aux excès d'un système libéral qui concentre les richesses aux mains d'une minorité peu scrupuleuse. Helms, comme ceux qui l'ont précédé, a comme seul objectif d'étendre la zone d'influence américaine et de contrer toute initiative qui proposerait un changement du modèle des États-Unis. Il exerce cette pression dans toutes les zones du globe où l'Amérique fait passer son impérialisme pour un tutorat bienveillant. Le seul pays parvenu à l'âge adulte en moins de deux siècles, là où d'autres ont mis des millénaires à mûrir, ne voit que des nations infantiles autour de lui, prêtes à sombrer dans des considérations idéologiques puériles sur l'avenir de leurs sociétés. Helms a certainement conscience que l'Amérique jouit et qu'elle jouira encore longtemps de sa réputation de libératrice de la tyrannie japonaise et nazie, et qu'il faut en profiter. Ce qu'il voit chez les Kennedy, et particulièrement chez Bob, c'est une coupable inconsistance.

Helms sait. Pour couvrir, il a forcément approuvé. McCone, le directeur officiel, fait l'étonné pour de bonnes raisons parce qu'il ne sait rien. Il va progressivement découvrir que l'organisme dont il a la charge a piloté l'assassinat du président. Sans la CIA, le complot avait peu de chance de réussir. Les seules gesticulations des parrains mafieux n'auraient pas suffi à éliminer Jack, l'affaire est presque trop sérieuse pour eux. Ils ont certainement fourni des tireurs, mais pour créer Lee Harvey Oswald, le leurre, et le maîtriser, il fallait partir de loin, de beaucoup plus loin que la pègre n'en est capable.

10

Bobby ne s'est pas intéressé à un homme qui, selon mon enquête, a joué un rôle incontestable le 22 novembre 1963 à Dallas. Il n'avait aucune raison de parvenir jusqu'à lui. Cet homme est remonté lentement à la surface, tel le corps gonflé d'un noyé. Interrogé plusieurs années après le funeste événement, il disait ne pas se souvenir où il se trouvait ce jour-là. Il fut aussi un des adversaires les plus affirmés de la théorie du complot dont il plaisantait : « Dire que JFK a été la victime d'une conspiration, c'est un peu comme si vous m'annonciez qu'Elvis Presley est toujours vivant. » Cet homme n'était pas à l'origine un Texan mais l'était devenu par sa fortune considérable réalisée dans le pétrole au Texas. L'amnésie est saisissante. Il s'est inventé un alibi sur le tard mais pendant des années il s'est contenté d'affirmer qu'il était incapable de se rappeler où il se trouvait ce jour-là. Quand j'ai parlé de lui au directeur du département d'histoire contemporaine, son visage s'est assombri comme si mes recherches qu'il avait considérées jusque-là comme une fiction prenaient une forme réelle avec laquelle il pouvait tisser un lien direct, puisque l'homme n'était pas mort. Il ne l'est toujours pas à l'heure où j'écris ces lignes. Ce vétéran de Dallas vit toujours, atteint d'une forme de la maladie de Parkinson. Il est né en 1924, la même année que mon père. C'est le dernier verrou. Mais sa mort ne libérera pas plus l'affaire. Il reste ses fils, dont un a encore des ambitions politiques. Et puis c'est une question d'image, de réputation, d'inscription dans la postérité. Cette curieuse amnésie ressort comme l'acte manqué d'un homme qui ne peut pas avouer qu'il était présent à Dallas mais qui, poussé par une force intérieure mystérieuse, ne parvient pas à passer de l'oubli au mensonge. Plus curieux encore, cet homme prétend ne jamais avoir appartenu à la CIA avant d'en être devenu le directeur en 1976 pendant à peine plus d'une année. Il l'a même juré devant la représentation nationale. George a suivi le cursus habituel d'un WASP issu d'une grande famille du Connecticut. Son père en a été le sénateur républicain. À la sortie de Yale, il adhère à la Skull and Bones Society, une franc-maçonnerie à laquelle appartiennent la majorité des cadres supérieurs de la CIA comme Dulles ou Helms. D'une façon ou d'une autre, il est approché par l'institution. George a tout intérêt à prendre pied dans une organisation qui peut lui servir tout autant dans les affaires que dans la politique où ses ambitions sur les pas de son père se précisent. Ses déclarations concernant d'éventuels liens avec la CIA montrent une forte volonté de ne pas lui être associé avant sa nomination à sa tête par le président Ford qui a dirigé la fameuse commission Warren. Au début des années soixante, George dirige la Zapata Petroleum Company. Curieusement, c'est Zapata qui sera donné comme nom de code au débarquement de la baie des Cochons. À cette occasion, deux bateaux de la Navy servant au transport des forces paramilitaires engagées ont été repeints pour dissimuler tout lien avec l'armée américaine. Le premier est rebaptisé *Houston*, là où se trouve le siège de la société Zapata, propriété de George, et le second *Barbara*. Probablement n'est-ce là que pure coïncidence mais Barbara est le prénom de la femme de... George. L'homme déclarera d'ailleurs ultérieurement qu'il ne croit pas aux coïncidences. Tous les efforts sur lui-même ne permettront pas à George de se rappeler où il était le 22 novembre. Pourtant la nuit du 21 au 22 novembre, une chambre figure à son nom au Sheraton du centre-ville de Dallas. Il passe d'ailleurs la soirée avec les membres de l'association des entreprises de forage pétrolier en compagnie de deux géants du lobby pétrolier, Hunt et Murchison. Murchison est le trésorier du 22 novembre, celui qui a accepté de prendre en charge les différents frais inhérents à cette opération qui a de considérables conséquences fiscales pour son industrie. Les Kennedy s'étaient mis en tête de réduire la charge fiscale annuelle d'amortissement des puits pétroliers de 27,5 % pour la rendre plus conforme à la véritable usure de ces installations. L'enjeu porte sur des milliards de dollars. Johnson, la doublure de Kennedy, s'est engagé si, par le plus grand des hasards il se retrouvait président, à ne toucher à rien. Et de fait, une fois président, alors que l'Amérique manque d'argent pour les déshérités qui menacent de se révolter, il ne touchera à rien. On ne sait pas si De Mohrenschildt, qui travaille pour Murchison, est présent parmi les convives ce soir-là. Il est une sorte de mondain dépressif pro-nazis qui a travaillé pour la CIA après avoir été longtemps surveillé par elle. De Mohrenschildt est l'ami d'Oswald. Lorsque Oswald, instable, perturbé, perd son travail, c'est De Mohrenschildt qui lui conseille de partir pour Dallas où il lui trouve un emploi dans le secteur pétrolier. Ce même Mohrenschildt avouera qu'Oswald était un leurre, mais quand il sera temps de le confirmer devant la commission d'enquête qui réexamine l'assassinat de JFK, il sera retrouvé mort la veille de son audition, d'une balle qu'il se serait tirée lui-même. Quelques semaines plus tôt, il avait écrit à George, alors directeur de la CIA, pour lui faire part de son mal-être. Il se sentait écouté, surveillé, traqué. George, au nom de leur vieille amitié, lui avait répondu avec beaucoup de gentillesse qu'il s'agissait certainement d'une fatigue consécutive à la perte de deux de ses enfants atteints d'une maladie génétique. George avait ajouté pour finir qu'après consultation de ses collaborateurs de la CIA il ne voyait aucun signe de surveillance particulière.

Le 22 novembre 1963, George est pris en photo à Dallas. Tout comme l'est apparemment son fils, prénommé lui-même George. Si c'est bien lui, que fait son fils de dix-sept ans à ses côtés ? Aucune explication. George junior a certainement demandé à George senior ce qu'ils venaient faire à Dallas. Chasser l'oie ? C'est d'ailleurs la réponse d'un des tireurs arrêtés sur la route de Dallas par une patrouille de policiers qui s'inquiètent de toutes les armes trouvées dans son coffre. Mais George n'est pas un tireur, plutôt un superviseur. D'ailleurs les photos prises le sont depuis le pied d'un immeuble qui appartient à la CIA, le Dal-Tex. C'est près de ce bâtiment que George senior est interpellé par un agent de police intrigué par son calme alors que le président des États-Unis vient d'être abattu. Il est emmené au poste avant d'en être libéré sans laisser de traces. Mais George nourrit pourtant quelques craintes concernant cet incident. Il se lance alors dans une opération de couverture concoctée en quelques minutes. Il appelle un agent du FBI.

« Désolé de vous déranger, mais je pense qu'il est de mon devoir de vous signaler qu'un homme du nom de James Parrott m'est apparu suspect au vu des circonstances actuelles. Il y a quelques jours, je l'ai entendu parlé d'assassiner le président. Sur le moment, je ne l'ai pas pris au sérieux mais maintenant...

— D'où appelez-vous, monsieur...?

— Bush, George Bush. C'est un appel longue distance. En fait, j'appelle de Tyler au Texas. »

James Parrott est en réalité un assistant de la campagne de George pour les sénatoriales. Immédiatement arrêté, il présente un alibi qui lui est fourni par Kerney Reynolds. Qui est Reynolds? L'assistant le plus proche de George. Pourquoi cette mascarade? Pour faire acter dans un document légal que George n'était pas à Dallas et n'est suspect de rien ayant lui-même désigné un suspect. Une procédure habituelle à la CIA de dénonciation avec alibis croisés. Quelques minutes après son appel, de retour sur le terrain des opérations, il est photographié avec le général Edward Lansdale, commandant des forces aériennes, haut contempteur de Kennedy. Interrogé plus tard sur sa localisation à Tyler, le jour des événements, George puise dans sa mémoire pour en sortir une conférence qu'il aurait donnée là, devant des membres du club Rotary. Mais à l'heure à laquelle il est supposé prononcer son discours, il est au téléphone avec un agent du FBI à Dallas. Coïncidence. Alors que George a toujours vigoureusement nié avoir appartenu à la CIA, j'ai devant moi copie d'une lettre de J. Edgar Hoover datée du 29 novembre 1963 dans laquelle il fait référence à des informations qui lui ont été fournies sur les anticastristes par un certain George Bush de la CIA. Le futur président des États-Unis se défend, il existe un autre George Bush travaillant pour la compagnie. Effectivement, mais ce George Bush-là est un petit gratte-papier qui n'est relié en rien à l'affaire de Cuba et qui ne se serait pas permis depuis son niveau inférieur de s'adresser directement au redoutable directeur du FBI dont on sait que l'humeur volatile pouvait le conduire à virer un employé pour le simple fait d'avoir marché sur son ombre.

11

Les différents directeurs du département d'histoire contemporaine qui se sont succédé au cours des trente-cinq années de mes recherches m'ont toujours laissé travailler comme je l'entendais. J'assurais mes cours auprès de mes étudiants que je retrouvais avec plaisir d'année en année. De ne pas les avoir vus vieillir, je leur dois aussi d'avoir échappé au spectacle de ma propre dégénérescence, et me voilà maintenant à quelques mois de la retraite, toujours à la même place, enseignant les mêmes choses sur deux événements majeurs du siècle qu'ont été l'assassinat des frères Kennedy et l'invasion injustifiée de l'Irak. J'ai vu l'esprit critique s'émousser au cours des années, tout aussi bien chez mes étudiants que chez mes collègues qui me considéraient comme un conspirationniste illuminé, enfermé dans la matière de ses recherches depuis plus de trois décennies, sans voir venir les grandes menaces comme la fracture avec les musulmans et la montée du terrorisme radical dont ils s'étaient faits les spécialistes. Je ne contestais pas ces faits mais je doutais de leurs analyses. En voulant nuire aux Soviétiques en Afghanistan, les Américains ont favorisé l'islamisme radical. Avant de s'en faire un ennemi héréditaire par l'humiliation des cadres sunnites de

Saddam Hussein qui ont réagi en créant Daesh, une organisation qui n'a d'autre ambition que la destruction de l'Amérique et de ses alliés. Je pensais que la solution à l'islamisme radical passait entre autres par la reconnaissance de ce préalable, mais j'étais le seul.

Les démocrates ont permis de faire des pauses. On ne peut pas toujours tirer, on est bien obligé de prendre le temps de recharger. De Nixon, qui n'aurait certainement pas été élu si Bobby n'avait pas été éliminé, à George W. Bush, le fils de l'homme qui ne se souvient pas où il était le 22 novembre 1963, les présidents républicains se sont transformés en représentants des intérêts pétro-militaires. L'Amérique de Woodward et Bernstein, les deux journalistes du *Washington Post* dont les investigations ont conduit à la destitution de Nixon, a disparu, fondue dans la désignation d'un ennemi commun, la terreur. Alors que le poids financier du pétrole diminue, la terreur permet de passer le relais à l'industrie numérique qui révolutionne le monde de la surveillance des individus en même temps que celui de l'information et de la communication. La CIA et la NSA ont longtemps travaillé pour les pétroliers, désormais elles ne se contentent plus de collaborer, elles fusionnent avec les grands du numérique en déployant le plus vaste filet jamais imaginé sur les libertés individuelles.

Depuis la mort de Madsen, mon mentor, je ne m'étais plus confié à quiconque sur les liens que je pressentais entre la mort de mes parents et l'assassinat de Robert F. Kennedy, craignant d'amplifier et de propager les critiques de mes collègues à mon endroit. Mes recherches ont continué, financées par mes propres moyens, ceux obtenus grâce à la fameuse assurance-décès de mon père. Mais il existait un obstacle à ces recherches : la crainte très intime que la découverte des véritables raisons de la mort de mes parents ne vienne perturber mes défenses psychologiques. Dans mon esprit, leur suicide m'avait donné de meilleures raisons de faire mon deuil. Tant qu'ils restaient acteurs de leur propre mort, je ressentais moins de culpabilité à leur survivre, les rendant responsables de m'avoir abandonné l'un après l'autre, mais s'il s'avérait un jour qu'ils ne l'étaient pas, cette découverte ne ferait qu'activer ma douleur, la rendre moins maîtrisable. Le besoin de savoir a fini par dépasser la crainte de déstabiliser mon propre psychisme.

12

Mon père et ma grand-mère avaient donc quitté la France, poussés par un complot judiciaire. Avait-il été fomenté par les adversaires de mon père, des collaborateurs qui craignaient ses révélations ou par les services britanniques eux-mêmes? Que ces derniers aient négocié sa fuite et facilité son installation dans un pays allié, plus rien ne permettait d'en douter. Mais l'avaient-ils provoquée? Cette hypothèse, tout invraisemblable qu'elle puisse paraître, méritait d'être vérifiée, et je m'y suis attelé lors d'un nouveau voyage en France. De Paris, j'ai pris un train interminable qui m'a conduit à Bordeaux, une ville alors repliée sur ses intérêts et son histoire, apparemment insensible à sa propre beauté architecturale négligemment dissimulée sous une fine couche de crasse. Des entrepôts délabrés obstruaient sa vue sur la Garonne qui serpentait, souveraine, jusqu'à la mer.

J'y ai noué des contacts avec d'anciens résistants qui m'ont fourni de précieux renseignements sur la tectonique des forces dissimulées derrière la condamnation de mon père. Elles avaient fomenté une opération de déstabilisation, procédé courant qui consiste à décrédibiliser quelqu'un qui pourrait vous objecter votre profonde malhonnêteté. Le magistrat qui avait jugé mon père appartenait à cette mouvance saumâtre. J'eus l'opportunité d'en savoir plus sur les raisons qu'avaient ces individus de craindre le témoignage de mon père. L'homme qui avait orchestré le complot avait collaboré à l'arrestation du chef de réseau de mon père à l'époque où celui-ci surveillait les mouvements de sous-marins allemands en infiltrant leur base. Mon père n'avait dû sa survie qu'à l'héroïsme de ce chef, torturé, déporté puis massacré à Buchenwald sans avoir jamais parlé.

Il restait la question de l'intervention qui avait permis la libération de mon père de sa geôle parisienne. Malgré mon insistance renouvelée, il me fut impossible d'obtenir quoi que ce soit de l'administration judiciaire française qui se ferma comme une huître piquée par une pointe de couteau, alors que les faits remontaient à près d'une trentaine d'années.

Depuis mon dernier voyage, j'avais retrouvé la trace d'une correspondance entre mon père et un psychiatre lacanien. L'homme vivait toujours et je le rencontrai dans son appartement du 5ᵉ arrondissement de Paris où il se montra d'une grande courtoisie et d'une non moins grande diligence. Après que je lui eus expliqué toute l'affaire, il me conseilla de prendre contact avec un homme dont il se contenta de me donner le nom et le numéro de téléphone sans préciser les liens qui les unissaient. Je rencontrai cet homme quelques jours plus tard. Il me reçut dans un restaurant de poisson du boulevard des Italiens où il avait visiblement ses habitudes. Aussi ouvert qu'énigmatique, il me posa des questions très précises et épuisa le sujet bien avant que nous soyons parvenus au plat de résistance qu'il attendait avec une certaine impatience. Pour alimenter la conversation qui s'interrompait parfois brutalement, le laissant les yeux perdus dans les filets de pêche qui ornaient les murs de l'établissement, je lui parlais de mes recherches universitaires. J'eus l'impression que mon sujet l'intéressait vaguement quand soudainement, d'une voix très saccadée, il me livra une analyse étonnamment précise. « Savez-vous, jeune homme, que l'on attribue à l'auteur de l'assassinat de Robert Kennedy des motivations anti-israéliennes. L'annonce du soutien de RFK à Israël lui aurait donné l'idée de fomenter son geste funeste. Sirhan Sirhan était un Palestinien chrétien, visiblement traumatisé par des bombardements de Tsahal. Mais cet homme n'a été qu'un leurre, comme l'a été Oswald. Et cette fois, ajouta-t-il, ils n'ont pas eu besoin de le tuer. Mais vous le savez probablement déjà, sinon je crains que votre travail ne soit engagé sur une mauvaise voie. » Il referma la parenthèse aussi brutalement qu'il l'avait ouverte en écarquillant les yeux à la vue du turbot doré au foie gras qui s'avançait vers lui. Nous sommes ensuite restés un bon moment à déguster, sans rien dire d'essentiel, jusqu'au moment où il m'a parlé de mon père. « Il a beaucoup fait pour les déportés à leur retour de camp. Les chrétiens parleraient de sacerdoce. Une implication désintéressée, il n'en a tiré que peu de profit. »

Nous nous revîmes trois jours plus tard dans un café du quartier de l'Opéra. En quelques secondes, il me lâcha les informations qu'il m'avait promises à mi-mot lors de notre précédente rencontre. « Votre père a été un agent britannique pendant la guerre et il l'est resté. Vous pouvez me faire confiance. » Puis il me congédia alors qu'une femme élégante se dirigeait vers lui.

J'imaginais que cet homme travaillait pour le « Mossad », les services secrets israéliens. J'en parlai au psychiatre lors de notre dernière rencontre avant mon départ pour Londres. Pour toute réponse, il murmura sans me regarder : « C'est une éventualité, les services britanniques et israéliens ont une longue histoire conflictuelle en Palestine, ils se connaissent bien. »

Mon voyage en Angleterre fut déterminant, pas pour les informations que j'y obtins mais pour l'impressionnante résistance que j'y ressentis. J'avais les meilleures introductions auprès de grands universitaires d'Oxford et de Cambridge, supposés eux-mêmes avoir de solides accointances avec les services secrets britanniques. Je justifiai mon enquête sur Ed Skowronek par une étude plus générale sur la résistance française, et sur le sujet, les accréditations fournies par des chercheurs nord-américains ne me furent d'aucune aide. Un professeur d'histoire contemporaine du King's College de Cambridge me reçut avec une chaleur surprenante pour un Anglais, mais son mariage avec une Française n'était pas pour rien dans ses bonnes dispositions. Sa spécialité concernait les relations entre la France et la Grande-Bretagne, et par le plus grand des hasards je reçus en confidence que son frère travaillait au MI6, les services secrets extérieurs. Lancer la recherche sur mon père prit une bonne semaine pendant laquelle j'eus le bonheur de vivre au collège comme professeur invité. Une belle chambre élisabéthaine me fut allouée en face du pont des Soupirs. Je partageais mes repas avec les professeurs qui déjeunaient en surplomb de leurs élèves dans une communion intellectuelle particulière. Le dernier soir de ma visite à Cambridge, nous sommes sortis des murs de la vénérable institution, décoction d'intelligence et de bon goût, pour nous encanailler dans un des pubs de la vieille ville. Andrew Harris ne se départit pas de son humanité mais défit son nœud de cravate en souriant au troisième verre de dix ans d'âge. Plus tard, alors que nous étions ivres sans toutefois avoir perdu une once de dignité, je le vis prendre un air désolé pour m'annoncer qu'il ne pouvait rien me révéler sur

Ed Skowronek, n'ayant lui-même obtenu aucune information, les faits concernant une histoire trop récente. Dans les vapeurs d'alcool associées à la chaleur du lieu où se pressaient plus de gens que l'établissement ne pouvait en contenir, je compris que sa référence à l'histoire récente ne visait pas la guerre mais une période qui lui était largement postérieure. Il confirmait ainsi non seulement que mon père avait travaillé pour eux mais qu'il avait œuvré dans leur direction jusqu'à sa mort. En sortant du pub, nous avons regagné le collège par des ruelles étroites en nous appuyant souvent aux murs pour contrer les effets de l'alcool sur notre équilibre. Alors que le froid, devenu une soudaine réalité, nous pressait de rentrer nous coucher, Andrew se confondit en excuses pour ne pas avoir été en position de me renseigner mieux, mais je lui répondis qu'incidemment j'en avais appris plus que je ne l'espérais. Il s'en trouva soulagé. « J'ai le sentiment, d'après ce que mon frère m'a laissé entendre, qu'ils ont été contrariés par toute cette affaire. Si je me permets d'interpréter ce que j'ai ressenti à l'issue de notre conversation, les choses ont mal tourné et ils n'en sont pas très fiers. » Nous nous sommes quittés sincèrement ravis de nous être rencontrés. Nous avons gardé le contact depuis. Après qu'Andrew m'eut salué pour regagner son logement, je suis retourné seul au pub où j'avais repéré une jeune femme très souriante, joyeuse sans être exubérante, comme peuvent l'être parfois les Anglaises passé une certaine heure. Je me suis joint très naturellement au groupe qui l'accompagnait et la fête s'est poursuivie jusqu'à la fermeture. Je l'ai ensuite raccompagnée chez elle dans la vieille ville alors que brouillard remontait du Cam, nous enveloppant dans une atmosphère singulière qui me rappelait *Brève rencontre*, le film de David Lean. Nous avons passé ce qui restait de nuit ensemble à discuter et à nous convaincre de ne pas pousser notre relation au-delà de ce qu'elle était, enjouée, courtoise et non charnelle. Quand les premières lueurs du jour ont frappé sa fenêtre, elle s'est jetée sur moi, et la journée s'est offerte à nous autant que nous nous sommes offerts l'un à l'autre. Nous avons longuement correspondu après mon retour à Vancouver, sans jamais nous revoir.

13

L'Amérique, abasourdie, a la curiosité de savoir, mais en a-
t-elle la volonté ? La commission Warren constituée pour faire
la lumière enterre la vérité dans un long cortège mortuaire de
mensonges et de manipulations.

Bobby, trop jeune pour partir à la guerre, s'est inventé la
sienne. Une commission d'enquête sénatoriale au reten-
tissement médiatique considérable, tout autant pour ceux
qui y défilent que pour ceux qui la dirigent. La commission
McClellan enquête sur les relations impropres dans le domaine
du travail, ce qui conduit rapidement les investigations vers le
fonctionnement des syndicats, leurs liens avec le crime organisé, les systèmes de racket mis en place et les relations géné-
rales entre employeurs et syndicats. En trois années, de 1957
à 1960, Bobby prend la charge exécutive de cette commission
sous la protection de Jack qui y siège comme sénateur. Il mène
les interrogatoires, prépare les mises en accusation, se comporte
en véritable procureur pour révéler que l'âme des affaires du
pays de la libre entreprise est gangrenée de malversations, de
corruptions, d'arrangements frauduleux qui ruinent les fondements moraux proclamés du système. Les parrains de la Mafia

vont y comparaître les uns derrière les autres, stupéfaits de se voir incriminer par le fils de celui qui fut longtemps leur partenaire en affaires. Pendant ces trois années de lutte acharnée contre des syndicalistes, des mafieux, des entrepreneurs véreux, Bobby ne s'est-il jamais endormi en rêvant de voir son père comparaître devant cette commission et rendre compte de la façon dont il a bâti sa gigantesque fortune? Rêve ou cauchemar. Cette guerre, il l'a menée de bonne foi, comme s'il ne devait rien à personne. Avec un acharnement qui a surpris tous les protagonistes avant de les exaspérer. Avec le recul des quelques jours qui ont suivi la chute, l'échec est désormais incontestable, définitif. On ne lui a laissé la vie que pour contempler sa propre désintégration. Marcello avait raison, il ne servait à rien de le tuer, il suffisait d'éliminer le « grand frère », et l'autre viendrait ensuite à pourrir sur pied. Le processus de décomposition a commencé et la dépression chronique endiguée pendant six ans par la suractivité et le combat quotidien se rappelle à Bobby comme l'« ennemi de l'intérieur », titre qu'il avait choisi pour son livre sur la gangrène mafieuse. « Il est tellement replié sur lui-même qu'on dirait qu'il souffre d'une maladie de la nuque. Ses yeux cherchent constamment à échapper au regard des autres », rapporte l'épouse de Ian Fleming, le père de James Bond, qui le croise dans un dîner à Londres. Il donne l'impression d'un homme tourmenté, incapable de s'extraire durablement de cette torture intérieure. Bobby ne sait pas se mentir, et c'est ce qui le tue. Incapable de dissimulation, il s'affiche tel qu'il est, pétrifié de culpabilité. De quelque façon qu'il tourne son esprit, celui-ci le ramène toujours à sa responsabilité dans la mort de son frère. Il se surprend à souhaiter avoir été tué à sa place, à vouloir échanger la balle fatale contre cet état douloureux de dépréciation de lui-même. La commission Warren finit par le solliciter. Il répond laconiquement que rien dans les dossiers du ministère de la Justice ne permet de laisser penser à un complot. Il reste à son poste pour s'infliger une dernière humiliation, celle de travailler sous les ordres d'un des protagonistes du crime. « Il faudra qu'il me vire. » Johnson ne s'y aventurerait pas. Il vise l'élection de 1964. Tout pousse à croire qu'il va être élu, fort de la charge émotionnelle qu'il est bien décidé à porter jusqu'à cette échéance. Mais pour cela il ne doit pas être désavoué par les Kennedy. Méprisé, ignoré, suspecté, peu lui importe, mais ni Jackie ni Bobby ne doivent le salir. Johnson est convaincu de bien se comporter. La commission Warren ne s'oriente certes pas vers une théorie du complot, mais elle s'est abstenue en contrepartie de souiller la réputation des Kennedy qui aurait été entachée par un déballage. Échange de bons procédés.

Bobby trouve dans la tragédie grecque le confort de l'écho. « Toutes les arrogances recueilleront une moisson riche de larmes. » Rien dans nos vies n'est original. Tout ce que nous vivons l'a déjà été, par d'autres, dans d'autres circonstances. Certains l'ont même rapporté. Il en est ainsi des tragédiens grecs. Cette formalisation poétique de son mal l'apaise. Il en parle avec Jackie dont il se rapproche inexorablement. Un irrépressible besoin d'être rassurée la pousse vers Bobby. En contrepartie, elle est devenue sa seule confidente. Ethel, sa femme, la mère de ses sept enfants, portés à onze à la fin de sa vie, remplit bien des fonctions mais ne lui permet pas d'épancher ce profond mal de vivre qui s'est insinué en lui. Jackie se rend disponible. Leurs rencontres ne choquent personne. Que le frère et la veuve du président assassiné fassent ensemble le deuil du disparu n'attire pas la critique. Ce temps passé ensemble s'étire.

Jackie trouve en Bobby une profondeur et une disponibilité qu'elle n'a connues avec aucun de ses amants et qu'elle n'avait pas encore retrouvées avec Jack, même si le pressentiment de sa mort prochaine les avait rapprochés au cours des derniers mois.

Jackie devient pour Bobby une raison de vivre, elle l'oblige à parler, à se confier. Il ne voit sans doute aucun obstacle moral à cette liaison qui a certainement débuté avant que l'un et l'autre ne l'aient vraiment décidé. Ils se sont probablement trouvés devant le fait accompli, trop heureux de ce pied de nez aux conventions. Les Kennedy ne se repassent pas les femmes, ils les honorent successivement selon un rite tribal. Si Bobby venait à disparaître, il y a tout à parier que le plus jeune des frères, Ted, prendrait le relais. Et c'est ce qui adviendra. Les sœurs Kennedy n'ont jamais vraiment aimé Jackie chez qui elles flairent le calcul et ne reconnaissent pas la spontanéité. On lui reproche ses amants. Elle aurait dû rester fidèle à Jack même si celui-ci multipliait les relations sans prendre le temps de la conquête. Les vantardises du vulgaire armateur Onassis ont laissé des traces dans les esprits. Mais ne compte que ce que l'on veut vraiment, pas ce qu'on a fait en réaction à des blessures. Qu'importent Onassis, Marilyn Monroe et tous ces noms lâchés comme autant de trophées, leur histoire va s'écrire désormais librement, et elle est tellement invraisemblable que le vieux Hoover ne prend même pas la peine de les faire suivre ni écouter. Il est vrai que, pour Edgar, ni le frère ni la veuve du président assassiné ne sont vraiment un enjeu d'avenir, ils n'ont même pas la force de contester les circonstances de la mort de Jack.

Jackie et Bobby se trouvent beaucoup de ressemblances et ils les cultivent. Succéder à son frère n'est plus le seul ressort de l'engouement de Bobby pour cette femme, si tant est qu'il l'ait été. Il aime le caractère impérativement secret de leur relation. Personne ne doit la connaître, personne ne doit même l'imaginer. Ils se figurent la réaction de Jack. Il serait certainement soulagé de voir qu'elle ne s'est pas jetée dans les bras du premier milliardaire venu capable de la tranquilliser. Une relation amoureuse ? Il s'en serait sûrement félicité, lui qui en était privé par une curieuse défaillance de son aptitude aux sentiments, submergé qu'il était par un désir compulsif. L'assentiment de Jack semble planer sur l'idylle comme s'il les encourageait à perpétuer son souvenir. Il est leur lien et le restera quoi qu'il advienne. Bobby n'est certainement pas fier d'avoir une maîtresse. Ethel suspecte dans un premier temps une assiduité amicale plutôt qu'un adultère. Elle n'est pas femme à vouloir en savoir tellement plus, même si parfois elle reproche à Bobby son intimité avec la veuve de son frère. Intuitive, elle comprend que cette diversion lui est essentielle, qu'elle lui évite un naufrage annoncé. Elle ne se doute pas, pas plus que les deux protagonistes, que cette relation va dégénérer en passion qui, malgré ses exigences, ne sombrera pas dans la tyrannie des sentiments, reflet de manques profonds. Il y a, dans la passion, un amour, un culte de soi que l'un comme l'autre récusent. Ils lui préfèrent une élégante simplicité. Jackie plus que toute autre l'aide à surmonter sa crise existentielle, celle qui renvoie à l'utilité de ce passage dont nous ne maîtrisons ni le début ni la fin et encore moins le sens qu'il faut s'atteler inlassablement à forger pour se reconnaître une légitimité à vivre. Ce désordre du sens interroge sa foi. Le Dieu aimant et bon de son enfance s'est perdu dans une fable qu'il n'a pas le courage de relire. Trop près du rite, il avait pensé trouver Dieu, il craint de l'avoir perdu avant de réaliser qu'il l'avait quitté dès le moment où il l'avait trouvé, suprême inconvénient des religions monothéistes qui commencent là où elles auraient dû finir. Il trouve à ce questionnement de sa foi un réconfort passager du côté de la philosophie existentielle. Il découvre Camus, qui vient de mourir dans un accident de voiture. Il se passionne pour sa pensée limpide et sa littérature qui rejoint sa foi dans une humanité plus généreuse.

La neige a déserté les champs, l'hiver 1964, les oiseaux s'éclaircissent la voix, le froid se fait moins tenace. Bobby fait sa première réapparition en public depuis la mort de Jack, le jour de la Saint-Patrick à Scranton en Pennsylvanie. « Nous sommes des moutons sans bergers, alors que la neige ferme le ciel. Oh! Pourquoi nous as-tu quittés, Owen? Pourquoi es-tu mort? » Le mélancolique poème pour Owen O'Neill s'égrène dans la voix de Bobby qui revient à la lumière par une ode funèbre. Il est applaudi mais ne se fait aucune illusion, c'est son frère défunt qu'ils acclament à travers lui.

Les médiocres ont un pouvoir que n'ont pas les autres, qui est de ramener l'existence à une succession de faits mesquins qui distraient les grandes consciences de leurs questions métaphysiques. Johnson est de ceux-là. Il harcèle celui qu'il nomme affectueusement « le cul plein de merde ». Bobby le traite tout aussi affectueusement mais moins vulgairement d'« animal ». Johnson se souvient du temps où Bobby reprochait aux administrations de ne pas employer suffisamment de Noirs. Il envoie un émissaire de son cabinet au jeune Kennedy pour lui reprocher le faible nombre de femmes qui encadrent le ministère. Bobby, qui ne connaît pas de situation intermédiaire entre un abattement profond et un activisme enragé, décide de porter la contradiction à son apogée. Il se propose comme colistier de Johnson aux élections de 1964 au poste de vice-président. Le Texan n'en croit pas ses oreilles. Il sait aussi que la lutte avec les républicains risque d'être âpre et que s'agréger la sympathie Kennedy dans le pays serait un atout de poids. Mais la haine entre les deux hommes est trop forte. Même élu, Robert ne le reconnaîtra pas comme président et aura comme seul objectif de lui succéder en 1968. Bobby a lancé cette idée comme une provocation, mais déjà il rameute tous ceux qui ont formé le sillage de son frère : « Ne vous isolez pas, ne vous dispersez pas, ils n'attendent que cela. » Johnson, assis dans le fauteuil de son bureau Ovale, n'en revient pas. « Il ose, la demi-portion, il ose. » Il enrage, mais un conflit ouvert avec l'« avorton » pourrait lui coûter son élection. Bobby le terrorise car il le sait capable de tout tant qu'il n'est pas réélu. « Quand ce type me regarde, j'ai l'impression qu'il regarde à travers un trou. » Il demande à Hoover de le surveiller pour son compte. Hoover s'en réjouit car il partage, à l'encontre de Bobby, la haine de Johnson et considère que le jeune homme est un activiste destructeur en puissance, capable d'exciter les Noirs. Quand il devient évident que Barry Goldwater sera le candidat des républicains à la présidentielle, il ressort que pour gagner l'élection Johnson devra être épaulé par un équipier ayant les faveurs du Sud. Tout le contraire de Bobby, honni dans le quart sud-est du pays. Johnson le lui annonce, triomphant, en lui proposant de se retirer de lui-même de la course. Bobby ne sait plus ce qu'il veut, d'ailleurs il est soulagé de cet échec qu'il souhaitait au fond de lui-même. Il demande à Johnson de le nommer ambassadeur au Vietnam. C'est là que la jeunesse américaine s'abîme, aspirée par une spirale sans fond. Au nom de la théorie des dominos, l'Amérique ne veut pas lâcher le Vietnam. Alors dans cette guerre, qui ne peut pas être gagnée sauf à effacer le pays de la surface de la terre et qui s'éternise, Bobby veut devenir le caillou dans la chaussure des géants de l'armement qui n'ont qu'une idée, pulvériser ces petits Jaunes qui leur résistent obstinément. Monsanto, le grand spécialiste de l'insecticide, s'y prépare avec son défoliant magique, le napalm, qui brûle aussi bien les rizières que les hommes, les femmes, les enfants. Cette guerre, que Jack essayait de contenir sans parvenir à y mettre fin, ils vont l'avoir, Johnson la leur a promise. Bobby est le politicien le plus proche de cette génération consternée d'être impliquée dans un génocide injustifié, c'est elle qui sera son socle électoral s'il décide un jour de se remettre en marche pour de bon. Johnson ne comprend décidément rien à cet héritier qui pourrait vivre sans rien faire avec dix fois plus d'argent que ses escroqueries aux subventions publiques ne lui ont permis d'amasser. Ils ont tiré dans la tête, mais la queue bouge toujours. Ultimes spasmes morbides ou début d'une repousse comme les bois de ces cerfs qu'il chassait autrefois au Texas ? Ils avaient raison « les autres », c'était lui le problème. Il refuse tout net un Kennedy en plein milieu du terrain de jeu du complexe militaro-industriel. Qui a une meilleure idée ?

La nouvelle tombe de l'accident d'avion de Ted, le dernier des frères, sérieusement touché. Plus courbé que jamais sous le poids du fardeau de la Providence, Bobby lance à Ted, allongé sur son lit de douleur : « Je crois qu'il y a quelqu'un qui ne nous aime pas là-haut. » Ted survivra sans grosses séquelles.

En août 1964, Bobby mesure les dommages qu'il y aurait à ne s'engager dans rien, à se laisser aspirer par cette dépression en forme de montagnes russes, où l'énergie surgit, aussitôt siphonnée par la mélancolie, comme si l'attraction gravitationnelle de la terre avait triplé. Au plus mal, il sait qu'il est temps pour lui de décider de la voie, s'il ne veut pas perdre justement cette bande de frères, prêts à se dévouer pour lui comme ils l'avaient fait pour Jack. La légion irlandaise sera bientôt désœuvrée quand Johnson, réélu, en finira avec cette jeune génération qui avait cru prendre le pouvoir. Le 2 septembre, Bobby démissionne de son poste de ministre de la Justice après avoir annoncé sa candidature comme sénateur. « La famille doit bien être représentée quelque part dans les instances politiques de ce pays. » Il ne trouve pas d'autre justification avouable. Il est vrai qu'à New York il pourra voir plus facilement Jackie ; ils pourront confronter leurs intelligences, se confier l'un à l'autre en toute sécurité, vivre une relation d'une force qui les étonne tous les deux, éprouver d'autres sentiments que la colère et la tristesse. Bobby doit rendre sa révolte positive au sens où l'entend Camus. La foi a échoué à lui redonner de la force, mais il doit se remettre en route, comme un automate, comme un Kennedy, l'appétit viendra plus tard. Pour la première fois de sa carrière, à moins de quarante ans, il sollicite les suffrages d'hommes et de femmes qui ne voient que son frère en lui pour leur grande majorité. D'autres, comme la communauté juive, ne voient que son père, le milliardaire qui se payait de propos antisémites avant guerre. « Il faudrait que les juifs cessent d'énerver Hitler », avait-il eu l'aplomb de déclarer au moment où Hollywood tournait le Führer en dérision. Mais Bobby n'est pas antisémite, ses équipes le montrent, c'était la communauté la mieux représentée à ses côtés après les Irlandais. Comment leur expliquer que le vieux avait certes un fond d'hostilité contre les juifs mais que son pacifisme n'avait eu qu'une seule et profonde motivation : protéger ses fils de la guerre. Bobby découvre les électeurs, cette masse informe d'intérêts particuliers et contradictoires de gens qui ne s'aiment pas mais qui sont indispensables les uns aux autres. Beaucoup n'ont pas la hauteur de ses aspirations mais tous n'ont pas eu sa chance de naître dans une famille aimante et richissime. Il découvre la réalité humaine et est intimidé à l'idée de représenter des gens dont la vie est aux antipodes de la sienne. Il avait déjà battu la campagne quand il siégeait à la commission McClellan, à la recherche de témoignages sur les pratiques illicites dans le monde du travail. Il se souvient aussi de cette audition de Hoffa, quand le syndicaliste mafieux, sans voix devant l'acharnement de Bobby, avait fini par lâcher : « Vous êtes cinglé, vous n'êtes rien d'autre qu'un cinglé. » Mais il se souvient par-dessus tout des silences passés à se dévisager, à se défier, où Hoffa semblait lui dire que leur différence de milieu les rendait inconciliables. Hoffa transpirait par tous les pores de la peau son enfance misérable après que la mort de son mineur de père l'avait laissé sans le sou à sept ans. Hoffa avait décidé de sortir sa famille de cette impasse par tous les moyens, ce qui avait fait de lui un syndicaliste à dix-sept ans. Il s'était ensuite, selon lui, contenté de reprendre la part du gâteau qu'on lui avait soustraite à cause d'une naissance déshéritée. Comme personne ne voulait la lui rendre, il l'avait prise de force. En Amérique comme ailleurs, si on ne dispose que d'une seule écuelle pour une meute de chiens, on doit s'attendre à une foire d'empoigne dont ne se sortent que les plus forts. En Amérique toujours, une claque par-ci par-là ne démontre en rien la force, on est obligé d'y aller fort dans les symboles pour être compris. Le croc de boucher, le concombre géant dans le côlon ne sont que des symboles, dernière étape avant l'élimination physique. Comment croit-il que son père procédait, ce petit étudiant propre sur lui ? Certes, il ne tuait pas lui-même mais des morts, il y en a eu. « On va finir par être obligés de parler de votre père, monsieur Kennedy. » Bobby ne relève pas et poursuit, impitoyable, sa mise en accusation. Devant les plus grands mafieux du pays, il ne désarmait pas, ne se troublait jamais. Il leur a fait payer son héritage empoisonné. Pourtant,

159

une fois, une seule fois, il a perdu ses moyens. Joe Kennedy est dans la salle, assis droit, le visage détendu. Il ôte parfois ses lunettes rondes de son nez pour en essuyer la buée. Il flotte une odeur de parfum de prix, celui dont se couvrent les mafieux appelés à comparaître. Elle en est parfois gênante, comme si les prévenus en avaient usé excessivement pour recouvrir les émanations pestilentielles de leurs forfaits. Ils paraissent à la commission endimanchés, les poignets alourdis de breloques en or massif. Perplexe, Joe Kennedy regarde ses fils s'empoigner avec les ténors d'un monde souterrain dont il connaît chaque veine, chaque galerie. Joe oscille entre la fierté et la peur pour ses fils. Il a suffisamment sécurisé le périmètre de ses affaires pour ne rien craindre de révélations sur son compte. Dès l'annonce par Jack de sa candidature à la présidentielle, il a revendu ses intérêts litigieux et particulièrement sa société de distribution d'alcool, Somerset Importers, à Longy Zwillman, le patron de la pègre du New Jersey. Ses anciens partenaires appelés à comparaître devant l'instance du Sénat se retournent vers lui, incrédules. « Dis-nous que c'est une blague, Joe, que tes fils ne font cela que pour se faire mousser, c'est juste pour prendre la Maison-Blanche, c'est ça ? » La commission est devenue un événement télévisé, le public américain découvre en vrai les gangsters qu'on ne lui montrait que dans les films de Hollywood et deux jeunes hommes bien coiffés pour les fouetter. Le beau et le laid, le bien et le mal, dormez tranquilles, les lignes sont nettement dessinées.

Plus Bobby s'implique dans le comité sénatorial sur le racket et les activités illicites, plus il obtient les preuves irréfragables de la culpabilité de son père. Les hommes qu'il combat sont des connaissances intimes du vieux Joe. Bobby n'a pas seulement perdu ses moyens quand Joe est entré dans la salle des auditions, il a failli se trouver mal, comme si convergeaient en lui des forces contradictoires et destructrices. En décembre 1956, Hyannis Port a résonné un soir des hurlements de Bobby et de son père. Joe, en furie contre son fils, prévient : « Ils t'enverront leurs anges vengeurs. » Bobby en accepte le risque, inhérent à cette entreprise, pour sauver son honneur et celui de son frère, pour refuser publiquement l'héritage et la compromission sans fin entre le milieu, les industriels et la politique. L'argent sale finance la croisade contre l'argent sale ? Qu'importe, il veut sortir de la spirale du mensonge, des arrangements. « Bobby est cinglé, pourquoi tu te laisses faire, Jack, pourquoi ? » Jack est à trois ans de la magistrature suprême, le seul objectif qui parvienne à lui faire oublier ses douleurs vertébrales. Ce chemin de croix le conduit à la Maison-Blanche, mais pour cela il faut accepter le monde tel qu'il évolue. L'image est sur le point de prendre le pas sur la réalité. Cette image, il faut la construire. Les générations anciennes avaient fondé la leur sur l'anticommunisme, mais le bolchevisme n'a jamais été la principale menace intérieure. Le peuple américain doit savoir que des forces obscures se liguent contre lui avec cynisme et violence.

« Tu sais, papa, j'ai bien réfléchi avant de pousser cette commission au Sénat. C'est le seul espace politique dont nous disposions pour nous démarquer.

— C'est du suicide, Jack.

— Tu as d'autres idées pour marquer les esprits ? C'est toi qui nous as mis dans la tête ces ambitions. Alors maintenant, chacun son travail, on s'occupe de se démarquer de Nixon, tu finances comme tu veux, je ne veux pas le savoir. »

S'ils ne le savaient pas en détail, Hoover s'est chargé de le leur dire, le 16 août 1962, sur ce ton de délectation qu'il employait avec Bobby pour le ramener à la réalité. Il a devant lui un mémorandum qui fait état d'un dîner avant l'élection au Felix

Young's Restaurant entre Joe et tous les parrains de la Mafia. On ne connaît pas la teneur des propos mais il est évident qu'il s'agissait de rachat de voix et de financement de la campagne. Marcello, après avoir appuyé Johnson à la convention démocrate, s'est rabattu sur Nixon et ne bougera pas. Si Hoffa n'est pas présent, ses généreux dons vont aussi à Nixon. Giancana veut bien croire qu'on peut encore s'arranger avec les Kennedy. Illinois, Virginie-Occidentale, il accepte d'être l'intermédiaire pour l'achat de voix. Aucune élection américaine ne s'est jamais gagnée avant ni depuis sans achat de voix. Nixon ne procède pas autrement.

Au ton de Hoover, Bobby comprend que le directeur du FBI connaît les coutumes et ne porte aucun jugement moral particulier sur ces pratiques. Il n'a révélé ce dossier qu'à toutes fins utiles, si les deux frères persistaient dans l'idée de le remplacer en 1964. De ce ton factuel saccadé qu'il emploie lorsqu'il est en situation de force, Hoover a dû lâcher pour conclure : « La question n'est pas de passer par le milieu pour acheter des voix, cela se pratique depuis la nuit des temps, la question c'est que cela crée une dette. Tous les élus ont honoré cette dette jusqu'ici, tous. La seule exception, c'est votre frère et vous. »

Le harcèlement ne s'est pas arrêté avec la dissolution de la commission sénatoriale. Il a repris de plus belle après l'élection. De cent vingt et une inculpations en 1961, on est passé à six cent quinze en 1963. Le milieu parvient toujours à contenir le FBI à travers Hoover. Les photos qu'il détient ne seraient pas compromettantes mais assassines pour le directeur de la police fédérale qu'on voit se promener, lors de certaines soirées, déguisé en femme. Il a pourtant fait de l'homosexualité son second combat après le communisme. Pour éloigner encore plus de lui les activités mafieuses. Demander l'aide du FBI contre la pègre est à l'époque aussi efficace que, pour une femme, se plaindre d'avoir été violée : on lui retourne qu'elle l'a bien cherché. Bobby l'a compris, et sa traque s'opère en contournant la police fédérale, avec d'autres corps de son ministère qui ne sont pas sous la coupe de Hoover comme les narcotiques, les douanes. S'y ajoute l'administration fiscale pour acculer la pègre.

Alors qu'il circule dans les rues de New York de réunions en rassemblements en vue de son élection au Sénat, Bobby n'a plus l'adrénaline ni la fougue de ces années de Walkyrie, quand son frère et lui défiaient le désordre établi. Le système a toléré un temps leur expérience et puis, voyant qu'elle durait, il y a mis fin. Robert s'interroge sur sa légitimité à représenter ces hommes et ces femmes dont le niveau de vie est devenu une obsession dans ces années de prospérité où la réussite se mesure en nouvelles voitures, en réfrigérateurs dernier cri, en aspirateurs révolutionnaires. Le modèle économique américain triomphe. Seule ombre au tableau, la guerre du Vietnam qui leur prend des fils au hasard ou qui les leur retourne estropiés, désespérés. Les questions fusent dans l'assistance des meetings, d'électeurs, de journalistes : « Pensez-vous que votre frère ait été victime d'un complot ? » Il penche la tête, se recroqueville sur lui-même et, alors que des larmes perlent au coin de ses yeux, il répond que la mort de son frère est l'œuvre d'un déséquilibré solitaire. Le peuple n'est préparé qu'aux vérités simples, et dès qu'elles deviennent complexes, elles se perdent dans des méandres qui ne profitent qu'aux menteurs et aux manipulateurs. « Mon frère est mort parce que j'ai voulu laver notre sang de son impureté. Dans un pays où seuls les plus fortunés accèdent au sommet, nous avons voulu transformer de l'argent sale en idées généreuses. » Mais le jour de septembre où le rapport de la commission Warren paraît, il annule ses meetings de campagne et reste seul, prostré. À Buffalo, une foule joyeuse et déchaînée s'est ruée pour le voir. Il en est terrifié et lâche une fois de plus : « Ils sont là pour lui, pas pour moi. » On se presse pour le voir, comme on viendrait voler une part d'un drame chez un rescapé. Il engage son entourage à ne plus l'appeler Bobby. « C'est le surnom que l'on donne à son frère, je ne peux pas me contenter d'être son frère. »

Keating, son adversaire, tente à son tour de lui infliger son héritage, celui de l'antisémite pacifiste dont son père a laissé le souvenir. Il lui propose un débat télévisé, Bobby décline, il n'en sait pas assez sur New York et ses problèmes.

Alors que l'échéance approche, son goût pour la victoire renaît. Son entourage le retrouve plus incisif, comme si la force qui faisait sa valeur auprès de son frère se réveillait pour éviter la défaite. Toutes les meilleures raisons ne feront pas voter les New-Yorkais pour lui mais il profite d'un contexte favorable qui le conduit à la victoire avec beaucoup moins de voix que Johnson qui triomphe au même endroit pour la présidentielle. Johnson est même venu le soutenir dans la dernière ligne droite, enveloppant sa fragile silhouette de son long bras posé sur son épaule, et le gratifiant d'un « mon garçon » en public d'un ton paternel. Bobby ne lui en est pas reconnaissant dans son discours de victoire, lui qui n'a pas oublié le plus petit des sans-grade. Johnson en est contrarié. « Si j'avais seulement fermé ma gueule, je ne parle pas d'aller contre, seulement fermé ma gueule, il n'aurait jamais été élu. » Bobby n'a certes pas gagné par lui-même, trop loin du terrain pour l'emporter dans une élection locale, trop préoccupé d'enjeux célestes, empruntant sa langue aux poètes plutôt qu'au peuple pour dérouler des discours moins épiques que spirituels, suprême hommage à ses morts, dédain perceptible pour les vivants. Le système et la mémoire de son frère se sont conjugués pour lui éviter une amère défaite. Il fait partie de cette aristocratie politique à qui perdre demande des efforts. Johnson se montre meurtri de son ingratitude. Il avait peut-être pensé qu'aider Bobby pour son élection permettrait de nettoyer d'un seul coup tous leurs différends. Le grand escogriffe se sait lourd mais voudrait bien faire accroire que cette lourdeur cache un grand cœur. « Il ne faut pas être rancunier. La rancune se transforme en obsession et alors le type à qui vous en voulez se met à vivre avec vous, il s'installe auprès de vous. Alors sincèrement, quand vous couchez avec votre femme, vous souhaitez qu'il soit présent ? Non, sérieusement, il ne faut jamais faire cas à ce point de ceux qui vous font du mal. » Mais Johnson n'a jamais été jusqu'à offrir le spectacle de ses ébats à ses ennemis, il les a fait exécuter avant. L'« avorton » est encore un danger pour lui. Il en sait long sur ses malversations, raison pour laquelle il a essayé une dernière fois de l'amadouer. Selon le principe intangible sur lequel s'appuyait son défunt frère autant que lui, sans jouer d'hypocrisie pour autant, Bobby a accepté de profiter des largesses du Texan pour se faire élire, mais il considère ne rien lui devoir. D'ailleurs il ne doit rien à personne, il a éradiqué une fois pour toutes la question de la dette.

14

Chaque photographie marque une interruption dans une action plus longue, et il est possible d'y discerner le mouvement qui l'a précédée autant que celui qui l'a suivie. Il faut la fixer un moment pour la voir s'animer comme si cette insistance révélait tout ce que l'immobilité était supposée dissimuler.

Un coffre était réservé aux photos, à l'angle du salon, au-dessous d'une antiquité amérindienne. Elles y étaient entassées sans ordre apparent, à mesure de leur tirage. Sauf à exclure le moment où mes parents les avaient furtivement regardées juste après leur développement, j'étais le premier à examiner ces photographies en détail. Il arrivait à ma mère, plus nostalgique que mon père, de les sortir de leur contenant, des boîtes à biscuits en métal ou des boîtes à chaussures, pour les ordonner et se les passer ensuite comme la pellicule d'un film. Les clichés me surprenaient toujours ; j'avais l'expression d'un enfant qui pressent que le bonheur qu'il est en train de vivre ne va pas durer, comme si je me préparais au désenchantement par des œillades obliques qui venaient contredire les duperies auxquelles mon âge était exposé. Le sentiment de ma finitude et de celle de mes proches dans un univers sans limites nourrissait mon anxiété, m'ouvrant à une réalité qui demandait un courage dont je ne savais encore rien.

À l'âge où je regardais ces photos, j'avais cédé à la philosophie taoïste et à sa science du détachement, merveilleuse distance au regard de la souffrance collée à l'homme tout autant par les douleurs que la nature lui inflige que par sa propre insatisfaction, sa dramatique inaptitude à se considérer humblement, à s'accepter comme la molécule infinitésimale d'un ensemble gigantesque, s'acharnant à restreindre son monde pour se donner le sentiment d'y régner sans partage, insultant la vie comme la mort par une vaine arrogance.

L'ailleurs dans lequel mon père promenait son regard affûté lui était réservé, peuplé de secrets qu'il gardait pour lui. À le scruter, on ne trouvait ni la jubilation du mystère ni la pesanteur d'un fardeau mais un certain fatalisme qui lui permettait de s'épanouir souplement. Maintenant que je connaissais son appartenance aux services de renseignement britanniques, j'essayais de retrouver cette information dans les photos accumulées au long des années. La seule chose qu'il m'ait été donné de percevoir était une forme d'assurance et de satisfaction qu'il tirait de son lien avec le monde invisible. Ce monde-là dessinait de nouvelles trajectoires, inaccessibles aux gens ordinaires. Je comparais les photos prises avant la mort de ma mère et celles saisies après mais avant la sienne. En réalité, cette dernière période n'était illustrée que par une seule photo, où nous posions l'un à côté de l'autre, rescapés provisoires d'une série de drames amorcée quelques mois plus tôt. Elle avait été prise par ma grandmère alors que nous siégions à l'avant du cabriolet de mon père, vestige d'un temps où planait sur notre famille une certaine légèreté. Il paraissait évident que mon père avait changé. Il avait subitement vieilli comme si son grand corps s'était précipité de la maturité dans le déclin. Son port de tête ironique avait disparu, ses épaules s'étaient affaissées. Sa chevelure, sans blanchir, s'était clairsemée, dégageant son front plus haut et lui donnant un air de scientifique qu'il n'avait jamais eu jusque-là. La confirmation de son appartenance aux services britanniques n'avait ouvert aucune piste nouvelle. Au contraire, elle ne conduisait nulle part. De nouvelles démarches auprès des Britanniques basés à Ottawa ne débouchèrent sur rien.

Mes recherches semblaient prises dans les glaces lorsque je rencontrai par hasard, dans un bar du port de Vancouver, un des policiers qui avaient travaillé à l'enquête sur la mort de ma mère. J'étais venu seul un soir de pluie épancher mon mal-être au milieu de gens qui étaient tout autant seuls. Rares étaient ceux qui conversaient, chacun restait dans un coin, un verre devant lui. Certains fumaient, d'autres pas, et tous regardaient devant eux. Je ne sais pas pourquoi il m'arrivait de finir plusieurs soirées par mois dans ce lieu sinistre où la musique n'était même pas bonne. Il était de surcroît tenu par un type originaire de l'Alberta qui ne portait aucun intérêt à sa clientèle et se contentait de lui donner à boire. Une sourde colère semblait mijoter au fond de ce bonhomme gras aux cheveux longs, tatoué jusqu'aux oreilles. Il n'accordait jamais un regard à ses clients et se contentait de les servir sans un mot comme s'ils étaient transparents. Une fille beaucoup plus jeune venait l'aider de temps en temps. Elle n'était pas plus aimable et marchait comme une somnambule. Elle se cognait à l'angle des tables et lâchait parfois un juron de dépit. La clientèle était essentiellement anglo-saxonne et je ne me souviens pas avoir rencontré dans ce bar un seul Asiatique.

Edmond Charroi se tenait droit en buvant sec ; sa chemise épaisse à grands carreaux mettait en valeur la carrure de cet homme de petite taille qui, comme tous les clients de ce bar, fixait le port, une chope de bière à la main, qu'il levait et rapprochait de sa bouche sans bouger les yeux. Je ne l'aurais certainement pas reconnu si mon regard n'avait pas été attiré par une tache de vin qui le défigurait partiellement. Je me souvenais d'avoir été fasciné par cette anomalie lorsqu'il venait à la maison pour les besoins de l'enquête. Lorsque je me présentai à lui, j'eus l'impression de le réveiller d'entre les morts, et son visage s'illumina avant de reprendre une mine soucieuse qui tenait à l'évocation de l'affaire. Lui parler en français l'a aidé à se détendre comme si cette langue ne pouvait être comprise que de nous. Ce Québécois avait fait une grande partie de sa carrière dans l'Ouest en pensant revenir un jour chez lui mais, bien qu'à la retraite depuis deux ans, il n'avait pas réussi à se décider à retourner dans le pays où il avait grandi. Il semblait, sans rien en dire, souffrir d'une solitude absolue. Cette réalité s'était présentée à lui crûment le jour où il avait quitté la police criminelle de Vancouver pour laquelle il s'était dévoué sans compter. Il fallut plusieurs verres pour qu'il consente à me dire que le cas de ma mère lui avait laissé de mauvais souvenirs. Mais il ne voulut pas m'expliquer pourquoi, se sentant encore lié par le secret professionnel. Il se la rappelait comme une terrible affaire. Je compris que je n'obtiendrais rien de cette rencontre fortuite et qu'il me faudrait amadouer progressivement sa confiance. Il se souvenait d'avoir été écarté de l'enquête sur la mort de mon père. En tout cas, bien que présent sur la première enquête concernant ma famille, on ne l'avait pas convié sur la seconde, alors que sa connaissance du contexte aurait pu aider. Il reconnut que la découverte d'un cadavre dans la forêt, au nord, à la même époque, l'avait assez occupé pour qu'on le décharge du cas de mon père. Je compris instantanément que le talon d'Achille de cet homme venait de sa solitude, une solitude lourde, épaisse, qui l'accablait. Je lui proposai de le revoir. Il fut d'abord réticent avant d'admettre que la compagnie n'était pas si courante.

J'ai laissé passer une petite semaine avant de le contacter et je l'ai invité à manger un steak dans un restaurant du centre-ville, un midi, sous un soleil tellement réjouissant qu'il semblait impossible d'y échapper. À aucun moment je n'ai mentionné les drames qui me concernaient et j'ai orienté la conversation sur de tout autres sujets, la relançant constamment de crainte qu'elle ne s'affaisse dans des silences pesants. Mais Edmond avait retrouvé une certaine gaieté et il se mit à évoquer plusieurs affaires qui avaient jalonné sa carrière comme s'il voulait se persuader qu'il n'avait pas vécu pour rien. Cette dévotion à son métier avait quelque chose de pathétique car elle soulignait le vide de son existence, sans femme, sans enfant. En poussant un peu plus ma relation avec lui, j'ai découvert qu'il avait poursuivi des criminels toute sa vie comme il aurait chassé des papillons. Obtus, profondément desséché, il acceptait mes invitations sans plaisir particulier. Il n'avait pas plus de curiosité et très vite la conversation s'échouait. Après notre troisième rencontre, j'ai pensé ne plus le revoir, mais au moment de nous séparer il m'a surpris. « Je sais que vous me voyez pour que je vous parle des circonstances de la mort de votre mère. Depuis le premier jour de notre rencontre, j'hésite à aborder le sujet avec vous. Cette enquête m'a beaucoup contrarié, j'y repense souvent et, hier soir, avant de me coucher, j'ai réfléchi et je me suis dit que ce ne serait pas bien de ma part de ne pas vous aider. Nous étions deux à suivre cette affaire, mon chef, Gary Blunt, et moi. Blunt est mort récemment, cancer du pancréas, en six mois. Nous étions d'accord que ce cas n'était pas notre meilleur souvenir. Pour aller droit au but, nous avons mangé notre chapeau. On nous a fait manger notre chapeau. C'est très délicat de vous en dire plus, je ne sais pas comment vous pourriez le prendre. » Je ne comprenais pas à quoi il faisait allusion. Je le vis soudain animé de tics, il balançait la tête dans de drôles de directions comme s'il voulait s'empêcher d'aller plus loin, mais une force mystérieuse le poussait. « J'ajoute que ce serait un peu dangereux de vous parler. Même après tout ce temps. Mais je n'ai rien à perdre. C'est le constat que j'ai fait récemment. Je n'ai rien à perdre. Ma vie ? Je ne peux rien en attendre de plus que ce qu'elle m'a donné jusqu'ici. Qu'elle se prolonge ou pas, je ne fais pas la différence. J'avais l'intention de vous aborder, l'autre jour sur le port, et puis vous êtes venu à moi. Ça faisait un moment que je vous suivais. La dernière fois que je suis passé voir Blunt à l'hôpital, il n'était presque plus capable de parler, il avait la bouche sèche et au prix d'un grand effort sur lui-même il m'a dit : "Tu devrais parler au fils, ça soulagera ta conscience et la mienne aussi, elle est prête à s'envoler et j'aimerais autant la délester pour ne pas rester coincé dans un mauvais nuage." Je le lui ai promis. C'est pour cette raison que notre rencontre, qui a pu vous paraître fortuite, ne l'était pas. » Il regarda autour de nous pour voir si quelqu'un était susceptible de nous écouter ou de simplement nous entendre. Une très jolie jeune fille est venue alors nous demander si nous voulions reprendre du café. Je me souviens de lui avoir souri avec insistance pour toute réponse et elle en a paru surprise. Elle s'est reculée un peu avant de réaliser que ce n'était pas si grave que cela, puis elle a souri à son tour. Je la surveillais d'un œil tout en écoutant Edmond comme si je ne voulais pas donner trop d'importance à ce qu'il avait à me dire. Il a pris son courage à deux mains et il s'est lancé : « La vérité, c'est que nos conclusions sur la mort de votre mère ne penchaient pas en faveur d'un suicide mais plutôt d'un assassinat. Notre hiérarchie nous a encouragés pendant plusieurs semaines à creuser en direction d'un assassinat et puis un jour, brutalement, on nous a dit : "C'est un suicide et rien d'autre, on veut un rapport en ce sens dans la semaine." Quand je dis "on", je parle du directeur de la police de Vancouver, pas du directeur de la police criminelle. Il a justifié son attitude en nous disant que les ordres venaient d'encore plus haut, que c'était, selon ses propres termes, une affaire de sécurité nationale. "Ce que vous ne faites pas pour la justice, vous le faites pour notre pays." Il nous a semblé profondément désolé mais on a compris qu'il était impossible de discuter. Alors on a mangé notre chapeau, c'est ce que je vous disais, et je l'ai toujours là, au milieu de la gorge, une grosse boule de feutre qui m'empêche de respirer. Blunt et moi sommes restés désemparés avant de comprendre qu'on n'avait pas le choix, que les enjeux nous dépassaient. C'est ce qu'on appelle la tectonique des plaques. Quand deux plaques se montent dessus, il vaut mieux ne pas se trouver au milieu. Certaines forces nous sont tellement supérieures qu'il est préférable de renoncer à s'y mesurer. »

Je découvrais soudainement un homme plus fin que je ne l'avais supposé. Avant de m'en dire plus, il eut comme une ultime prévention. Il me l'avait dit, peu lui importait les risques qu'il encourait, mais il ne voulait pas me mettre en danger par des révélations qui me conduiraient inexorablement sur une piste dangereuse. « Je ne connais pas les dessous de cette affaire mais j'imagine qu'elle prend ses racines très profondément. » Il m'a ensuite scruté un moment pour voir si j'étais prêt à entendre ce qu'il avait à ajouter. « Je crains aussi de vous livrer la vérité parce qu'elle risque de bouleverser votre propre jugement sur vos parents. » Je lui ai assuré que j'étais capable de l'entendre. Il en a pris acte par un signe de tête qui disait : « Bien, puisque nous en sommes là, allons-y! » Sans me regarder, il lâcha : « Notre enquête avait conclu que votre père avait assassiné votre mère. Nous étions sur le point de l'arrêter pour meurtre quand notre hiérarchie nous a demandé d'accréditer la thèse de votre père, qui était que votre mère s'était suicidée. »

Edmond fit une pause pour voir ma réaction. Puis il poursuivit : « Le plus surprenant, c'est que, pour conclure à un suicide, notre hiérarchie nous a fourni des écoutes de conversations entre vos parents où votre mère parlait de son envie d'en finir avec la vie. Ces écoutes sont forcément antérieures au drame, alors pourquoi vos parents avaient-ils été mis sur écoutes? Les lignes concernées étaient celles du cabinet de votre père et du domicile familial. Pourquoi votre famille était-elle sur écoutes bien avant le drame? Voilà une question fondamentale qu'il vous faudra considérer. Mais il y en a une autre. »

En quelques secondes, je l'avais vu s'animer, reprendre goût à l'existence. « Votre mère a appelé la police quelques jours avant sa mort pour se plaindre que deux hommes la suivaient. Elle avait même donné d'eux et de leur voiture une description détaillée. Selon elle, ils se sont approchés à plusieurs reprises de la maison. Elle en a même surpris un qui l'épiait depuis l'autre côté de la clôture en bois. Nous avons lu la plainte, Blunt et moi. Une seule chose nous a frappés, la plaque de la voiture relevée par votre mère était américaine. Votre mère est morte dans les tout premiers jours du mois de juin 1967, le 5 si mes souvenirs sont bons. Sa plainte remonte au 1er juin. Impossible d'identifier ces hommes s'ils n'avaient pas eu un sérieux accident de voiture le 7 au matin en quittant Vancouver. La plaque correspondait à une voiture louée à Seattle sous une fausse identité. Nous avons mené l'enquête de l'autre côté de la frontière, Blunt et moi, mais nous avons vite compris que personne n'était vraiment disposé à nous aider. »

Je lui ai demandé s'il avait une idée concernant ces deux hommes. Rien. Je ne me sentais pas encore prêt à lui révéler ce que je savais de l'implication de mon père dans les services secrets. Nous n'étions pas assez intimes. J'en vins tout de même à lui dire mon sentiment profond sur cette affaire. Même si, pendant de nombreuses années, j'avais accepté la thèse du suicide successif de mes deux parents pour atténuer ma douleur en leur faisant porter la responsabilité du drame, je lui dis qu'au fond je n'imaginais pas un instant que ma mère ait pu mettre fin à ses jours. Et mon père était incapable de tuer ma mère. Edmond connaissait les faits, je connaissais l'âme de mes parents. Mon père ne pouvait pas non plus s'être suicidé, cela ne lui ressemblait pas, son attachement à la vie dépassait ses pulsions de mort. Il savait risquer sa propre vie, il l'avait montré pendant la Résistance. Mais le suicide présuppose souvent l'intention de punir quelqu'un d'autre que soi-même. La seule personne que mon père aurait pu vouloir punir était son propre père, mais il ne l'a jamais connu.

Edmond resta perplexe un moment. Je sentais son envie de me dérouler les faits pour me les opposer avec la précision d'un médecin légiste mais je ne voulais pas l'entendre. Un autre jour peut-être mais pas ce jour-là. Je le remerciai. Il déclara, ému, qu'il était prêt à continuer à m'aider, qu'il souhaitait contribuer à faire la lumière sur cette affaire, que la résolution de ce cas était désormais sa seule distraction. Je ne pouvais toutefois pas m'ôter de l'esprit que ce policier à la retraite pouvait aussi bien avoir été dépêché pour m'espionner. Avant de nous quitter, nous fûmes convenus de nous revoir. En le voyant partir sous la pluie, la tête rentrée dans les épaules, la démarche étroite, je l'ai trouvé touchant.

Après la mort de mon père, son cabinet avait été vendu et ses effets personnels rapportés chez nous dans des cartons. Maine, encombrée, avait demandé qu'on les entrepose dans le sous-sol de la maison de mes parents, un espace vaste et humide au milieu duquel trônait une chaudière qui se mettait en route dans un vacarme ahurissant. Il me sembla alors évident que si mon père avait voulu à l'époque cacher des papiers, des documents, il l'aurait fait dans son cabinet de Vancouver, un lieu où nous n'allions jamais. En plus des cartons se trouvait dans cette cave une armoire métallique à porte coulissante qui fermait à clé. Elle était assez lourde mais je la remontai à la lumière dans le salon. L'armoire était remplie de notes manuscrites sur ses recherches. S'y ajoutait une correspondance sur celles-ci, entretenue avec de nombreux thérapeutes canadiens, américains, de même que les textes de ses conférences. On y trouvait aussi ses agendas de 1957 à 1966 et un cahier où il enregistrait ses notes de frais, ses billets de train, d'avion, et ses factures de location de voitures. J'étais frappé de voir que son écriture ne révélait aucune ambiguïté. Droite et anguleuse, elle ne dissimulait rien. Parmi tous ces papiers figuraient plusieurs reconnaissances de dettes en sa faveur, témoignages de sa générosité.

Seul le remords d'avoir tué sa femme aurait pu pousser mon père au suicide. Mais la précipitation avec laquelle les assureurs avaient endossé la thèse de son suicide laissait penser que des forces secrètes avaient poussé dans le sens de cette hypothèse. Cette théorie du suicide avait été validée pour paralyser l'enquête sur les circonstances de l'accident qui les avait envoyés, lui et sa voiture, en bas d'un précipice le long de la route numéro 1 au nord de la Californie. Le rapport de police sur les causes de l'accident, en juin 1968, ne m'a jamais été accessible. La veille, il avait appelé ma grand-mère soi-disant de New York où il assistait à un congrès sur l'hypnose. Je me souviens de la sidération de Maine lorsqu'elle apprit que son fils était mort en bas d'une falaise qui plongeait dans le Pacifique à quelques miles au sud de Carmel. Des recherches minutieuses que j'ai menées depuis ont prouvé qu'aucun congrès sur l'hypnose ne s'est tenu à New York à ces dates.

Le courtier en assurances de mon père non seulement vivait encore, mais il exerçait toujours dans la même société. Je l'ai invité à déjeuner au prétexte que j'avais été impressionné par sa diligence au moment du drame et que, me souciant de me protéger à mon tour, j'avais décidé quinze ans plus tard de recourir à ses services. Il en fut apparemment touché même s'il ne parvenait pas à dissimuler sa gêne, manifestée par des étonnements feints et des sourires à contretemps. Je l'avais invité dans un excellent restaurant chinois, fréquenté essentiellement par des Chinois, ce qui était un gage de qualité, il en convint facilement. Je n'ai pas mentionné mon père et il en est arrivé très rapidement à me demander quel type d'assurance je souhaitais pour me couvrir. J'ai évoqué une assurance-décès, et quand il a abordé la question des bénéficiaires, je lui ai répondu que je n'en avais pas encore. « Ni femme, ni compagne, ni héritier, je suis ce qu'on appelle une voie sans issue. » Il a posé sa fourchette en écarquillant les yeux : « Mais alors pourquoi diable voulez-vous souscrire une assurance-décès ? » Je l'ai regardé en souriant et il a très vite compris qu'une autre partie se jouait. Profitant de son désarroi, je suis allé droit au but en lui demandant pourquoi lui et son assureur mandataire avaient accepté de payer la prime qui me permettait encore aujourd'hui de vivre très au-dessus des moyens d'un universitaire sans grade. « Pourquoi remuer le passé, monsieur O'Dugain, nous vous avons satisfait, il faut s'en réjouir et tourner la page. » Je lui rétorquai que je vivais mal de profiter d'une prime qui n'était pas due puisque le suicide n'était pas un cas de décès prévu par le contrat justifiant le versement de ladite prime. La situation lui parut certainement kafkaïenne et je voyais aux hésitations de son regard qu'il cherchait une échappatoire à cette situation imprévue. D'une façon paternelle, il m'a conseillé de ne pas me mêler de cela, pour mon bien. « Je n'ai pas grand-chose à en dire », a-t-il murmuré sur le ton de la confession. « J'ai reçu un appel de la compagnie d'assurances qui m'a dit que votre père ne s'était pas suicidé et qu'ils acceptaient de payer, ajoutant qu'ils me seraient reconnaissants de ne poser aucune question. Je ne peux évidemment pas oublier cette scène, je n'avais jamais vu avant comme je n'ai jamais vu après une situation où un assureur a une bonne raison de se défiler et où il ne le fait pas. D'ordinaire, on passe plutôt son temps à essayer de s'exonérer de certains engagements. Mais au fond, je n'étais pas lésé personnellement, j'ai reçu l'argent, j'ai obtempéré en vous le reversant. » Je lui demandai le nom de son contact dans la société d'assurances. Il se mit à balancer la tête de gauche à droite dans de petits mouvements secs qui me priaient de ne pas le mêler à cette affaire. Sa tête s'immobilisa, soudainement relayée par les mots : « Oh non, non, vraiment non. Je ne suis pour rien dans cette histoire et... vous ne devriez pas vous obstiner. La vérité, après toutes ces années, que peut-elle vous apporter ? Je comprendrais votre démarche, si vous aviez été lésé, mais c'est le contraire... » Je l'interrompis. « Non, on ne m'a pas fait de cadeau, l'argent nous revenait de toute façon puisque ce n'est

177

pas un suicide. Mais si ce n'est pas un suicide, c'est un accident ou alors un meurtre. Et moi, vous l'avez compris, je penche pour le meurtre. L'accident doit être difficile à démontrer sinon ils se seraient engouffrés dans cette hypothèse. Il y avait certainement des témoins pour démentir cette éventualité. Peut-être ont-ils vu un camion dévier de sa route et précipiter mon père dans une embardée fatale. J'imagine que l'angle qu'a pris sa voiture, lorsqu'elle s'est envolée pour finir en contrebas, résulte soit d'une action volontaire, soit d'une action forcée. Ils ont opté pour l'acte volontaire. Donc, vous ne voulez pas m'aider? » Il se frotta les yeux avec les paumes de ses mains pour se réveiller du cauchemar dans lequel je l'avais plongé. « Si ce que vous dites est vrai, j'ai encore moins de raisons de vous aider. Si votre père a été assassiné aux États-Unis par des types assez puissants pour convaincre une des plus grandes sociétés d'assurances au monde de renoncer à plus d'un million de dollars, croyez-vous que je souhaite me trouver confronté à ces gens-là? Pour quel bénéfice? Si ces gens sont du calibre auquel je pense, ils n'hésiteront pas à me tuer, à vous tuer. Sans trouver cette vie passionnante, je suis attaché à l'idée de la laisser suivre son cours. J'aurais aimé être poète, je vends des assurances, j'ai épousé la sœur de la femme dont j'étais vraiment amoureux, mais je ne me plains pas. Ce serait une profonde injustice que des tueurs viennent mettre fin à une vie dont je suis d'accord pour dire qu'elle n'en vaut pas complètement la peine, et c'est ce qui fait sa valeur, parce que je ne baisse pas les bras. Vous comprenez? »

Je comprenais que je ne tirerais rien de lui et encore moins de son mandataire, cette société d'assurances tentaculaire qui ne reculerait pas d'un pouce devant un petit professeur d'histoire contemporaine canadien, pas même une sommité. Je n'imaginais pas le gouvernement canadien assez puissant pour imposer le silence à une société américaine de cette taille. Le gouvernement britannique non plus. Il fallait donc que mon père ait été mêlé à des intérêts qui impliquaient le gouvernement américain. Ce déjeuner n'avait pas été complètement inutile. La vérité avance en crabe avec parfois de curieux déhanchements.

Je me suis consacré ensuite à l'examen des papiers de mon père en essayant de découvrir, puisque l'armoire avait été forcée, quels documents avaient disparu. Chercher le vide dans le plein est un exercice pour le moins aléatoire. Je l'ai compris lorsque, au bout d'une semaine, aucun document manquant ne s'était révélé à moi. Comme une aumône charitable, j'ai trouvé le dernier jour un dossier vide sur lequel mon père avait écrit de sa main : « auto-hypnose ». La personne qui avait fracturé l'armoire avait dû oublier de faire disparaître l'enveloppe du dossier. Il manquait par ailleurs deux années dans sa collection d'agendas, probablement tous deux subtilisés. Les justificatifs de frais et de déplacements n'avaient pas été touchés, le visiteur n'en avait sans doute pas eu le temps.

Je fis le chemin inverse de Vancouver vers la Californie du Nord, sans me presser. Je pris dans l'autre sens cette même route qu'il était censé remonter pour nous rejoindre ce jour de juin 1968. Elle traversait l'État de Washington puis l'Oregon. Elle serpentait ensuite jusqu'à San Francisco avant de suivre les plages jusqu'à Monterey, puis Carmel, le long du Pacifique, une mer dense et parfois menaçante. Le soir, je faisais étape dans les motels dont les enseignes colorées brillaient en bord de route pour attirer le client. La journée, je roulais en écoutant de la musique de ces groupes icônes de la Californie une quinzaine d'années plus tôt, une éclosion prometteuse déjà reléguée aux oubliettes de l'histoire. Ces motels étaient peuplés essentiellement de voyageurs de commerce qui faisaient la route pour accomplir la tâche qui leur était assignée, vendre, toujours vendre et vendre encore. Il m'est arrivé de leur parler. Ils avaient la plupart du temps un air satisfait, optimiste, mais nos conversations ne menaient pas loin. Une fois qu'ils m'avaient vanté leurs performances commerciales et leur famille, il ne restait plus grand-chose à échanger. Sans les mépriser, je trouvais leur monde si étriqué que j'en avais des frissons dans le dos. La plus grande démocratie du monde était parvenue à formater les individus avec une réussite étonnante. À moins de trois jours de chez moi, je ressentais une grande différence de ton et de style. Chez les gens que je croisais, l'esprit critique semblait une anomalie, et quand ils me parlaient du Canada, leurs éloges dissimulaient une certaine condescendance. L'autre était, le plus souvent pour eux, un chef, un subordonné ou un client mais rarement un ami. L'Amérique n'a jamais considéré l'amitié comme une valeur, elle ne se connaît que des ennemis ou des vassaux, et elle a inculqué à ses enfants la primauté de la relation d'intérêt, la seule qui vaille à ses yeux en dehors de l'amour déclaré de sa famille sous la protection de Dieu et du marché, deux formes de divinités proclamées. Heureusement, il m'arrivait, parmi les auto-stoppeurs que je prenais, de découvrir des personnalités originales qui luttaient pour s'affranchir du cadre. Mais elles n'y parvenaient qu'au prix d'une marginalisation violente, et ces personnages colorés me donnaient le plus souvent le sentiment de ne pas croire au virage qu'ils s'étaient proposé de prendre, comme s'ils se sentaient coupables d'avoir fui le troupeau. Ils s'enfonçaient dans le mythe de la brebis égarée qui invariablement se transforme en loup, et qu'il faut tuer parce qu'il menace le troupeau.

Le premier policier du comté arrivé sur les lieux de l'accident de mon père était toujours en poste. Ce shérif approchait de la retraite. Une énorme moustache grise et jaune par endroits basculait au-dessus de sa bouche. De gros sourcils épais joints à l'horizontale surmontaient deux yeux vifs. Déterrer cette vieille histoire ne semblait pas particulièrement l'enchanter, mais il se mit à ma disposition de bonne grâce en m'installant dans son bureau après avoir pris la précaution de bien fermer la porte. Il s'étonna de ne pas m'avoir vu avant. Quinze ans s'étaient écoulés depuis les faits qu'il n'avait pas oubliés.

L'accident s'était produit de nuit, dans une ligne droite. La voiture avait subitement suivi un angle droit pour se précipiter dans le ravin où le véhicule avait pris feu avant d'exploser. Il reconnut spontanément que la trajectoire de la voiture l'avait interpellé. Selon lui, elle ne pouvait en aucun cas résulter d'une erreur de conduite. Je lui fis part de l'hypothèse du suicide. Il ricana avant de s'en excuser puis il s'avança vers moi en baissant la voix. « Je ne crois pas au suicide. Et puis on a retrouvé un calibre dans l'épave. Quelqu'un qui se sent menacé ne se suicide pas. L'assureur de la voiture a envoyé un expert qui a conclu comme moi, sauf que son rapport d'expertise parle d'un accident. » Je lui demandai si par hasard il aurait encore ses coordonnées mais il ne les avait pas. « Pas même dans votre dossier ? Vous devez bien avoir un dossier, non ? » Il grimaça pour toute réponse, visiblement embarrassé, avant de m'avouer que le dossier avait disparu, il ne comprenait ni comment ni pourquoi et ne savait pas depuis quand. Il s'en était rendu compte en voulant le sortir en vue de notre entretien. Comme pour s'en excuser, il piocha dans sa mémoire quelques souvenirs qui auraient pu m'aider. « La voiture était une voiture de location, elle avait été louée à Los Angeles deux semaines avant et payée en liquide. La voiture devait être rendue à Olympia, avant la frontière. » Il avait fait le tour des informations qu'il avait conservées en mémoire et j'étais sur le point de le remercier quand il se gratta la tête : « Une dernière chose. Le matin qui a suivi la mort de votre père, à la première heure, j'ai reçu un appel d'un type qui travaillait pour les pompes funèbres et qui voulait se mettre sur les rangs pour s'occuper de la dépouille. Je lui ai demandé comment il était au courant, sachant que personne ne pouvait l'être à cette heure-là. Quand je dis personne, c'est absolument personne. Je suis le seul à m'être rendu sur les lieux après que l'accident m'avait été signalé au petit matin par une dame vivant à côté. Elle avait vu la carcasse fumante de la voiture. Après ce coup de fil mystérieux, je lui ai demandé si elle avait parlé de sa découverte à quelqu'un et elle m'a répondu qu'elle ne parlait jamais à personne, pas même aux fantômes auxquels elle croyait dur comme fer. J'ai attendu que ce type me rappelle mais il ne l'a jamais fait. Il devait se douter que je lui demanderais de s'expliquer sur la précocité de ses informations. Je me souviens aussi qu'il m'avait demandé si le corps allait être immédiatement disponible ou si on allait procéder à une autopsie. Pardon du détail mais je ne voyais pas ce qu'il y avait à autopsier, tout était carbonisé.

— Il le savait probablement et pourtant s'il s'en inquiétait, c'est parce qu'il était informé que l'autopsie pouvait révéler quelque chose malgré l'état du corps calciné. Qui s'est occupé de la mise en bière ?

— Un professionnel de Carmel.

— Vous savez où je pourrais le trouver ?

— Il est mort depuis. »

Puis, comme s'il réfléchissait à voix haute :

« Un détail me revient. Dans les semaines qui ont suivi, il a revendu son affaire. Quand le montant de la transaction a été révélé par l'acheteur, je me suis étonné de son prix, bas selon moi. Il m'a répondu en riant que cela n'avait pas d'importance, puisqu'il avait gagné à la loterie et qu'il était pressé de se débarrasser de cette activité. Il n'a pas profité de son argent longtemps. Il est mort à San Francisco quelques semaines plus tard d'un arrêt cardiaque après avoir abusé des faveurs d'une professionnelle.

— Une mort suspecte selon vous ? »

Le shérif ne le pensait pas mais il s'empressa d'ajouter : « On ne peut jamais être sûr de rien. » Notre conversation fut interrompue par un appel lui signalant la disparition du chien d'une dame fortunée de Carmel. Il s'en excusa et me quitta avec cet air de perplexité qui ne l'avait pas quitté depuis le début de notre entretien.

Sur ses indications, je me rendis sur les lieux où la vie de mon père avait pris fin prématurément. La route traçait effectivement une ligne droite à cet endroit après de longs lacets. Un large terre-plein la bordait jusqu'à la falaise. Il était impossible d'imaginer que la voiture ait pu quitter la route à cet endroit pour se précipiter dans l'abîme. Des bourrasques paresseuses soulevaient la poussière avant de la laisser tomber brutalement. Un vent indécis, tourbillonnant, aux colères excessives et désordonnées, giflait, menaçant, les curieux qui s'aventuraient près de l'aplomb finissant sur une plage rocheuse en forme de croissant de lune. Les lieux ne se prêtaient pas à une sortie de route. Ma décision prise de faire exhumer le corps de mon père, je suis reparti vers le nord. Tout en conduisant, je me repassais le film de sa mort en boucle. J'imaginais des phares surgir dans

183

son rétroviseur, puis une voiture le doubler en se portant à sa hauteur avant de se rabattre brusquement pour le pousser vers le terre-plein. Une première balle l'avait certainement touché à la tête avant qu'il n'ait pu sortir son arme de la boîte à gants. Puis une seconde pour s'assurer de sa mort. Le terre-plein était légèrement en pente, assez pour pousser la voiture sans difficulté dans le ravin. Ils avaient sans doute enfoncé un torchon enflammé dans le réservoir pour s'assurer que le véhicule se mettrait à brûler dès son impact au sol.

J'étais soulagé, mon père ne m'avait pas abandonné, il avait bel et bien été assassiné par des tueurs dont je ne connaissais pas le mobile. Mais je savais que son meurtre était forcément lié à sa relation avec les services secrets. Il avait dû jouer un rôle d'agent pour le compte des services de renseignement britanniques mais je n'avais pas le début d'une piste pour comprendre ce qui l'avait conduit vers la mort. Ma conviction que les Américains lui avaient fait payer quelque chose se précisait, bien qu'il me fût difficile d'imaginer quel enjeu avait pu conduire un agent des services britanniques à s'opposer aussi dramatiquement aux intérêts américains.

Sur le chemin du retour, j'ai fait une halte à San Francisco. J'ai garé ma voiture près de Haight-Ashbury où j'ai pris un hôtel pour la nuit. De joyeuses bandes de hippies sur le tard déambulaient sous acide. La rue vivait essentiellement de la nostalgie d'un temps révolu et on pouvait y trouver les vêtements et les vinyles qui dataient de cette époque pas si lointaine où une génération avait cru à un monde meilleur sans se donner le courage de le construire, prise en pince entre les hallucinogènes et la récupération commerciale de ses créations. Mais il restait des effluves parfumés de cette tentative spirituelle avortée, et quelques jeunes nés trop tard pour avoir vécu l'expérience tentaient vainement de la réanimer par un conformisme qui chassait l'autre, celui de l'Amérique éternelle et de son avidité incorrigible. Je m'étais assis au bar d'un restaurant qui servait des nouilles chinoises lorsqu'une jeune femme s'est installée sur la chaise à côté de moi. D'une beauté saisissante sous certains angles, son visage redevenait fade quand il prenait la lumière de face, mais son esprit semblait perché à des hauteurs inaccessibles. Il redescendit sans condescendance pour s'adresser à moi quand la jeune femme remarqua que je la regardais avec insistance. Sa façon d'entrer en contact n'était en rien américaine, elle n'en avait pas l'amabilité artificielle ni les élans d'enthousiasme factices. Elle était en fait australienne d'origine iranienne. Son père avait quitté l'Iran après la destitution de Mossadegh, qu'on n'attribuait pas encore publiquement à la CIA. Il en avait été proche et il avait préféré s'exiler devant l'accession au pouvoir du Shah. D'Australie, elle était venue étudier la littérature à Berkeley tout en poursuivant son apprentissage de la philosophie bouddhiste tibétaine qu'elle pratiquait sans les automatismes d'une profession de foi et sans servilité idéologique. Elle me parla en particulier d'une cérémonie funéraire à laquelle elle avait assisté clandestinement dans une cité monastique interdite, un rite où l'on exposait la dépouille des morts aux vautours en présence des enfants pour les convaincre que le corps n'est rien d'autre qu'une cohabitation provisoire entre plaisir et souffrance, la recherche obstinée du premier conduisant toujours à la seconde. Je lui demandai si le plaisir était exclu de sa pratique, mais elle infirma ce point, seule la recherche forcenée de ce plaisir lui paraissant déconseillée. Je découvris comme elle en maîtrisait l'usage quand, plus tard dans la nuit, nous avons rejoint ma chambre d'hôtel, une maison commune pour voyageurs, restaurée à la gloire de la contre-culture par une riche illuminée qui en collectionnait les moindres représentations dans une sorte d'élan iconographique finalement dérangeant. Nous avons longuement parlé de Joyce, de cette expérience littéraire unique et probablement présomptueuse que représentait *Ulysses* dans cette atomisation forcenée de la narration au détriment de l'intrigue superficielle. Il n'en restait pas moins que la scène de l'enterrement dépassait en littérature tout ce qui avait été écrit sur le sujet. Je lui avouai qu'en dehors de mes travaux universitaires, j'avais toujours désiré écrire, mais que je n'en avais pas eu la force jusqu'ici. J'avais l'intention de m'y atteler le jour où je serais certain de n'avoir aucune ambition littéraire autre que celle de créer un moment d'intimité avec un inconnu auquel je serais incapable de m'adresser en temps normal. Le besoin d'amour, de reconnaissance, de postérité était selon elle le triptyque fatal à l'expérience littéraire. Philip K. Dick, qui venait de mourir, en était le contre-exemple.

L'œuvre d'un auteur devait-elle participer de sa propre destruction pour prendre de la valeur? Je ne concevais pas d'entreprise littéraire sans un engagement pour l'élargissement du champ de conscience, contre toutes les forces obscures conjurées pour son rétrécissement en vue de faciliter l'exercice du pouvoir, sans une contribution même minime à l'édification humaine au-delà de la simple satisfaction esthétique d'une langue fluide au service d'un manque de pensée avéré. Elle me parla de Raymond Carver, le prince de la simplicité, le fils américain de Tchekhov, de sa rencontre avec l'écrivain qui, à force de tailler dans la forêt des mots, avait fini par trouver son chemin, étroit, minimal.

Nous avons passé ensemble une nuit inestimable. Au matin, l'hôtel communautaire s'est agité, me chassant de mes rêves enveloppés par la douceur de cette femme entrée dans ma vie si naturellement que je n'imaginais pas qu'elle puisse en sortir. Nous avons attendu pour l'usage de la salle de bains mauve que nous partagions avec trois autres couples de l'étage. Puis elle a quitté les lieux pour l'université où des cours importants l'attendaient. Nous nous étions donné rendez-vous en fin d'après-midi mais elle n'est jamais réapparue. La veille, après plusieurs verres, je lui avais dévoilé un peu de ma quête. Elle l'avait trouvée inutile et génératrice d'ondes négatives que j'allais traîner encore longtemps. Lui aurais-je annoncé que j'y renonçais, la suite de notre relation eût été sans doute différente.

Elle n'aurait pas aimé apprendre que j'avais fait exhumer le cercueil de mon père pour faire dire à sa dépouille ce que je ne parvenais pas à comprendre par moi-même. J'ai obtenu pour cela l'ordonnance d'un juge m'y autorisant après ma plainte pour assassinat.

Les années qui ont suivi sa mort, à chaque anniversaire de celle-ci, avant que Maine ne disparaisse à son tour, nous sommes venus nous recueillir sur sa tombe. Elle jouxtait celle de ma mère, tout aussi modeste. L'inscription de leur nom, des dates de leur naissance et de leur mort, était gravée sur des stèles en grès aux angles arrondis.

Les deux hommes mandatés par le tribunal se sont mis à creuser. Il leur a fallu une bonne heure avant qu'ils n'atteignent le cercueil. Ils l'ont ensuite remonté à l'aide de cordes. Puis le cercueil a été conduit à l'institut médico-légal de Victoria, où il a été ouvert en ma présence. Il était vide.

Je me suis souvenu que mon père se défendait d'aller aux

enterrements, pas même à ceux de certains de ses amis proches, en répétant, facétieux, à qui voulait l'entendre : « Je n'assiste jamais à aucun enterrement, cela m'afflige beaucoup trop, c'en est au point que j'ai décidé que je ne me rendrai pas au mien. »

15

Bobby s'est isolé au Sénat. Ses amendements sont rejetés, il n'est d'aucune commission importante. Ses collègues n'ont pas voulu de lui à celle des Affaires étrangères où il aurait aimé rallumer la flamme Kennedy. Le monde des parlementaires, de leurs intrigues minables, de leurs influences inavouables, de leurs compromis tragiques, n'est pas le sien. Il trouve le lieu mortel et ceux qui l'occupent représentent une façon de faire la politique aux antipodes de la sienne. Il se voyait en croisé, ils voudraient le transformer en notable sans conviction, dérivant comme une bille de bois au gré d'un courant faible. Le terrain ne l'enthousiasme pas beaucoup plus. Le terroir d'où montent les plaintes, les gémissements des petits intérêts relayés par des hommes politiques aussi minables qu'ils sont corrompus l'indispose autant que le décorum pompeux du Sénat où ces types gonflés d'importance représentent à peu près tout le monde sauf leurs électeurs. Cette politique-là est un marais vaseux où il est de bon ton de se baigner avec le dernier maillot de bain à la mode. Bobby croise dans les couloirs de la prestigieuse assemblée, renfrogné, la tête basse, dédaigneux parfois, méprisant souvent. Il retombe dans la dépression, et ses collaborateurs le découvrent parfois seul dans son bureau, un livre de poésie à la main. Il ne réagit que lorsqu'un texte proposé va contre l'héritage intellectuel et politique de son frère. Il le fait avec une morgue déconcertante. Au Vietnam, on fait de la place à de nouveaux invités. L'industrie militaire y était déjà en masse, ranimée par les nouvelles initiatives de Johnson. Il leur avait promis une vraie guerre si on le débarrassait de JFK. Il tient parole. Il fait même mieux, il agrandit le gâteau de Dow Chemical, Monsanto, et bien d'autres. Les chimistes de la mort vont vers de nouveaux dividendes.

Bobby se libère de cette oppressante bouilloire en voyageant. En Amérique du Sud, zone d'influence américaine, il découvre tout ce que l'Amérique empêche, réprime, fomente au nom de la lutte contre le communisme. Profondément anticommuniste lui-même, il n'est pas suspect de tendresse pour un système politique dont on ne connaît pas encore toutes les exactions. Mais il comprend que cette lutte contre l'abominable confiscation d'une alternative est le prétexte à éradiquer toutes les autres, toutes celles qui visent à un peu plus de justice, d'équité, de considération pour les hommes. La politique américaine, en Amérique du Sud, se déploie sous la bannière de la liberté, celle d'intérêts monstrueux qui cautionnent la dictature, la torture et la mort. Lui qui a combattu Cuba avec l'énergie du diable n'est pas pour autant plus favorable à son régime, mais il commence à comprendre ce qui a pu motiver la révolution quand le pays était soumis au pillage par des intérêts américano-mafieux qui se sont propagés dans tout le centre et le sud du continent. Les grandes entreprises américaines se substituent de plus en plus souvent au crime organisé pour rançonner des économies avec l'aide de dictateurs fantoches qu'elles ont graissés comme de vieilles portes. Le continent américain est sous la coupe réglée des États-Unis comme l'est de l'Europe est sous la domination soviétique. Ceci justifie cela. Tout État qui caresse l'idée de s'affranchir de cette domination passe du statut de vassal à celui d'ennemi avec les conséquences que l'on connaît. « Avons-nous donné une chance à Fidel Castro de développer son modèle loin de l'influence soviétique ? » À la lumière de ce qu'il découvre, il sait que la réponse est négative. Embargo, blocus, les États-Unis ont précipité Cuba dans les bras de Moscou, ultime recours à un isolement programmé pour que l'île s'effondre et retrouve le chemin de la raison en se dotant de nouveau d'une classe politique appointée sur les registres de salaires de la pègre et des multinationales du fruit. Entre le jeu, la prostitution d'un côté, et l'économie planifiée jusqu'à la stupidité de l'autre, Castro a choisi. Che Guevara aussi, son compagnon des premiers instants, qui a rejoint les rangs de la clandestinité pour poursuivre la résistance aux dictatures installées ou consolidées par les services secrets du pays de la liberté.

Bobby découvre que la lecture littérale de l'histoire n'est pas le meilleur chemin de la connaissance pour un esprit raisonnablement critique. Le communisme, à sa façon, est le meilleur allié des États-Unis. L'ennemi est un moteur fondamental de l'Amérique. Sans lui, des pans entiers de l'industrie liée aux conflits entrent dans une léthargie coupable. Préparer la guerre est un moteur de développement et la faire une incontournable nécessité lorsque les stocks d'armes débordent de leurs entrepôts. L'Amérique ne connaît pas de limite budgétaire à son économie militaire, ses déficits sont financés par des emprunts souscrits dans le monde entier au nom de la paix. L'existence, la persistance de deux blocs ne résulte pas d'une intention machiavélique mais elle arrange les États-Unis qui se sentent depuis la fin de la Seconde Guerre mondiale une véritable légitimité à régner sur une moitié du monde. Que l'Europe cherche à se fédérer les inquiète. Cet élan serait-il lié au projet de développer une troisième voie ? Ils l'en savent incapable. Le spectre de la soumission à l'Allemagne a disparu après deux guerres où les forces américaines ont pesé de leur poids même si elles ne sont pas les seules. On voudrait parfois occulter que la contre-offensive menée par les Soviétiques a été plus décisive pour la victoire que les débarquements alliés. L'Europe devra s'affilier aux États-Unis et se préparer à n'être qu'une zone d'échanges sans force politique ni militaire commune.

Impropres, les mots sont improprement utilisés, pourquoi parler d'alliés quand il ne s'agit que de vassaux, pourquoi parler de guerre pour la liberté quand il ne s'agit que de libérer de nouveaux marchés en dopant une industrie militaire qui, à intervalles réguliers, mendie de nouveaux conflits ? Bobby pressent-il que ces populations d'Amérique du Sud et d'Amérique centrale, spoliées directement ou indirectement par leur auguste protecteur, se presseront avec une ferveur croissante à ses frontières pour tenter de reprendre leur part légitime d'une richesse qui leur a été volée par des bandes organisées qui caracolent en tête du Dow Jones, mues par une obsession névrotique : créer de la valeur pour leurs actionnaires ?

Bobby ne commence-t-il pas à acquérir une vraie conscience politique quand il croise ces bandes de miséreux, ces hommes et ces femmes, indiens, hispaniques, à qui l'on a tout pris au nom de la prévention contre le communisme, quand on ne s'est pas emparé de leur vie en plus de leur culture pour ne plus voir ces visages suppliants qui ne comprennent pas que des terres riches puissent les condamner à une pauvreté que seule l'infamie justifie ? Lui qui n'avait jusqu'ici de la pauvreté qu'une notion livresque en mesure la réalité sur ce continent où les rapports

192

entre les individus ont gardé la même violence depuis sa découverte, où les Indiens qui n'ont pas connu le même génocide qu'au Nord sont relégués à n'être que des citoyens de seconde zone quand les Noirs sont livrés à eux-mêmes. Son empathie pour les plus démunis trouve sa source dans sa dépression. Son propre monde, celui des fortunes arrogantes, lui donne un sentiment croissant de vacuité. La pauvreté, l'absence de partage ont poussé sa famille hors de sa terre natale comme des millions d'autres Irlandais qui, chacun à leur façon, ont pris leur revanche. Celle de son père a été éblouissante mais, s'il en profite toujours largement, les conditions de son obtention pèsent sur la famille comme une damnation, et Bobby, plongé dans la mélancolie, cherche une voie pour racheter ses péchés. Deux fils, une fille, les deuils répétés n'ont pas suffi pour effacer la dette. Quelqu'un ne les aime pas là-haut car, dans son obsession à prendre sa revanche, Joe a trahi tous les enseignements de son messager. Cupidité, arrogance, adultère, meurtre, tous les péchés capitaux y sont passés. Joe pratiquait le rachat des indulgences comme il ramassait des titres en Bourse, mais le Créateur s'est lassé des combines. Il l'a collé dans une chaise roulante à regarder la mer tel un poisson privé d'eau. Comme si la pègre à qui il avait donné sa parole avait oublié de la lui rendre. Mais le pire, dans tout cela, c'est qu'il n'y a personne là-haut. Ce Dieu que sa bigote de mère tente par ses prières incessantes d'accommoder à leurs manières, qu'ils ont lustré de leur assiduité, qu'ils ont transformé depuis longtemps en accessoire de leur réussite putride, ce Dieu, qui a entendu les péchés du vieux Joe via ses intercesseurs abasourdis et le voit recommencer à peine sorti du confessionnal, s'est lassé. Il n'en peut plus des culs bénis aux âmes souillées.

Bobby est sur le point de s'en rapprocher pour peu que ce Dieu étriqué qu'ils ont asservi à leurs faiblesses existe. Mais le message du Christ, lui, reste. Bobby ne va pas jusqu'à faire vœu de pauvreté mais il est bien décidé à aider les plus démunis, à devenir leur voix dans une Amérique qui, non contente de les ignorer, les méprise parce qu'ils ont failli à réussir dans un système qui prétend à l'égalité des chances.

Hollywood est une machine à créer de la mythologie, à éloigner les Américains et ceux qui les regardent d'une réalité toute différente. La puissante industrie du film s'est infiltrée dans la moindre des salles obscures, en Occident et ailleurs, pour diffuser la petite musique de la morale américaine, décoction de courage, de loyauté, de bons sentiments, de violence justifiée. Bobby voudrait voir adapter le livre qu'il écrit pour relater son combat contre le crime organisé. Un scénariste s'y intéresse et s'attelle à la tâche. Un producteur s'enthousiasme. Puis rien ne vient. Le projet s'enfonce, dernier stade avant le renoncement. Le producteur est menacé, mais il est prêt à foncer tout de même, jusqu'au jour où parvient la nouvelle de l'abandon du projet par les studios. Bobby s'enquiert de ce retournement inattendu. Les studios ont reçu l'assurance, si le film devait se faire, d'être ruinés par des mouvements de grève des techniciens de plateau. La témérité a ses limites. Bobby n'en revient pas. Sa lutte contre la gangrène des syndicats par le crime organisé n'a mené à rien. « L'ennemi de l'intérieur » parle d'un ennemi qui ronge l'Amérique jusqu'au plus profond de son corps social, le crime et la corruption. Le livre est sorti quelques années à peine après la fin de la lutte obsessionnelle contre d'autres ennemis de l'intérieur, les communistes. Eisenhower, lassé des relents infects du maccarthysme, a mis fin à la lutte du caniche de Hoover contre l'infiltration de l'Amérique par des citoyens acquis à une puissance étrangère et à son idéologie. Le sénateur Joseph McCarthy préférait les petites filles aux femmes mûres et buvait beaucoup pour l'oublier. Son idée de persécuter tous ceux qui de près ou de loin témoignent d'idées subversives a enchanté Hoover, qui l'abandonnera ensuite. Cette machination dans laquelle le sénateur alcoolique n'est que la marionnette du ventriloque Hoover est une nouvelle façon d'intimider les démocrates, qui se verraient bien proposer une véritable alternance au modèle en place. Les Kennedy ont abandonné le sénateur vitupérant avant Hoover mais pas assez tôt, quand il était encore temps de s'affranchir spontanément du projet de ruiner l'élite intellectuelle acquise à des idées progressistes. Sous prétexte de collaboration avec l'ennemi de la guerre froide, on recense puis on inquiète tous les artistes, les scientifiques, les intellectuels qui, d'une façon ou d'une autre, montreraient une indulgence, non seulement pour le communisme mais pour toute forme d'idées libérales visant à organiser la société d'une façon plus juste. Les liens personnels des Kennedy avec le sénateur, dont les idées fétides s'accordaient parfaitement avec les leurs, ont-ils retardé leur désengagement de la plus vaste chasse aux sorcières menée sur le territoire? McCarthy était le parrain d'un des fils de Bobby. Mais le calcul politique n'est pas absent de la tardive réprobation de cette paranoïa collective qui tourne aux jeux du cirque. Aucun candidat à une élection future ne peut s'affranchir d'un anticommunisme sans réserve, même si celui-ci emporte avec lui toute forme d'esprit critique.

« L'ennemi de l'intérieur » a été ainsi une façon tardive de dire aux électeurs qu'il y avait pire menace que de prétendus communistes, dont très peu seront convaincus de connivence avec les Soviétiques ou le seront sur la base de preuves falsifiées. Aucun communiste n'a tué Eisenhower mais, Bobby en est certain, l'ennemi de l'intérieur qu'il a dénoncé est un des architectes de la mort de son frère et garde sur lui un œil malveillant.

Il y a encore peu, faire de la pauvreté un cheval de bataille n'aurait pas recueilli les suffrages d'une classe moyenne que le miracle économique de l'après-guerre a projetée dans un sentiment d'opulence. Ruinée par la grande crise des années trente, elle connaît une forme d'apogée au milieu des années soixante. Lui prendre pour donner aux plus démunis lui paraît inconcevable mais elle commence à s'ouvrir à l'idée qu'on demande cet effort aux plus riches. Jusqu'ici, elle en était empêchée par l'idée répandue que « quand les riches maigrissent la classe moyenne meurt ». Elle en est d'autant plus convaincue après les émeutes de Watts, un mouvement révolutionnaire violent des ghettos de Los Angeles, avant-garde d'une révolution prête à s'étendre à d'autres métropoles. Cette même classe moyenne se lasse de perdre ses enfants au Vietnam, guerre dont chacun sait qu'elle est sans espoir. Bobby se verrait bien déborder « cette ordure de Johnson » sur sa gauche, par une radicalité nouvelle, jamais exprimée dans le champ politique américain. Il sent aussi le frémissement d'une interrogation de la société sur ses valeurs fondamentales. En tentant de se convaincre de son utilité politique, Bobby trouve le moyen de sortir de sa mélancolie et peut-être le prétexte sincère pour revenir en politique au niveau laissé vaquant par la mort de son frère.

De retour aux États-Unis, il se réfugie souvent à New York pour retrouver Jackie et se mêler à l'effervescence intellectuelle de la « grosse pomme », loin de ses collègues du Sénat et de leur grande gueule dont il ne sort pas une idée vaillante, tenus qu'ils sont financièrement par les lobbys et moralement par Hoover qui a collecté sur chacun d'entre eux tout ce qui contredit leur attitude puritaine, des maîtresses cachées aux gitons embusqués dans les bosquets des parcs publics de Washington. À morale étroite, décompression violente, Hoover s'en délecte car les rares sénateurs qu'il ne pourrait pas prendre en défaut n'ont de toute façon d'idées sur rien.

Bobby semble galvanisé lorsqu'il porte le nom des Kennedy à l'étranger où il fait preuve d'un courage physique qui frise l'inconscience, à l'exemple de son voyage en Afrique du Sud. Aux Blancs qui tirent l'apartheid de préceptes divins, il rétorque que rien ne prouve que Dieu ne soit pas noir. Il serre des centaines de mains, toutes noires, sacrilège pour une communauté d'arriérés reclus, persuadés de pouvoir exclure indéfiniment les indigènes des droits fondamentaux de l'espèce humaine. Idéaliste, romantique, Bobby l'est par sa sensibilité et par une générosité non feinte, mais il sait se montrer réaliste : « L'espèce humaine ne s'amendera jamais complètement, on n'empêchera jamais certains hommes de tuer des enfants, notre responsabilité, c'est de faire en sorte qu'ils en tuent le moins possible. » Il aime la posture de l'internationaliste qui porte la bonne parole, il est plus à l'aise dans ces longues odyssées où ses discours radicaux trouvent une force qu'il s'interdit encore d'utiliser de retour au pays, où il se montre encore aimablement réformiste. Sur la question de la pauvreté, il agit en notable, mobilisant ses amis fortunés pour engager des fonds dans la rénovation des ghettos. Son aversion pour la bureaucratie l'empêche d'imaginer une intervention massive de l'État pour endiguer cette impécuniosité qui se transforme en violence. Sur la question du Vietnam, il prône la négociation pour sortir du bourbier mais vote les crédits qui préfigurent une montée en puissance des bombardements afin de ne pas passer pour un traître auprès des jeunes enrôlés dans cette sale guerre.

Il montre tous les symptômes d'un maniaco-dépressif. Aux périodes d'exaltation succèdent des moments de dépression qui tendent à s'espacer, même si le fond tragique qui guide ses actions reste présent. Il ne se ment pas, et mesure lui-même l'indécence à discuter de la pauvreté depuis son luxueux penthouse de New York ou son manoir de Hickory Hill où défilent ceux qui, entre deux bains et deux coups de soleil, viennent discuter de l'amélioration du sort des indigents. Il lui arrive de s'apitoyer sur lui-même, sur son incapacité à faire complètement son deuil d'un meurtre qui l'a condamné à un silence inacceptable alors que des millions d'Américains continuent à penser qu'un déséquilibré a tué seul leur président. Il doit constamment se remonter le moral en comparant sa situation à d'autres, comme à celle des enfants noirs qui ont vu le jour à Harlem, mort-nés d'une société qui va s'employer à tout leur interdire, et il s'en veut de son incapacité à se réjouir, de n'être motivé que par ses colères, de ne trouver de sérénité en rien, de jouer les héros de l'inutile en escaladant des montagnes hors d'atteinte ou en descendant des rapides interdits, de vivre comme ces adolescents insatisfaits que rien ne contente et qui gardent sur le visage la rancune de tout avoir eu trop vite. Le sens de l'existence lui fait profondément défaut. S'il avait poussé l'honnêteté vis-à-vis de lui-même à son comble, il aurait tout plaqué, laissé derrière lui cet héritage maudit, tout cet argent sale qui a fait de lui cet aristocrate irlandais désabusé, il se serait détaché de cette vie matérielle, objet de souffrances infinies, il se serait retiré de ce monde qui doit sa violence à son matérialisme acharné et où il n'est question pour chacun que d'augmenter sa part d'un gâteau supposé croître indéfiniment. L'absurdité du monde le torture, mais pas assez pour qu'il en tire des enseignements définitifs, il veut continuer à briller dans un système de valeurs qui le ronge de l'intérieur. Il s'efforce d'emprunter à Camus que cette absurdité et cette absence flagrante de sens de l'existence ne sont la fin de rien, mais le début d'une expérience fondée sur la foi dans l'action définie au plus près de soi. Et quand il retourne le sens de cette action définie au plus près de lui-même, il n'entrevoit qu'une possibilité, effrayante de résignation et de soumission au père : reprendre le flambeau de la conquête de la maison Kennedy sur la Maison-Blanche.

Il commence à y penser sans trop en parler. Il vise 1972. L'élection de 1968 semble être barrée par une probable réélection de Johnson, qui donne pourtant les signes d'un homme vieillissant, fatigué, de plus en plus pathologiquement paranoïaque au point de faire écouter ses adversaires sur la liste desquels « l'avorton Kennedy » figure en bonne place. Hoover est au bout du fil. Contrairement à Jack, Bobby ne cède pas à la frénésie sexuelle compulsive. Mais sa relation avec Jackie est une bombe qui pourrait exploser à l'heure qui conviendrait le mieux à ceux qui haïssent le dernier de la portée Kennedy. Que dirait la ménagère américaine d'un sémillant altruiste qui trompe sa femme, mère d'enfants à la dizaine, avec la veuve de son frère. En ont-ils vraiment la preuve ? Pensent-ils à s'en servir comme ils avaient imaginé lancer à la face du monde toutes les conquêtes de JFK. C'est que la déstabilisation morale est aléatoire, beaucoup plus aléatoire que des tirs croisés.

Ce frémissement d'ambition chez Bobby intervient dans la seconde moitié de l'année 1966, alors que l'escalade au Vietnam n'en finit plus malgré les promesses de Johnson qui les tient un temps, avant de sombrer brutalement sous la pression de l'industrie du crime planifié qui se verrait bien se servir des bonus conséquents au titre d'une année où elle n'a pas démérité.

16

« Mon père disait qu'il n'assisterait pas à son propre enter-rement sous la forme d'une plaisanterie, mais il ne faut pas le prendre au pied de la lettre. Qu'il ne soit pas dans ce cercueil ne résulte pas de sa volonté. Le corps a été soustrait avant son inhumation, probablement au moment de sa mise en bière en Californie, juste avant qu'il ne soit rapatrié. »

Je parlais seul depuis un moment, cherchant dans le regard de l'officier assis en face de moi une lueur exprimant un senti-ment recensé, mais ses deux petits yeux marron et rapprochés ne disaient rien. Le crime remontait à une vingtaine d'années et il en avait probablement de plus frais en tête qui le préoccupaient. Il s'imaginait certainement une longue et fastidieuse procédure de l'autre côté de la frontière pour un maigre résultat qu'il aurait craint d'être encore plus mince si je lui avais révélé l'implication de mon père dans le monde parallèle des services secrets. Il me quitta sur un soupir qui signifiait que sans abandonner l'en-quête il ne se voyait pas lui allouer de moyens techniques ni humains. Il reconnut volontiers qu'entre la cause officielle du décès, le suicide, et l'absence de restes humains dans le cercueil, il s'était créé une mer d'incertitudes justifiant mes questions.

Il tint à m'éviter toute illusion quant à la mobilisation de son service sur une affaire aussi ancienne et principalement localisée dans un pays avec lequel la collaboration judiciaire restait à sens unique, sauf lorsqu'il s'agissait de villes frontalières. La Californie lui paraissait beaucoup trop éloignée dans l'espace et dans ses mœurs pour espérer une coopération effective. Cet homme était le remplaçant d'Edmond et, n'ayant pas exercé à l'époque de la disparition de mes parents, cette affaire devait lui sembler appartenir à d'autres.

Je revis Edmond à plusieurs reprises. Lorsqu'il eut la preuve que mon père avait été assassiné, que quelqu'un avait soustrait son corps avant son inhumation, il dut reconnaître que ses convictions sur la mort de ma mère étaient elles aussi ébranlées. Je ne lui connaissais qu'une chemise, qu'un pantalon, qu'un pull qu'il devait laver tous les soirs car rien chez lui n'indiquait la négligence. Seule cette affaire lui permettait de s'extraire de la consternation dans laquelle l'avait plongé sa retraite. Il n'était pas sans courage pour un homme persuadé d'être passé complètement à côté de sa vie. Je me rendis compte que je lui avais manqué et j'en fus ému comme on peut l'être lorsqu'on réalise subitement qu'on compte pour quelqu'un, quelqu'un que l'on n'a pas choisi. Il avait perdu de sa rigidité et il me dit clairement qu'il voulait se mettre à ma disposition, faire la lumière sur ces deux tragédies. Il ajouta avec une naïveté touchante : « Ça ne doit pas être facile de perdre ses deux parents, coup sur coup, vous aviez combien ? treize, quatorze ans. À cet âge-là, on est bien conscient de ce qui se passe. Je suis d'autant plus impressionné que vous ayez su gérer cela que moi-même je n'ai jamais été attaché à personne. Quand la flamme a atteint le candélabre, elle s'étouffe. Beaucoup de gens meurent ainsi, mais je dois dire que la mort de vos parents, c'est quelque chose d'unique. Et maintenant on se connaît assez pour que je vous fasse une révélation. Lorsque notre hiérarchie nous a demandé de renoncer à la présomption de meurtre de votre mère par votre père, une des raisons qui nous a conduits à accepter, c'est qu'avec Gary Blunt on n'avait pas le cœur de vous enlever votre père alors que vous veniez déjà de perdre votre mère dans des circonstances terribles. » Il baissa la tête et la voix. « Ce n'était pas beau à voir, vraiment pas beau. Certaines scènes de crime sont plus terribles que d'autres. Et la belle femme que c'était... On avait tout pour envoyer votre père à vie dans un pénitencier, l'enquête était implacable. Le seul doute que nous avions, Blunt et moi, n'était pas sur les faits ni sur les circonstances mais précisément sur votre père. Il n'avait pas une personnalité à faire une chose pareille. Je me souviens des fameuses écoutes qui ont été sorties d'un chapeau pour nous convaincre du suicide de votre mère. » Soudain, je le sentis gêné. « Je peux continuer sans vous choquer ?

— Vous pouvez y aller, le temps a passé, ce ne sont plus que des figures fantomatiques pour moi, complètement désincarnées. »

Edmond s'éclaircit la voix avant de reprendre. « Dans ces écoutes, votre mère parlait de l'incapacité de votre père à l'honorer, si vous voyez ce que je veux dire, mais sa voix n'était pas celle de l'acrimonie. Il y avait comme de la tendresse quand elle lui parlait de son impuissance, de la perte de son désir pour elle. Elle le suppliait de se faire soigner et il répondait que sa confiance dans ses collègues n'allait pas jusqu'à leur confier ses propres maux. Il essayait de la rassurer en lui disant qu'il travaillait sur l'auto-hypnose avec un collègue canadien et qu'il espérait bientôt pouvoir se soigner lui-même. » Je l'ai interrompu en lui demandant s'il se souvenait du nom du praticien avec lequel mon père développait ses recherches. Comme si un éclair foudroyait son esprit, il se releva de son fauteuil. « Je me souviens d'avoir entendu ce nom la première fois que nous avons écouté la bande, Blunt et moi. Et puis plusieurs semaines ont passé, où nous doutions de plus en plus de la thèse du suicide. "Si tu ne veux pas te faire soigner, c'est que tu n'es pas malade, tu as simplement d'autres femmes dans ta vie, c'est ça ?" Et je me souviens de sa réponse. "Je n'ai pas de maîtresse mais je ne peux pas demander à un collègue de m'aider. — Pas même…? — Je ne suis pas en position de le faire. Cette initiative me mettrait en danger, particulièrement maintenant, et je préférerais qu'on n'en parle pas au téléphone." Lors de la première lecture de la bande, le nom de son collègue y figurait au même titre que cette dernière phrase où il révélait la complexité de sa situation. Quelques semaines après, nous avons demandé, Blunt et moi, à réécouter la bande. Ils ont refusé et puis on a exigé, ils ont cédé. Ce dernier passage avait été effacé et, au moment où votre mère prononçait le nom de son collègue, on entendait comme un grésillement qui le rendait inaudible. »

Il se frappa subitement la tête comme un vieux mari qui, sorti d'un drugstore, réalise qu'il a oublié quelque chose qui figurait sur la liste des courses établie par sa femme. « J'ai une transcription manuelle de la bande, quelque part, chez moi, dans mes archives. J'ai le nom de ce psychiatre sur le bout de la langue mais il ne vient pas. Blunt prenait des notes, il noircissait plusieurs carnets par an. Je peux demander à sa veuve si elle les a conservés. »

Ce petit homme oxydé, tel qu'il m'était apparu lors de nos premières rencontres, se révélait plus profond que je ne l'avais imaginé. « Travaillerons-nous désormais main dans la main ? » me demanda-t-il. Rien ne prouvait qu'Edmond n'était pas mandaté pour me surveiller. Pourtant j'étais convaincu que cet homme vivait désormais surtout pour connaître la vérité sur cette affaire. Le Canada était loin d'être aussi violent que les États-Unis voisins alors qu'il était sujet aux mêmes influences ethniques et religieuses. La différence, c'est qu'on n'y vendait pas d'armes comme des bonbons et qu'on essayait autant que possible d'y protéger les pauvres de la marginalité par une politique sociale qui ahurissait les Américains. La mort de mes parents à un an d'intervalle, fait anodin de l'autre côté de la frontière, ne l'était pas pour cet homme, et il en avait fait l'affaire de sa vie.

Edmond avait passé près d'une vingtaine d'années à ressasser cette histoire, les pressions dont ils avaient été l'objet, son collègue Blunt et lui. Notre rencontre, à son initiative, lui permettait d'évoluer dans sa quête de la vérité et je réalisais que, sans lui, je pourrais difficilement progresser même si nous fonctionnions différemment. Il était émouvant avec cette façon qu'il avait de s'attendrir pour l'enfant que j'avais été. J'hésitais encore plusieurs semaines avant de lui apprendre que mon père était lié au MI6, le service de renseignement extérieur britannique. Cette nouvelle le soulagea par l'éclairage qu'elle donnait sur de nombreuses zones d'ombre. Edmond m'avoua que son erreur, et celle de son binôme, avait été d'exclure l'hypothèse de l'intervention d'un tiers dans la mort de ma mère. « Les éléments recueillis depuis notre rencontre nous menaient dans cette direction. Je crains qu'à un moment ou à un autre nous ne soyons confrontés aux forces de l'ombre. À mon âge et dans ma situation, je n'ai plus rien à redouter, mais au vôtre c'est autre chose, ils peuvent vous menacer, tenter de vous déstabiliser. » Il conclut que nous étions forcément surveillés ou que nous n'allions pas tarder à l'être. Cette perspective l'excitait. Nous avons continué à nous voir dans des restaurants bon marché, jamais les mêmes. Je lui ai proposé à plusieurs reprises de le recevoir dans mon appartement, mais il craignait que celui-ci fût mis sur écoutes. Très vite, nous avons établi des codes entre nous pour désigner un lieu de rencontre ou un autre et nous ne disions jamais rien de compromettant au téléphone.

Je me souviens exactement de l'endroit où Edmond me donna les détails du meurtre de ma mère. Nous étions assis sur un banc dans le parc qui borde les rives du Pacifique, tout près de l'université. Un groupe d'étudiants s'était rassemblé devant nous pour apercevoir des orques qui croisaient près de la côte. La journée ensoleillée succédait à une semaine de pluie. Nous faisions face à l'île de Vancouver, à peu près à la même latitude que la maison de mes parents. Dès que quelqu'un s'approchait, Edmond baissait la voix et il ponctuait chaque fin de phrase en se retournant pour vérifier que personne ne nous épiait. Ce que j'entendais contrastait avec l'air marin léger et le scintillement tressautant de la mer.

« Votre mère était de taille plutôt en dessous de la moyenne. Mon premier réflexe a été de demander au légiste de mesurer la distance entre son pouce étiré au maximum, bras tendu, et son visage. Elle s'est tiré dans la tête avec un fusil que nous avons trouvé près d'elle sur lequel figuraient uniquement les empreintes digitales de votre père. Et pourtant votre mère ne portait pas de gants. Or, la longueur mesurée du canon du fusil à la détente était supérieure à la distance entre le pouce étiré de votre mère et sa tête. Il était donc matériellement impossible que votre mère se soit tiré dessus. De plus, d'expérience, nous savions que les femmes, lorsqu'elles décident de mettre fin à leurs jours, évitent toujours de se tirer une balle dans la tête pour rester présentables. La coquetterie surpasse l'instinct de conservation. Dernier fait à sa charge, à l'heure où votre mère est morte, votre père était sorti de son cabinet, ce dont témoigna sa secrétaire. Le temps durant lequel il s'est absenté correspondait très exactement au temps nécessaire pour quitter son cabinet, traverser du continent à l'île en ferry, tuer votre mère et revenir; soit un après-midi entier. Selon lui, il s'était absenté pour rencontrer un collègue dans un grand hôtel de la ville. Il resta plusieurs semaines sans nous donner le nom de cet homme ni celui de son hôtel. Quand il le fit en désespoir de cause, nous nous sommes rendus à l'hôtel, Blunt et moi. L'homme, un éminent psychiatre, ne figurait pas sur les registres. Nous avons ensuite contacté ce médecin qui exerçait sur la côte Est. Il a catégoriquement démenti s'être rendu à Vancouver, y avoir séjourné et y avoir rencontré votre père. L'alibi est tombé aussi sèchement qu'un fruit mûr de son arbre. Pourquoi avoir attendu aussi longtemps pour nous le fournir? Nous en étions parvenus à la conclusion que votre père avait pris du temps pour convaincre un proche collègue de lui servir d'alibi mais qu'il avait finalement échoué. Et puis, je ne devrais sans doute pas vous dire cela, mais votre père semblait plus affecté par la suspicion qui pesait sur lui que par la mort de votre mère. Vous conviendrez que tous ces arguments, mis bout à bout, suffisaient largement à l'incriminer. Au moment de l'arrêter pour meurtre, nous avons été convoqués par le grand patron qui nous a demandé avec insistance de considérer la thèse du suicide. Il était matériellement impossible que votre mère se soit suicidée. Tout convergeait pour nous convaincre qu'il l'avait tuée. S'y ajoutait son mensonge. Notre enquête nous a confirmé qu'il n'avait pas de maîtresse mais qu'il recourait épisodiquement au service de professionnelles. Vous comprenez? Son appartenance aux services secrets explique qu'il ait été surveillé. Je vais vous livrer une analyse très personnelle, je ne crois pas au suicide par amour ni par passion. C'est une vue de l'esprit. On ne se suicide pas par amour mais par haine. Je vous assure que votre mère n'était animée par aucune intention punitive. Elle ne vous aurait pas abandonné, vous, son fils, qu'elle aimait profondément. Pour avoir été appelé à travailler sur de nombreux suicides tout au long de ma carrière, j'ai remarqué que les personnes qui s'étaient donné la mort auraient pu tout aussi bien tuer leur entourage. L'intention punitive reste la même. Elle est encore plus cruelle par la destruction insidieuse des rescapés. Il n'est pas rare que les enfants de suicidés se suicident à leur tour, et quand ils ne le font pas, ils passent souvent leur vie à résister à cette pulsion. C'est une des raisons qui m'ont conduit à collaborer avec vous. J'agitais cette réflexion sur les suicidés depuis un moment et j'ai réalisé à quel point vous deviez être fragile, surtout après le suicide présumé de votre père. Je me suis dit : "Ce pauvre garçon n'y survivra pas." Mais longtemps, la seule option en ma possession était de vous prouver que votre mère avait été assassinée, j'en avais la certitude mais, comme vous avez pu le remarquer, je n'avais pas beaucoup d'arguments pour innocenter votre père.

— Vous souvenez-vous du nom du confrère que mon père a évoqué comme alibi ? » Il eut une grimace de contrariété. « Je devrais, mais ces derniers temps ma mémoire est comme un camion qui perd de l'huile. »

J'en vins à la conclusion qui s'imposait : « Si mon père n'a pas tué ma mère, et qu'elle ne s'est pas suicidée, les tueurs sont venus d'ailleurs. Les deux types qui tournaient autour de la maison, ceux qui voyageaient avec de fausses plaques, les mêmes qui ont dû ordonner les écoutes dans les semaines qui ont précédé le drame... »

Une enquête criminelle est un gigantesque écheveau où les fils se démultiplient, se regroupent, fusionnent, s'emmêlent. Je n'en voyais qu'un qui puisse nous permettre d'avancer. Le confrère de mon père avait obligatoirement joué un rôle dans cette histoire. Je ne parvenais pas à comprendre pourquoi ces deux Américains avaient tué ma mère, elle avait forcément été la victime innocente d'une manipulation qui la dépassait. Je ne parvenais pas à imaginer quel enjeu avait pu conduire des hommes à tuer froidement une femme. Edmond, qui avait suivi silencieusement la même réflexion que moi, brisa le premier le silence, alors que deux jeunes filles passaient près de nous, en petites foulées, l'une aussi belle que l'autre. « Ça doit être une bien sale affaire pour qu'ils aient assassiné ainsi votre mère qui n'avait rien à voir là-dedans. » Puis il tourna la tête vers moi. « Ce qui veut dire qu'ils ne laisseront personne exhumer la vérité. Le temps passé ne fait rien à l'affaire. La vérité n'est jamais bonne à entendre même vingt ans après. »

J'étais bien placé comme professeur d'histoire contemporaine pour savoir que certaines révélations, même cinquante ans après, gardaient leur force et leur influence sur le cours des choses. Parler aujourd'hui de la relative indifférence des Alliés au sort des juifs pendant la dernière guerre mondiale n'est pas sans conséquence sur la façon d'écrire l'histoire, ou plutôt de la réécrire. L'assassinat de JFK l'a montré à son tour. Écrire l'histoire, manipuler les faits pour imposer la théorie du tueur isolé a demandé quelques mois. Réécrire cette histoire pour la ramener à la vérité prendra plusieurs décennies, laissant sur le bas-côté une cinquantaine de victimes, acteurs, témoins, assassinés pour avoir entravé la marche de l'histoire, cette fable au service des puissants. Et puis le jour viendra où l'on révélera qu'une conjuration de forces totalitaires et mafieuses a organisé l'assassinat du président élu de la première puissance démocratique au monde, qu'un coup d'État a été perpétré en toute opacité. Toute l'histoire contemporaine se trouverait bouleversée de la reconnaissance de cette réalité. Comme elle le serait par une reconnaissance universelle que l'intervention américaine en Irak a été fondée sur des mensonges éhontés pour le bien du complexe militaro-industriel dans lequel les gouvernants en place, le vice-président Dick Cheney en tête, avaient de sérieux intérêts. Ce qui permettrait de reconnaître dans la foulée que cette intervention injustifiée favorisant les chiites au détriment des sunnites a eu pour conséquence la création de forces terroristes nihilistes, prétexte, pour s'en prémunir, à la fusion du monde d'Internet et de celui du renseignement, ouvrant sur une suprématie sans partage des États-Unis. Lorsque cette histoire-là sera enseignée, du temps aura passé, ses acteurs seront morts les uns après les autres, laissant la postérité faire sur leur dépouille le travail que certains observateurs paresseux, peureux ou corrompus se sont refusé d'accomplir de leur vivant. Et sans doute, dans cette nouvelle perspective, parviendra-t-on à faire le lien entre l'assassinat des frères Kennedy et l'intervention des Américains en Irak à un moment où rien ne le justifiait, si ce n'est d'abattre un dictateur sanguinaire parmi d'autres. On verra alors qu'un pouvoir de même essence, allié aux mêmes gigantesques intérêts, a agi avec le même machiavélisme, le même cynisme et le même sentiment d'impunité.

Edmond s'inquiétait pour moi et me suggéra de renoncer. Mais un renoncement est toujours le prétexte à d'autres capitulations, et l'estime de soi s'érode au nom de l'instinct de conservation, ce bal quotidien des petits plaisirs répétés sans autre perspective que la poursuite de l'existence. Le courage de s'affronter, puis d'affronter les autres, détermine bel et bien toutes les autres qualités. Sans lui on s'accommode, on s'adapte, dans une paix des lâches. La vérité nous était indispensable, nous en fîmes le constat ensemble. La détermination d'Edmond semblait même plus forte que la mienne. Devoir conclure au suicide de ma mère alors que tout prouvait le contraire l'avait humilié et, d'une certaine façon, avait ruiné sa carrière à ses propres yeux, une carrière à laquelle il avait consacré toute sa vie, faute d'avoir pu ou su trouver d'autres centres d'intérêt dans son existence. L'humiliation de devoir se plier à sa hiérarchie n'expliquait pas tout. Edmond savait dorénavant que si ses supérieurs ne l'avaient pas contraint à conclure au suicide, il aurait envoyé un innocent en prison pour la vie, car rien ne permettait alors de déceler la présence d'une tierce partie dans cette histoire. Sans connaître les services secrets, Edmond s'imaginait leurs méthodes. Après nous avoir laissés nous déployer tranquillement sur cette enquête, le temps viendrait où les risques liés à notre élimination deviendraient inférieurs aux dommages que nous serions en passe de causer. Dans un tel cas de figure, ces gens n'hésiteraient pas, et nous pourrions très bien disparaître du jour au lendemain, sans laisser de traces, disparition d'autant plus facile, je m'empressais de le souligner, que nous n'avions pas de famille ni l'un ni l'autre.

La révélation de l'évidence de l'assassinat de mes deux parents transforma mes nuits en calvaire. Les insomnies se succédaient. Cette veille permanente dans le silence de la ville devenait angoissante. Je tournais pendant des heures dans ma tête les hypothèses de ce double assassinat, et il devint très vite évident que le meurtre de ma mère avait été infligé à mon père comme un coup de semonce avant sa propre exécution. Qui avait exercé une telle pression sur lui, je n'en avais aucune idée, mais surtout je n'imaginais pas comment désormais nous allions pouvoir procéder, Edmond et moi, face à un monde où nous n'avions aucun point d'entrée. Pour la première fois de mon existence, un sentiment de haine est monté en moi. Je haïssais ces types qui de sang-froid avaient pu tuer ma mère pour influer sur mon père. La haine de ce monde invisible ne fit que grandir au cours des mois suivants. Comment ces gens pouvaient-ils prétendre appartenir à l'espèce humaine alors qu'ils n'en étaient que les fossoyeurs zélés au nom d'intérêts supérieurs auxquels ils obéissaient comme des caniches ? Quelqu'un, quelque part, avait donné l'ordre : « Tuez-la. » Ensuite, ils s'étaient organisés comme pour un séjour de chasse en Alaska en faisant disparaître toutes leurs traces, consciencieusement. Empreintes effacées, fausses plaques de voitures. Ils jouissaient certainement de leur anonymat, de leur opacité. Criminels absous par une autorité agissant au nom de l'intérêt général, ils avaient appuyé sur la détente, à bout portant. À la haine succédaient le dégoût et la peine pour ce qu'ils avaient infligé à ma mère. Rien ne la prédisposait à voir surgir deux hommes chez elle. L'un avait dû l'immobiliser pendant que l'autre pressait le canon du fusil sur son front. Imagine-t-on mort plus horrible, sans un mot d'explication ? Le dommage collatéral dans ce qu'il a de plus sordide. J'en voulus à mon père qui l'avait entraînée, même si c'était malgré lui, dans cette tragédie. Jusqu'où les conséquences de ses secrets iraient-elles ? Peut-être jusqu'à la disparition d'Edmond, jusqu'à la mienne, le dernier maillon de la chaîne. Ces secrets allaient-ils s'enfouir au plus profond avec l'extinction de notre lignée ?

La scène de la mort de ma mère m'obsédait. Je l'imaginais studieuse comme elle savait l'être, de petites lunettes rondes posées sur son nez délicat, lisant, allongée dans le canapé de la maison, un de ces ouvrages savants dont elle raffolait. Ils avaient dû attendre le départ de Maine vers sa boutique, embusqués quelque part. Ils avaient probablement sonné au portail d'entrée et demandé à lui parler en privé, au sujet de son mari. Elle les avait certainement invités à entrer dans la maison, elle leur avait proposé un verre qu'ils n'avaient pas refusé, vu la tâche à accomplir. Cette belle femme rousse si élégante avait dû les troubler. Mais pas au point d'ajourner leur forfait. Au contraire, il y a chez certains individus un plaisir incommensurable à transformer la beauté en charogne, comme témoignage du pouvoir dévolu à leur petit personnage scrofuleux alors que rien ne les prédispose à tant de puissance. Ils n'ont pas douté une seconde. Ils avaient été repérés quelques jours avant dans les parages. Certainement lorsqu'ils se préparaient à s'introduire dans la maison pour y prendre le fusil de mon père. Ce fameux fusil dont la disparition l'inquiétait. On l'entendait en parler dans les écoutes. Il y disait à ma mère qu'il craignait qu'elle n'en fasse mauvais usage. La réponse avait été coupée d'après Edmond car elle se défendait certainement d'avoir l'idée de mettre fin à ses jours, et elle devait le faire en riant. Les deux sinistres personnages avaient dû entrer chez nous avec ce fusil chargé à la main et, après avoir produit de fausses cartes de policiers, ils lui avaient probablement raconté une histoire sur la disparition de cette arme. Celui qui tenait le fusil en main s'était levé et, dans une ultime gesticulation, avant même qu'elle ne s'en rende compte, il l'avait approché de son front et avait simultanément appuyé sur la détente. Cette scène révélait une violence pornographique, obscène, où la pénétration figurait comme un apogée.

Edmond est resté quelque temps sans donner de nouvelles avant de me proposer un rendez-vous dans un restaurant chinois discret. Il était pour le moins circonspect. Mme Blunt, la veuve de son coéquipier, avait constaté la disparition des carnets de son mari et elle pouvait aisément en déterminer la date. Au retour d'une visite de trois jours chez sa sœur à Toronto, elle avait remarqué que les carnets posés bien en vue sur une étagère s'étaient volatilisés. Apparemment rien d'autre ne manquait mais, minutieuse comme elle l'était, selon Edmond, à quelques menus détails elle avait constaté que sa maison avait été fouillée de fond en comble. D'ailleurs si la serrure principale n'avait pas été forcée, elle ne fonctionnait plus exactement aussi bien qu'à son départ, et elle n'avait pas manqué de s'en étonner. Mais, n'ayant personne à qui en parler, elle avait gardé ses constatations pour elle. Elle avait été heureuse de se confier à Edmond qui en concluait que, désormais, nous étions étroitement surveillés. Je ne voyais pas comment ils avaient pu entendre notre conversation à propos de ces fameux carnets, mais Edmond me fit remarquer que leur intervention chez Mme Blunt, sans être une pure coïncidence, pouvait ne pas être directement liée à notre conversation. Ayant la preuve que nous cherchions à réactiver l'enquête, ils prenaient les devants en essayant de faire disparaître tout ce qui pouvait nous aider. Selon lui, peu de personnes connaissaient l'habitude de Blunt de tout consigner dans des carnets noirs. Il sembla alors évident que quelqu'un de son entourage proche les avait renseignés et, Edmond mis à part, il ne pouvait s'agir que d'anciens collègues ou supérieurs hiérarchiques. La preuve était faite qu'un ou plusieurs éléments de la police collaboraient avec ces fameuses forces supérieures décidées à suivre notre progression pas à pas. Edmond avait gardé la bonne nouvelle pour la fin. Le nom du confrère dont mon père avait fait son alibi lui était revenu soudainement, la nuit précédant notre rencontre.

17

Convoqué à la Maison-Blanche sur la question du Vietnam par Johnson, Bobby s'est installé sur le bord du canapé et il a écouté, tête baissée, comme un prêtre recevant la confession, ce que l'imposteur avait à lui dire. À 4 heures de l'après-midi en ce mois de février 1967, la lumière d'hiver pénètre timidement dans le bureau Ovale. Johnson est direct avec Bobby. Le balancement circonspect, les précautions d'usage, la simple courtoisie ne sont pas son fort, il n'en fait pas mystère. Il accuse Bobby d'avoir du sang sur les mains. Accusé ? Bobby lève la tête, intrigué. Ses déclarations en faveur de négociations pour la résolution du conflit vietnamien confortent l'ennemi dans ses droits, alors que l'armée est en train de gagner la guerre. Ces déclarations tuent des soldats américains. Johnson, qui a le raccourci facile, a terminé sa phrase par un juron, signe qu'il n'a pas confiance dans la force de son propos. Bobby est accusé de démoraliser les quatre cent mille soldats stationnés au Vietnam. Et de faire injure aux trente-trois mille déjà morts, malgré les deux milliards de dollars dépensés chaque mois. Bobby ne veut pas en entendre plus. Il se lève et part.

Il a tergiversé jusque-là. Attaquer Johnson ne lui paraissait pas la meilleure façon de progresser dans l'opinion qui, à la faveur de quelques sondages de Gallup, le met le plus souvent devant le président pour l'investiture de 1968. Il semble porté par une ferveur irrationnelle et fluctuante dont il se méfie. Il aimerait se convaincre que sa supériorité dans les sondages tient à ses idées plus qu'à l'héritage qu'il représente. D'ailleurs, ses idées ne sont pas claires. N'est-ce pas le secret de sa popularité ? Quelques attaques bien senties sur le conflit vietnamien, sans véhémence, quelques incursions charitables en faveur des pauvres, des minorités raciales, bref la ligne politique attendue d'un homme sensible issu des beaux quartiers.

Johnson et son allié objectif, Hoover, ont préparé la contre-offensive. Par la révélation que sous l'administration Kennedy, lorsque « frère » était ministre de la Justice, un nombre considérable d'écoutes téléphoniques ont été pratiquées à sa demande ou avec sa simple approbation. Cette pratique désastreuse pour la démocratie se serait évidemment arrêtée avec l'arrivée du président Johnson. Le « grand benêt » et la « vieille tante » se sont alliés pour le mettre dans un coin. La contradiction est flagrante entre cette réalité et les grands élans libéraux sur lesquels Bobby s'appuie pour doubler Johnson. Bobby était par principe contre les écoutes du temps de son frère, et Hoover n'aurait pas réussi à les lui extorquer si le vieux patron du FBI ne leur avait pas rendu un sacré service en contrepartie. Une enquête du Sénat dérivait salement sur les pratiques sexuelles de certains occupants de la Maison-Blanche, se rapprochant dangereusement de JFK lui-même, et Bobby en désespoir de cause avait supplié Hoover d'intervenir auprès des deux présidents de groupe, républicain comme démocrate, pour qu'ils ne poussent pas plus loin des recherches qui risquaient de décrédibiliser les États-Unis par un scandale sans précédent. En cause, une prostituée est-allemande, expulsée quelques semaines plus tôt pour éviter qu'elle parle. La révélation que JFK recourait aux services payants de jeunes femmes, ajoutée à la nouvelle que l'une d'entre elles travaillait certainement pour l'ennemi, aurait eu raison de la réélection du grand frère en 1964. Hoover ne se mobilise jamais pour de grands changements. Des rumeurs couraient avant l'affaire Rometsch que les deux frères envisageaient le second mandat de Jack sous le signe du remplacement de l'inoxydable directeur du FBI. Hoover n'est pas homme du « donnant / donnant », s'il rend un service il en attend deux en retour. Le premier est une déclaration officielle de l'occupant de la Maison-Blanche affirmant que les rumeurs de son départ sont pour le moins « infamantes ». Le second est une sorte de blanc-seing général sur les écoutes qu'il a pratiquées, en particulier celles qui concernent Martin Luther King, dont le prix Nobel de la Paix reçu en grande pompe à Stockholm l'ulcère, persuadé qu'il est que le pasteur charismatique, non content d'être noir, est aussi communiste, et qu'il a pour les femmes une inclination particulière, expression flagrante de la trahison de son ministère. De plus l'« homosexualité » n'est pas absente de son entourage, Hoover insiste sur ce fait qui n'est pas sans choquer Bobby qu'anime cette homophobie catholique qui colle en lui comme au fond d'une vieille poêle.

Cette trahison de ses idéaux, Bobby s'en souvient. Même si près de quatre ans ont passé. Il a renoncé pour sauver son frère et éponger une fois de plus les conséquences de sa sexualité tyrannique. Il s'est bien dit, à un moment donné, que son frère ne s'appartenait plus. Il répétait l'acte indéfiniment. Volontaires, connues ou pas, professionnelles, amateurs, éblouies ou insensibles à son aura, désintéressées, âpres au gain,

216

elles défilent, tous les jours, et une organisation secrète est chargée du suivi de ce rituel, à la Maison-Blanche comme pendant les voyages officiels. Les femmes sont à Jack ce que l'insuline est à un diabétique. Sans elles, sans leur perspective, il meurt. Avec elles aussi, il meurt, de la maladie d'Addison qui lui vaut d'être bourré de cortisone, d'antidouleurs et d'amphétamines pour contrer leur effet somnolent. S'y ajoute le prix de son assiduité auprès des femmes : des maladies vénériennes dont il peine à guérir. Sisyphe à la belle coupe de cheveux roule son rocher vers le haut avant qu'il ne retombe pour aussitôt recommencer. La condamnation est lourde, Sisyphe sait à quoi il la doit. Mais Jack ? On échafaude des hypothèses. L'aîné de la famille ensemencerait symboliquement l'univers pour assurer la continuité de la tribu. Ou alors il faut voir ailleurs. Rose, la mère froide, bigote, soumise jusqu'à l'humiliation, vit avec des œillères comme un cheval de labeur à qui on interdit de regarder les paysages. Les siens sont peuplés de nymphettes ramenées jusque chez elle par Joe, dont le génie créatif en matière d'adultère est sans limites. On l'a dit, il prône la séparation de la sexualité et de l'amour. Ce qu'on sait moins, c'est qu'il est incapable d'amour, sauf pour ses enfants, pour ses fils en particulier, qu'il a multipliés de peur de ne plus être représenté sur cette terre quand il passera de l'autre côté du monde. Ce mépris des femmes, qu'il a arrangé à sa sauce, ses enfants en ont souffert, et Jack l'a reproduit avec une régularité implacable. L'estime perdue pour sa mère est vengée par une reproduction infinie de la possession. Mais « Jack la classe » mime la considération pour les femmes qu'il possède à la chaîne. Il offre sa pensée, ses réflexions politiques, diplomatiques, à toutes celles qui se déshabillent pendant qu'il s'allonge avec précaution sur le dos pour ne pas heurter sa colonne vertébrale.

Ou alors, voyant la mort s'approcher de toutes parts, il consacre son lien à la vie par la répétition inlassable de cette comédie de l'amour qui prend un tour tragique par la traînée de ragots qu'elle laisse derrière elle. Chacune y va de son témoignage à la grande histoire, une seule d'entre elles laissera en héritage les mots qui disent tout de lui : « De la lumière sans chaleur. » Celle d'un homme profondément dépressif, désabusé et fataliste. Il veut légitimement laisser sa marque dans l'histoire, et il sait que tous les autres veulent l'en empêcher. Son orgueil démesuré lui dicte de ne pas avoir de pire ennemi que lui-même, raison pour laquelle il se met délibérément en danger.

Avec l'affaire Rometsch, il est passé près de tout annihiler, mais il n'en a cure. D'un ton neutre, il a demandé à Bobby de s'en occuper. Protéger son frère, n'est-ce pas la première de ses missions, celle qu'il s'est assignée à lui-même depuis leurs débuts en politique ? Bobby sait que Jack est déjà passé à autre chose, à une autre, à plusieurs autres, dont il ne se souvient probablement pas du nom, comme il avait oublié celui de cette Ellen Rometsch. Un accent allemand ? Diantre, en quoi ça dérange ? Allemande de l'Est ? Va-t-on demander en plus à celui qui s'est fait ovationner pour avoir lancé à une foule exaltée « Ich bin ein Berliner » de distinguer un accent de l'Est ? C'est le travail de ses pourvoyeurs, et ils étaient légion, ces petits maquereaux qui organisaient le remplissage de la suite présidentielle lorsque Jack se déplaçait en province. Sinatra en faisait partie, et il a fallu que Bobby insiste auprès de son frère sur les liens de la voix du siècle avec le crime organisé pour qu'il lui tourne le dos, son dos malade. Mais que Judith Campbell ait été aussi la maîtresse de Giancana, Jack concevait ce partage comme l'opportunité d'un passage secret entre son monde et celui de la pègre. Contrairement à Bobby, il n'aime rompre avec personne, pas même avec ses ennemis, garder le contact est une façon élégante de prévenir leurs bassesses, il en est convaincu, pragmatique comme il l'est.

Les frasques de son frère ont miné son avenir. Il les assume, on ne lui connaît aucun jugement sur le priapisme de Jack, il l'a pris comme le sous-ensemble d'un tout, rien de plus, et il ne maudit pas non plus la mémoire de son exemple quand rejaillissent les souvenirs de ses débordements et des arrangements inavouables auxquels ils ont donné lieu. Hoover a partie liée avec Johnson, il en a désormais la certitude. Johnson décrète que l'administration Kennedy aura été la dernière à pratiquer des écoutes, une façon de dénoncer le libéralisme de façade des frères, convertis au miroir sans tain, à la plus abjecte forme de surveillance, celle qui consiste à lire le jeu de l'adversaire par des moyens déloyaux.

Bobby aimait ce rôle de sauveur quand son frère se mettait dans des situations impossibles, bravant de son inconscience de jouisseur désespéré les lois de l'équilibre. Avec l'affaire Rometsch, Jack n'est pas passé loin de la destitution. Une espionne communiste dans le lit du président, il n'en aurait pas fallu plus pour que les chefs des partis démocrate et républicain au Congrès s'accordent sur l'« empêchement » de l'icône. La morale contre la ruine d'une image, celle de l'Amérique. Ils ont tranché.

D'autres situations périlleuses ont laissé plus de traces. Bobby a encore en mémoire l'arrivée spectaculaire de son frère et de Jackie dans un cabriolet blanc à l'Orange Bowl de décembre 1962 pour la finale du championnat de football américain à Miami. Au milieu des *pom-pom girls* transcendées par la présence du président et de sa femme et d'une foule déchaînée agitant des drapeaux américains et cubains, se tiennent près de la pelouse les rescapés de la baie des Cochons, la brigade 2506 dont les hommes viennent d'être libérés des geôles de Castro. « N'y va pas », l'avait prévenu Kenny O'Donnell, le conseiller le plus écouté de Jack après son frère. « N'y va pas, c'est une folie. » Mais Bobby a insisté pour que Jack vienne leur rendre hommage. Quand Erneido Oliva, l'un des chefs de la brigade, vient lui présenter le drapeau des rebelles, Jack se laisse emporter par une émotion inappropriée et lance d'une voix de plus en plus ferme : « Commandant, je vous assure que ce drapeau de votre brigade retournera à La Havane libérée. » La déclaration sonne comme la promesse d'une nouvelle invasion par un président dans l'ivresse de retrouvailles apaisées avec les survivants d'une opération à laquelle il a refusé tout soutien militaire. Il aurait cherché à se faire pardonner, il ne s'y serait pas pris différemment. L'unique façon d'effacer sa culpabilité était de redonner espoir à ces hommes meurtris, c'est ce que craignait O'Donnell, et Kennedy l'a fait. La confusion est à son comble. La promesse d'une nouvelle invasion va dorénavant s'installer dans les esprits alors que Jack s'est engagé auprès des Soviétiques au terme de la crise des treize jours à ne plus menacer Cuba, une fois les missiles de moyenne portée démontés. Quelques jours plus tard, Kennedy reçoit les journalistes dans la somptueuse villa familiale de Palm Beach pour déclarer « qu'il n'a aucune intention de soutenir une nouvelle invasion rebelle à Cuba ou d'imposer un nouveau régime dans l'île ». Il le dit, cette fois, calmement. La ferveur oratoire l'a quitté. La culpabilité aussi. Le politicien veut à peine se souvenir de son écart et conforter les Soviétiques sur sa parole. Le mal est fait. Les anticastristes ont repris espoir le temps de quelques jours et désormais leur ressentiment est sans commune mesure avec celui qu'ils éprouvaient pour Jack avant cet épisode. Bobby maintient le contact avec les groupes les plus virulents emmenés par des hommes comme Murgado ou Artime, un fervent catholique, ami de l'agent Howard Hunt, et qui se comporte au quotidien comme un agent de la CIA avec laquelle il a organisé plusieurs opérations punitives contre l'île depuis Miami. Deux organisations se révèlent particulièrement déterminées, Alpha 66 et surtout la DRE, une association d'étudiants qui a débuté dans la lutte contre l'ancien dictateur Batista avant de se retourner contre Castro avec le soutien de la CIA. Bobby connaît ce foisonnement et entretient des liens directs avec les meneurs de ces associations qui ne désarmeront pas tant que le dirigeant cubain ne sera pas renversé. On parle d'un homme qui leur serait apparenté, repéré avec un fusil démonté dans la foule de l'Orange Bowl, le jour où Jack s'est laissé emporter par sa fougue. Est-ce celle-ci qui l'a dissuadé de passer à l'acte ? Par ses contacts dans ces bouillonnantes organisations, Bobby apprend qu'un homme du nom de Lee Harvey Oswald s'est présenté en août 1963 auprès de la DRE pour s'engager dans la lutte contre Castro. Cet individu leur a fait une drôle d'impression, celle d'un homme faussement déterminé, inconsistant, qui cherche à infiltrer le mouvement d'une façon maladroite, se précipitant pour distribuer des tracts dans les rues de La Nouvelle-Orléans, s'affichant ostensiblement avec toute personne qui puisse témoigner de son engagement pour la cause. De l'avis même de l'association, Oswald est une création du FBI destinée à l'infiltrer.

Artime, intelligent, déterminé et énergique, est d'une nature qui convient à Bobby, lequel n'hésite pas à l'inviter dans sa propriété familiale de Hickory Hill. L'attraction est mutuelle, tout autant que la méfiance. Artime est excédé par les positions vacillantes des frères même s'il veut encore croire à leur soutien à un débarquement dans l'île dont il dirige le harcèlement par des opérations de commando visant par exemple à empoisonner des champs de cannes à sucre. Bobby a compris qu'il doit rester proche de cet homme décisif sans perdre de vue ses liens étroits avec la CIA. Le catholique cubain est plus proche par définition du catholique irlandais qu'il ne l'est des WASP de la CIA avec leurs airs de supériorité. Artime se sent le devoir d'avertir Bobby que de nombreux exilés sont désormais décidés à passer à l'action contre son frère et que l'un d'eux finira forcément par s'exécuter. Les intérêts particuliers d'une communauté viennent heurter l'intérêt des États-Unis tel que Jack le conçoit. Bobby sait que cette opposition est désormais irréconciliable et que les exilés ne laisseront pas Jack occuper la Maison-Blanche pour un second mandat. « On ne pourra jamais rien faire contre un homme qui aura résolument décidé d'échanger sa vie contre la mienne. » Jack le fataliste est de retour, avec le même sourire narquois et désenchanté quand il s'agit de sa propre mort que de toute façon la maladie lui promet à un terme variable selon les spécialistes. Survivra-t-il par lui-même à un second mandat ? La cortisone qui le gonfle, lui donnant une carrure inespérée, pourra-t-elle le conserver jusqu'au terme du prochain mandat ? Dans cet océan de contradictions qu'il assume comme l'essence même du jeu politique, rien ne le fera dévier de sa trajectoire. Ses ennemis l'ont compris à l'été 1963, l'Irlandais est têtu et rien ne lui fait peur. Cette attitude force l'admiration de Bobby et forge en lui la conviction que Jack ne finira pas l'année. Comment colmater sous une pluie tropicale les fuites d'un toit criblé de balles quand on ne dispose que d'un verre d'enfant à la main. Il ne reste que la prière. Pourtant la décision de recourir à la violence n'est pas encore à l'ordre du jour. Avec l'appui de Barry Goldwater qui se verrait bien affronter Jack Kennedy à la prochaine élection, les anticastristes fomentent un ultime complot qui vise à décrédibiliser définitivement les frères avec l'aide de la station de la CIA de Miami d'où partent toutes les attaques contre l'île. Selon les comploteurs, deux colonels de l'armée soviétique en poste à La Havane seraient prêts pour une défection immédiate en faveur des États-Unis. Moyennant protection, ils seraient disposés à témoigner, preuves à l'appui, que Khrouchtchev a renié sa parole et continue sur le territoire cubain l'installation de missiles de moyenne portée pointés sur la Floride. L'administration Kennedy, dupée, n'y résisterait pas. Trois hommes qui jugent l'anticommunisme de Kennedy trop tiède et craignent que sa faiblesse ne conduise l'Amérique à sa ruine s'allient pour monter et financer l'opération qui consiste à dépêcher un commando à Cuba, à récupérer les deux officiers soviétiques et à assurer leur protection jusqu'au domicile de Goldwater qui prendrait ainsi sous la lumière des médias une avance décisive sur son adversaire en place. William Pawley, homme d'affaires louche et retors, conseiller d'Eisenhower en son temps sur la question cubaine, proche des agents de la CIA en charge des opérations spéciales, est un de ces hommes qui prospèrent sur le dos de la lutte contre le communisme, paravent de ses affaires juteuses dont il réinvestit une partie des bénéfices dans des opérations qui lui assurent soutien et impunité. C'est lui qui est chargé de fournir les subsides nécessaires à cette offensive éclair. Le troisième homme, Luce, est à la tête de l'empire *Time-Life*. Il se considère comme un vieil ami de Joe Kennedy mais n'a pas grande estime pour ses fils qu'il juge tièdes et dangereux pour son pays. Il rejoint la conspiration pour lui fournir un reporter qui sera chargé des photos et du reportage qui cloueront définitivement Jack. « Il va faire sous lui, et il sera tellement collé au fauteuil qu'on sera obligé de le sortir de la Maison-Blanche comme les anciens rois, sur une chaise à porteurs. » L'effervescence est à son comble en coulisse, les injures fusent contre Jack, déshonorantes, mais peu sont au courant de cette opération de la dernière chance. Bobby n'en dort plus, il se demande ce qu'il doit conseiller à son frère. S'il le conforte dans sa loyauté à l'URSS, il sait à quel point il risque de le mettre en danger. Mais Jack a fait de la détente l'objectif sacré de sa politique internationale. L'élection se rapproche et, alors que les anticastristes sont sur le point de les clouer en démontrant qu'ils ont été floués, dans le secret de leur alcôve fraternelle, les deux frères pensent à une ultime finesse qui pourrait leur laisser du champ d'ici à l'élection présidentielle de 1964. Ils décident de demander au Pentagone de se préparer à l'invasion de Cuba. Cette mise en alerte dont la rumeur va forcément se répandre laissera croire aux exilés que Jack a enfin basculé de leur côté. Ils ont d'autant plus envie de le croire que l'opération de la dernière chance d'exfiltration des deux colonels soviétiques a échoué. Le bateau rapide chargé de les récupérer n'est jamais revenu. Sans doute a-t-il été détruit par les forces cubaines dans ces eaux qui rappellent le chef-d'œuvre de Hemingway, *En avoir ou pas*.

« Ma douleur est telle que je ne puis en supporter davantage. » Mais de quelle douleur parle-t-il dans cette ultime adresse à sa femme Edna ? William Pawley a rédigé un court texte avant d'être découvert mort chez lui, par un policier, d'une balle dans la poitrine. Officiellement il se l'est tirée lui-même. Mais à quatre-vingts ans, on ne sait pas à quelles douleurs il fait référence. Le House Select Committee on Assassinations a décidé de rouvrir le cas JFK à la fin des années soixante-dix. Une semaine avant la mort violente de Pawley, son enquêteur principal a fait savoir que Pawley était retenu dans les personnes auditionnées.

L'année 1963 a été celle de toutes les confusions. Les réponses données par Bobby aux questions changent d'un interlocuteur à l'autre. Tout est dit et son contraire pourvu que du temps soit gagné, qu'il file jusqu'à la prochaine élection sans que rien d'irrémédiable ne survienne. Mais les échos de la colère des exilés remontent jusqu'à Washington. Les brigadistes encouragés par Jack lors de l'Orange Bowl du mois de décembre précédent menacent de venir au Nord lui rendre le drapeau qu'il souille de ses atermoiements. Bobby gère seul des dizaines d'interlocuteurs qui le harcèlent et exigent de savoir précisément ce qui se prépare. Bobby mime le volontarisme mais s'enfonce dans un indescriptible chaos de fausses intentions et de démentis.

18

« Brian McFarlane. Je me souvenais que son prénom était Brian, pour une raison simple, mon unique neveu, le fils de ma sœur, s'appelle Brian. Ou s'appelait. Elle n'a pas de nouvelles de lui depuis plus d'une dizaine d'années. Il a quitté le Canada pour les États-Unis où il était parti pour faire du convoyage de bétail. Il n'a jamais donné de nouvelles depuis. J'ai sollicité mes confrères américains. La recherche ne les enthousiasmait pas, toujours est-il qu'ils ne l'ont jamais retrouvé. Ma sœur habite Winnipeg, et le lien s'est formé immédiatement. Lorsque votre père avait évoqué son nom, il l'avait mentionné comme un spécialiste de psychiatrie qui exerçait à Winnipeg. En revanche, impossible de me remémorer son nom si ce n'est le Mc. Brian Mc quelque chose. J'ai appelé l'institut psychiatrique la semaine dernière, je me suis fait passer pour un policier en exercice et je leur ai demandé si un psychiatre du nom de Brian Mc quelque chose faisait sonner une cloche dans leur mémoire. Ils ont pris quelques jours pour me répondre qu'un Brian McFarlane avait bien exercé dans cet hôpital, qu'il l'avait quitté en 1968 et qu'il avait succombé à une crise cardiaque quelques semaines plus tard. Ils m'ont parlé de lui comme d'une sommité, très impliquée dans les instances psychiatriques internationales au début des années soixante. »

Edmond semblait satisfait de lui-même. Mon père avait donc prétendu que le jour de la mort de ma mère un certain Brian McFarlane était venu le rencontrer à Vancouver. Interrogé sur la question, ce McFarlane avait démenti avoir voyagé jusqu'à l'extrémité ouest du continent pour y rencontrer mon père. Il admettait le connaître et avoir avec lui des relations épisodiques de travail, mais il ne s'était pas rendu à Vancouver ce jour-là et ne comprenait pas pourquoi son éminent et respecté collègue avait mentionné son nom. Il avait d'ailleurs cité au moins deux personnes de son proche entourage professionnel pour témoigner de sa présence au travail à Winnipeg ce jour funeste.

McFarlane ne figurait pas dans les registres de l'hôtel où mon père prétendait l'avoir rencontré pendant que ma mère était éliminée. Mais une idée me vint alors que je déjeunais tranquillement avec une de mes collègues de l'université. Charlotte London n'avait rien à voir avec l'illustre Jack mais elle excellait en littérature contemporaine qu'elle enseignait auprès d'élèves fascinés par son charisme, et il faut avouer qu'elle était d'une beauté qui aurait pu transformer n'importe quel minéral en être vivant. Nous étions assis à une table pour déjeuner d'un sandwich et, si nous ne voyions pas la mer, ses alizés nous caressaient aimablement. Je me souviens d'un ciel recouvert d'un voile blanc immobile. Elle me parlait de sa rencontre avec Philip K. Dick en 1972 quand il était venu donner à Vancouver une conférence sur la science-fiction. Elle était très jeune à l'époque, peut-être dix-huit ans, et K. Dick était dans une période où il aimait les jeunes filles. Ses divorces successifs l'avaient peut-être dissuadé de continuer à aimer les femmes de son âge. Sans me le dire, je compris que Charlotte avait connu une aventure

227

furtive avec l'écrivain paranoïaque dont il se disait que sa seconde femme, Kleo Apostolidès, nom que je trouvais merveilleux, avait été surveillée par le FBI pour ses sympathies communistes. Cette évocation éveilla une lueur dans mon esprit à propos de mon père, lui aussi communiste, mais pendant la guerre, et je me demandai soudainement si ce fait pouvait avoir quelque lien avec son histoire récente, sans y apporter de réponse, bien entendu. Sans transition aucune, une autre pensée se substitua à la précédente. En écoutant parler Charlotte, je me demandai pourquoi, à cet instant précis, je ne la désirais pas alors que toutes les conditions étaient réunies pour que son charme m'enveloppe jusqu'à en perdre la raison. Cette question m'obséda jusqu'à me donner des vertiges, et quand j'en eus fini avec ce combat contre le diable, celui que je nommerai plus tard le démon en creux, parce que au lieu de m'accabler d'un désir incontrôlable il le rendait complexe, il me revint à l'esprit que Charlotte était la fille d'un homme important au sein d'Air Canada. À la fin de notre conversation, je sollicitai de le rencontrer pour vérifier des faits que je justifiai par mon travail sur les Kennedy. Je savais que son père, pour l'avoir rencontré une fois, était un fervent admirateur des Kennedy et qu'il n'hésiterait pas à m'aider dans mes recherches. Il se prêta volontiers à ma demande et, après avoir fait consulter les archives de la compagnie par un de ses collaborateurs, il m'annonça fièrement qu'un Brian McFarlane avait bien effectué un aller-retour Winnipeg-Vancouver à la date fatidique.

La vérité avance à l'allure d'un archimandrite perclus de rhumatismes. McFarlane avait donc bien menti aux policiers qui l'avaient interrogé, mais connaître les raisons de ce mensonge allait demander des mois d'efforts sans certitude d'approcher la vérité. Je m'étais jusque-là évité le travail fastidieux de lire toutes les publications de mon père ainsi que toutes ses réflexions annotées soigneusement dans des carnets noirs en moleskine, semblables à ceux qu'utilisait Hemingway pour y esquisser les contours de ses livres. Il faut dire que mon admiration pour mon père et sa science n'avait pas pour autant fait de moi un expert en psychiatrie, et encore moins en hypnose. Outre que les enfants peinent à s'infliger les mêmes passions que leurs parents, j'étais sceptique sur les sciences de la psychologie depuis que j'avais réalisé que les connaissances infinies de mon père sur le sujet n'avaient pu le soigner de son problème. Mais j'évoquai tout de même son cas avec mon propre thérapeute.

« Sur la base de ce que vous me décrivez, je dirais qu'il s'agit d'une phobie. Si votre père avait été impuissant, vous ne seriez pas là et vous n'auriez pas mentionné le recours à des professionnelles. Alors qu'est-il arrivé ? Sans doute était-il bloqué dès lors qu'une femme avait enfanté. C'est fréquent. »

J'ai appris récemment que Donald Trump était apparemment atteint d'un symptôme similaire.

Mon père ressemblait à Jack Kennedy par bien des aspects. Il partageait avec lui un physique ravageur et un détachement qui le rendait irrésistible auprès des femmes. Comme Jack, il aimait secrètement tout risquer. L'un comme l'autre avaient perdu. L'un comme l'autre avaient été les victimes d'un complot. L'un comme l'autre avaient une femme magique qu'ils avaient délaissée. Une phrase de Jackie me revint précisément. C'était lors d'une soirée de gala à la Maison-Blanche et, comme souvent, Jack avait disparu avec une femme pour ne reparaître qu'au moment des adieux. Je ne me souviens plus du nom de son interlocuteur mais il s'agissait d'une personne assez intime pour que Jackie se laissât aller à la confidence. « Il sait qu'il fait mal, il sait qu'il fait le mal, alors un jour, bientôt, il arrêtera. »

Les hommes comme Jack Kennedy et mon père ont un besoin profond de montrer aux autres que leur réussite ne tient qu'à eux, et qu'ils sont seuls maîtres de la détruire. La comparaison bien que substantielle s'arrêtait là. Je constatai, sans le lui reprocher, que la science de mon père, sa connaissance, n'avait pas suffi à le changer. Sa science était-elle en cause ou alors s'agissait-il de son orgueil qui le poussait à s'exclure de toute forme de thérapie ?

Le soir où Jackie sentit le besoin de se confier, Jack était avec une femme dans ses appartements. Cette femme a été la seule avec qui Jack a construit une relation qui dépassait la satisfaction de son désir inextinguible. Une grande complicité les unissait apparemment.

Je dois reconnaître que je n'avais pas particulièrement approfondi ce personnage dans mon travail sur les frères lorsque je découvris, en prospectant dans les archives de mon père, qu'il lui avait rendu visite à plusieurs reprises après qu'elle se fut adressée à lui. Je ne savais pas encore grand-chose sur cette femme qui, pour certains, personnifiait le charme dans ce qu'il a de plus naturel et de plus absolu. Kennedy tenait à elle et ils entretinrent une relation à la fois sincère, dense et expérimentale jusqu'à la fin tragique de Jack à l'automne 1963. Mary Meyer ne lui survécut que quelques mois. Elle fut assassinée à son tour alors qu'elle marchait le long d'un canal de Georgetown où elle vivait, aux prises avec le deuil d'un homme qu'elle avait vraiment aimé et qui lui avait rendu cet amour.

Si quelqu'un avait « siphonné » les dossiers de mon père à son bureau, personne n'avait pu mettre la main sur ses archives personnelles, entreposées dans un local difficilement accessible situé au sous-sol de la maison, derrière la chaudière. Personne en pénétrant dans ces lieux pour la première fois ne pouvait s'imaginer que dans cette petite pièce recouverte de planches mal dégrossies s'empilaient soigneusement notes, dissertations libres, comptes rendus, réflexions profondes sur sa science. La porte qui la fermait était en métal, d'une couleur rouille qui s'harmonisait avec celle des flammes de la chaudière qu'on apercevait à travers un hublot épais. J'avais longtemps imaginé, enfant, qu'il s'agissait des flammes de l'enfer. Lui seul détenait la clé de cet antre où il ne travaillait pas, préférant s'asseoir derrière une petite table face à la mer quand le temps le permettait ou dans le bureau contigu à sa chambre. Il ne se cachait pas pour écrire, mais il en dissimulait le produit à la curiosité de son entourage. L'association de deux abréviations, Mary M. et G., n'aurait pas suffi seule à me mettre sur la piste de Mary Meyer si certaines de ses notes n'avaient pas fait référence au pouvoir du LSD, cet acide dont les effets sur le psychisme occupaient nombre de chercheurs à l'époque. Certains y voyaient un moyen de se libérer, d'autres un moyen de contrôle sur autrui. Si on se souvient que le LSD allait quelques années plus tard devenir la drogue de la contre-culture, le moyen pour une génération de franchir des barrières construites par celles qui l'avaient précédée, on sait moins que de nombreux travaux ont été lancés par la CIA bien avant cela pour savoir comment cette drogue pourrait s'insérer dans son arsenal de moyens pour prendre le contrôle de ses ennemis. Ces recherches s'inscrivaient dans un programme plus large de contrôle mental qui incluait toutes les techniques de prise de possession d'un esprit humain pour le manipuler dans la direction voulue par l'agence. La CIA ne voulait pas se priver de savoir si l'État dont elle se considérait le plus loyal représentant ne pouvait pas tout simplement asservir l'esprit de ses contemporains en les forçant à penser d'une certaine façon, en brisant ses résistances et son esprit critique. Ces recherches allaient jusqu'à conduire quelqu'un à changer radicalement d'opinion, et je sus que toutes les techniques d'influence sur le comportement des individus étaient testées sur des êtres vivants, le plus souvent à leurs dépens. Le recours aux médicaments comme aux électrodes conduisait à anéantir les facultés sensorielles des cobayes, à détruire leur mémoire en vue de la reconstruire. Les moyens alloués conduisirent à des résultats probants dans des hôpitaux où des malades se retrouvaient contre leur gré avec une personnalité nouvelle et soumise. Il a été longtemps délicat de rappeler que cette entreprise était dans le droit-fil de celle conduite par les nazis concernant l'eugénisme. Ces travaux sur l'asservissement des populations étaient menés principalement hors des frontières des États-Unis où ils étaient illégaux, ce que la CIA a été obligée de reconnaître à l'issue d'un procès victorieux intenté par une victime canadienne à la fin des années quatre-vingt. Mais du programme dans son ensemble, mené par le docteur Gottlieb à la CIA, il ne reste rien. Toute trace en a été effacée à la demande de son directeur de l'époque, Richard Bissell, qui prétexta un incendie pour justifier de ne rien produire devant une commission sénatoriale qui l'avait sommé de s'expliquer. Parmi les nations se livrant à des recherches et à des expérimentations sur le sujet, je découvris que le Canada figurait en première place, pour des raisons évidentes de proximité. Venait ensuite la vieille Angleterre. Au Canada, je recensai trois sites d'études et d'expérimentations dont on venait de reconnaître qu'ils avaient été financés par la CIA. On parlait de Montréal, Winnipeg et Vancouver.

Mary Meyer croyait au contraire que l'acide, le LSD, était

un moyen de libérer l'humanité du mal qui la rongeait et qui allait un jour ou l'autre la conduire à s'anéantir, à s'éjecter de cette sphère où elle était l'aboutissement provisoire de cet improbable phénomène qu'est la vie. Elle avait tissé des liens étroits sur le sujet avec un universitaire de Harvard du nom de Timothy Leary, qui allait devenir quelques années plus tard un des papes de la contre-culture. Leary avait bien connu le mari de Meyer, lui-même acquis aux idées libérales avant que la CIA ne l'embrigade via son sergent recruteur le plus habile, James Angleton, le même James Angleton que la famille de Mary retrouvera au domicile de celle-ci dans les heures suivant sa mort, à la recherche de son journal.

Mary était divorcée de Meyer depuis qu'un drame les avait séparés. Un de leurs enfants avait été écrasé par une voiture dans la rue et la douleur n'était pas parvenue à les conserver unis. Au contraire, elle les avait irrémédiablement éloignés, précipitant Meyer dans la solitude des services secrets alors que Mary cherchait une nouvelle voie pour survivre à son malheur. Cette nouvelle voie passait par des expériences psychédéliques qu'elle ne faisait pas mystère de partager avec « un des plus hauts personnages de la Maison-Blanche ». Il arrivait à Mary et à Jack de passer des heures enfermés ensemble à fumer de l'herbe et à se livrer à des expériences ponctuelles avec de l'acide, pendant lesquelles Jack perdait tout sauf son sens de l'humour : « Si Khrouchtchev décide de déclarer la guerre maintenant, l'Amérique sera vraiment mal. »

La relation de mon père à Mary Meyer me fut confirmée par les justificatifs de plusieurs voyages qu'il fit en 1963 pour Washington et Georgetown et par la découverte de deux lettres de cette dernière adressées à son bureau de Vancouver. La première de ces lettres était plutôt évasive sur leurs relations, la seconde montrait clairement que Mary suivait une thérapie épisodique avec mon père. Ma petite histoire entrait dans la grande. Le fait était déjà assez extraordinaire pour être souligné. Mais il se trouvait en plus que cette grande histoire était le sujet de mes études. Une telle convergence était presque irréelle. Les deux enquêtes se rejoignaient irrésistiblement pour ne former désormais qu'une seule toile où les recherches s'imbriquaient tel le mariage contre nature de l'objectivité et de la subjectivité. On m'avait déjà reproché à l'intérieur de l'université de conduire mes travaux sans rigueur. Je reconnaissais volontiers faire une plus grande confiance à mon intuition qu'à mes capacités déductives, probablement parce que mon esprit était construit de la sorte. Le chemin qui mène à la vérité n'est pas unique, et rares étaient les universitaires de mon époque qui en acceptaient l'augure. En fait, une curieuse prémonition m'avait amené à penser, quelque part dans un coin de mon esprit, que la mort de mes deux parents était liée à celle des Kennedy. Cette prémonition, que l'on pourrait tout aussi bien considérer comme une illumination, datait de mon adolescence, et c'est elle qui m'avait orienté vers des études d'histoire contemporaine où je m'étais spécialisé dans « la passion Kennedy », titre de mes travaux. « Passion » s'entendait comme le martyre des deux frères. Les deux enquêtes, telles deux droites non parallèles en géométrie, étaient vouées à se rejoindre, à un moment ou à un autre, et Marie Meyer était le point où elles se croisaient. Une femme, séduisante à l'extrême, endeuillée, fragilisée par des convictions en avance sur son époque, avait permis à mon père de s'approcher de JFK au plus près, dans une intimité que Kennedy ne soupçonnait pas.

Une profonde réflexion sur cette rencontre inattendue m'a conduit à imaginer que le MI6 l'avait envoyé explorer cette relation entre le premier homme du monde et la première dame de son cœur et évaluer les dangers mais aussi les opportunités qui pouvaient en résulter. Kennedy était clairement sous l'influence de Mary Meyer. Mais jusqu'à quel point ? Et Mary était largement acquise aux idées libérales que la CIA et Hoover dans leur volonté simplificatrice avaient placées sous le signe de la subversion. Il arrivait à Mary de se confier sur les expériences qu'elle menait avec le président « pour se préparer à un monde meilleur, où par la méditation et l'utilisation de psychotropes l'homme pourrait s'abstraire définitivement de ses mauvais instincts et envisager alors un monde durablement pacifique ».

Mais quelque chose dans les dates ne fonctionnait pas pour relier complètement Mary M. à la mort de mon père. Quatre années avaient passé entre leurs deux disparitions. Mon père avait-il reçu pour mission de s'immiscer dans la relation entre la jeune femme et le président ? L'avait-on dépêché pour mesurer l'emprise que la progressiste maîtresse du président exerçait sur lui ? L'avoir tué ensuite pour effacer les preuves de son intervention relevait de pratiques courantes des services qui s'appliquaient à restreindre, une fois terminées, le nombre des témoins de leurs opérations noires, mais près de cinq ans après, cette hypothèse ne tenait pas. Que la CIA se soit intéressée au couple, les faits sont établis. Je savais que James Angleton avait recruté Meyer, son ancien mari. Meyer ne s'était pas contenté de changer, il s'était renié par une révolution complète qui l'avait selon elle précipité de la lumière dans les ténèbres. Retrouver le recruteur de son mari chez elle, le lendemain de sa mort, fouillant ses affaires, n'est pas une coïncidence. Celui qui en témoigne n'est pas n'importe qui. Il s'agit de Ben Bradlee, son beau-frère, le directeur de la rédaction du *Washington Post*, ce journal qui quelques années plus tard révélera les dessous de l'affaire du Watergate, obligeant Nixon à la démission.

Les lettres retrouvées chez mon père démontraient qu'il avait pris l'initiative d'entrer en contact avec Mary M. L'une d'entre elles émanait d'un certain W. H., signée de ses seules initiales, lui indiquant qu'il s'était occupé de créer un lien avec Timothy Leary et que ce lien dont il se gardait de révéler l'identité était chargé de convaincre Leary de suggérer à Mary M. de recourir aux conseils de mon père, présenté comme un grand spécialiste de l'élargissement du champ de conscience, capable de conjuguer les effets de l'hypnose et du LSD. Il convient de souligner qu'au même moment la CIA coordonnait et finançait des travaux apparemment inverses menés dans des centres universitaires et hospitaliers sur la prise de contrôle mentale des individus et par là des masses. Avec des techniques semblables, des libéraux et de sombres ennemis de la liberté poursuivaient ainsi des objectifs diamétralement opposés. W. H. suggérait à mon père de détruire sa lettre après l'avoir lue.

L'archiviste scrupuleux que j'étais fit la découverte d'une seconde lettre dont je vous livre intégralement la teneur. Elle émanait du même W. H. et aucune formule de politesse n'y figurait. Un certain empressement semblait l'avoir dictée.

« La contrepartie de la transaction est en cours d'aboutissement. J.E.H. avant de vous faire interdire sur le territoire américain vous a fait surveiller à chacune de vos venues aux États-Unis. C'est votre passé de communiste qui a déclenché l'enquête de ses services. Je ne sais pas comment il a été informé de votre implication dans la résistance communiste. Je vais enquêter de mon côté. Godlove, qui entretient apparemment de bons rapports avec lui, l'a convaincu de laisser tomber, au regard des services que vous vous apprêtez à rendre à leur maison. Le vieux n'était pas complètement convaincu mais il a finalement accepté. Vous pouvez donc circuler de nouveau librement. Par ailleurs, je crois comprendre que Mary M. devrait vous contacter sous peu. Mêmes dispositions pour cette lettre que pour les précédentes. »

Il ne restait donc que deux lettres d'un courrier apparemment plus abondant. Mon père avait suivi les consignes de destruction avant de se raviser, comme s'il avait voulu conserver une trace de ces échanges, au cas où. Il n'était évidemment pas très compliqué pour moi de comprendre dans l'instant que J.E.H. étaient les initiales de John Edgar Hoover.

Cette lettre, je me souviens de l'avoir lue tard dans la nuit, comme l'aboutissement des recherches d'une journée particulière. Je l'ai lue une seconde fois avant de m'endormir dans le grand canapé design que mes parents s'étaient offert pour un anniversaire de mariage. Au réveil, l'énigme était résolue. Mon inconscient avait profité de mon sommeil pour démêler les fils embrouillés par la fatigue, et la solution m'avait été apportée sur un plateau.

La lumière se réfléchissait sur la petite baie qui s'ouvrait timidement devant la maison. Un écureuil au pelage gris me regardait de ses yeux ronds, dérangé dans ses mouvements saccadés par une forme humaine. Rassuré, il reprit le cours de ses occupations dictées par ses instincts. Je fus attiré dehors par un appel fraternel de la nature. Après avoir fait du café et pris du pain et de la confiture, je m'installai, à même le sol, sur un tapis d'aiguilles de pin qui parfumait l'atmosphère autour de moi. Un rapace se stabilisait avec de brusques coups d'ailes, et le regarder fixement finit par me donner l'impression que la terre tournait autour de lui. Il décida subitement de plonger assez près du rivage et je le vis repartir à grands coups d'ailes vers l'intérieur, une modeste proie entre ses serres.

W. H. se demandait dans la lettre qui avait pu divulguer le passé communiste de mon père, prétexte pour Hoover de lui interdire un moment les États-Unis. C'est la réponse à cette question qui était subitement devenue triviale. À l'évidence, W. H. n'avait pas besoin de mener d'enquête puisqu'il avait lui-même transmis ces informations au FBI. Il en avait résulté sur une courte période des dommages financiers considérables pour mon père, privé de conférences et de consultations grassement payées de l'autre côté de la frontière. Un rapide aperçu de sa comptabilité, classée dans ce même local, faisait état que près de 55 % de ses revenus provenaient d'une vingtaine de clients fortunés répartis entre la côte Est et la côte Ouest. C'est dire l'importance qu'il attachait à circuler librement entre les deux pays. Je ne me souvenais pas qu'il ait jamais mentionné cette interdiction, levée, on l'a compris, en contrepartie d'une mission spéciale auprès de la maîtresse du président.

La situation montrait une grande similarité avec les circonstances qui avaient conduit ma famille paternelle à quitter la France. Un piège s'était refermé sur lui avant que les services n'interviennent pour l'en délivrer. Les mêmes services, si j'en jugeais par les initiales de l'auteur de la lettre qui n'étaient pas celles d'un Américain. Les Américains intercalent systématiquement une troisième lettre entre le prénom et le nom.

La fidélité de mon père à son service n'était pas en cause. Informer le FBI sur ses antécédents communistes, pour ensuite le libérer de son étreinte, ne relevait pas d'une volonté de se l'attacher, ce qui était fait depuis longtemps, mais d'établir sa gratitude à l'égard de ce personnage mystérieux que W. H. nommait Godlove.

« Vas-y, mets-toi en phase, décroche! » était le slogan qui a fait le tour de la beat generation. Son créateur? Un professeur de psychologie et de neuropsychologie à l'université Harvard qui mène des recherches dans un premier temps sur les effets des champignons hallucinogènes avant de se concentrer sur les effets du LSD. Timothy Leary est un catholique irlandais d'origine, au passé sentimental douloureux puisque sa première femme s'est suicidée. Ce drame coïncide apparemment avec l'éclosion des idées libérales qui feront de lui l'icône du mouvement hippie, l'inspirateur de la révolution psychédélique. Le pop art s'est largement inspiré de ses préceptes, et si une génération a vu le monde au travers d'un kaléidoscope, elle le lui doit largement. Ce chantre de la liberté de conscience et de son expansion par l'utilisation de moyens hallucinogènes comme le LSD, clé chimique destinée à libérer le système nerveux de ses contraintes sociales et psychologiques, a inspiré les expériences des groupes qui ont révolutionné la musique au début des années soixante. Parmi eux, les Beatles, les Rolling Stones, les Moody blues, les Who, Grateful Dead, Tool, sans oublier Jimi Hendrix dont le « Jimi Hendrix experience » de 1967 s'inspire de l'expérience psychédélique, prônée par le gourou de la contre-culture, d'un voyage astral hors du corps. Leary affirme que l'utilisation du LSD à des doses appropriées provoque une considérable extension du champ de conscience de l'individu. Il s'inspire en particulier des rites aztèques pour faire partager ses expériences à ses élèves ou à des prisonniers de Concord dont il espère empêcher la récidive en leur proposant de nouvelles perspectives. Le LSD, acide lysergique dérivé de l'ergot de seigle, n'est pas une nouveauté. Albert Hofmann a découvert en 1938 ses propriétés cosmiques qui dépassent celles de toutes les autres drogues. Cette incitation de la jeunesse de Harvard à des expériences hors du champ de ses valeurs traditionnelles vaut à Leary d'être renvoyé de la prestigieuse université où il a sévi de 1959 à 1963. Mais la révolution psychédélique est en marche pour une période dense mais courte qui verra l'effondrement du mouvement à peine dix ans plus tard.

Que Mary M. se soit entichée de Leary n'a rien d'étonnant pour cette femme qui développait son anticonformisme au moment où son mari au contraire entrait en fusion avec le monde invisible. De longs mois et de nombreux entretiens avec des chercheurs travaillant sur la question m'ont été nécessaires pour comprendre que Timothy Leary était sous la discrète influence de la CIA. Je l'ai dit précédemment, la CIA et Leary travaillaient, chacun de leur côté, sur le même produit, le LSD, avec des objectifs contradictoires, du moins en apparence. Leary voulait libérer l'humanité. La CIA, de son côté, avait offert une manne considérable à des universitaires et à des chercheurs en psychiatrie pour prendre le contrôle des individus sans violence, sans intervention militaire.

Parmi les chercheurs de différentes universités américaines que j'ai consultés à l'époque, l'un d'entre eux a été plus loin, suggérant que la révolution psychédélique, le mouvement hippie et la contre-culture des années soixante ont été volontairement favorisés par la CIA. Celle-ci voyait deux avantages à cet élan : il était non violent, au contraire de mouvements radicaux comme celui des Black Panthers, et il y avait fort à parier que cette contestation s'autodétruirait naturellement sous l'effet de la drogue. Mon interlocuteur, dont on comprendra que je taise le nom, allait même plus loin. Il considérait que la CIA avait favorisé la diffusion du LSD pour « déporter » les contestataires dans des sphères astrales inoffensives au moment où tout indiquait que des révoltes politiques et raciales se fomentaient à la suite de l'escalade au Vietnam et de la violence de l'apartheid dans le Sud. De fait, la contre-culture n'a pas tenu ses promesses et l'on a vu ce mouvement pacifiste progressivement s'éteindre, sans avoir jamais vraiment gêné les promoteurs du conflit vietnamien, sans avoir changé la société, ni rien de son orientation productiviste obsessionnelle qui était à la base du mouvement d'opposition pacifique. Les gens comme Leary n'auront au final accouché que d'une bulle portée par un vent de contestation parfaitement contrôlé par la CIA qui a su y mettre fin quand il n'était plus temps de remplacer la couronne d'épines par des couronnes de fleurs. Selon mon interlocuteur, il en restait la révolution sexuelle qui s'est fracassée contre le mur du sida au début des années quatre-vingt avant de rebondir sous la forme d'un marché universel, celui de la pornographie, dont le chiffre d'affaires mondial talonne celui de l'aéronautique.

Dans mes cours à l'université, j'appelais ce mouvement celui « du retour au texte », quand une jeunesse apparemment désorientée avait voulu revenir au texte tel qu'il était dans la Bible et non tel qu'il avait été confisqué par ceux qui avaient introduit Dieu dans la constitution et dans chacune de leurs phrases, pour en faire l'otage complice de leurs exactions. La communauté, le partage, le retour à la nature en étaient les idées saines, mais dévoyées par l'extravagance des gourous de l'expérience qui portaient en eux les gènes de sa destruction, et c'est pourquoi je ne fus pas surpris lorsqu'un de mes collègues de Berkeley me suggéra que la CIA guidait Leary. Interrogé sur le sujet peu avant sa mort,

Leary n'a jamais démenti ses relations avec la CIA, et nombre de ses comportements montrent qu'il était sous contrôle.

N'empêche que le personnage devait avoir quelque chose de fascinant, et pour une femme qui voulait changer le monde, sa fréquentation devait être excitante. Leary, tout infiltré qu'il était, manquait certainement de fiabilité pour les services, et introduire mon père dans la relation triangulaire entre Leary, Mary et Kennedy répondait à une logique évidente du point de vue d'un service secret. La CIA n'avait pas voulu intervenir directement pour ne pas être suspectée d'espionner le président avec lequel ses relations étaient pour le moins compliquées. Recourir à un agent des services britanniques sous contrôle pour mener cette mission prenait tout son sens. Mais je ne sus jamais dans quel sens mon père avait influé.

Edmond était d'accord avec moi pour reconnaître que sa mort violente cinq ans après ne pouvait pas être directement reliée à cette mission, sauf si mon père s'était décidé à faire des révélations compromettantes. Une bonne cinquantaine de témoins oculaires ou autres, liés à l'assassinat de JFK, ont été retrouvés morts d'un arrêt cardiaque ou suicidés ou victimes de mystérieux accidents quelques jours avant leur interrogatoire par une autorité liée à une enquête. Mais mon père n'était sous le coup d'aucune demande de témoignage sous serment ou même de la simple curiosité d'un enquêteur. Je ne sais pas non plus si sa mission l'a conduit à rencontrer directement le président. Je me suis souvent demandé si la CIA, via le MI6, et via mon père, n'avait pas cherché à convaincre le président d'essayer l'hypnose pour atténuer ses douleurs, occasion à n'en pas douter de manipuler des décisions d'importance. Il était concevable que Mary M. ait été la porte d'entrée de mon père auprès du premier personnage du monde.

Une autre hypothèse mérite qu'on s'y attarde. La complicité intellectuelle qui le liait à Mary l'avait forcément poussé à déverser au cours de leur relation des tombereaux de secrets comme il l'avait fait précédemment avec Marilyn Monroe. Dotée d'une intelligence incomparable, derrière le comportement de petite fille dont elle s'affligeait, Marilyn n'avait pas été digne d'une grande confiance. Elle l'avait d'ailleurs montré après leur rupture en menaçant de diffuser le contenu de ses carnets intimes. Un épisode qui avait mis la CIA en risque maximal, tout autant que le président. La CIA pensait immanquablement que Mary M. savait tout et de la présidence de Kennedy et de l'homme.

Prendre son contrôle par l'hypnose était une façon de récupérer les informations qu'elle détenait tout autant que de prendre le contrôle de la favorite. La CIA avait-elle pensé pouvoir faire de Mary son bras armé contre Kennedy? Pour aussi complotiste que puisse paraître la question, elle est loin d'être insensée dans le contexte de l'époque, qui n'a pas vraiment changé depuis, il faut bien l'avouer. Ou alors, autre hypothèse en accord avec la paranoïa habituelle des services secrets, peut-être la CIA a-t-elle craint que Mary Meyer ne soit elle-même le bras armé des Rouges, ses idées la prédisposant, selon leur grille de lecture des individus, à être sous influence communiste. Il faut souligner à quel point il était difficile à l'époque, pour un analyste de la CIA, de faire la différence entre les communistes et de simples citoyens à la recherche d'une solution de rechange morale et spirituelle au système dans lequel ils vivaient. Pour la CIA, toute contestation de l'ordre établi relevait de la subversion, prélude au collectivisme centralisateur qui, il faut le reconnaître, donnait une bien piètre idée de ce que l'homme était capable d'organiser pour renverser le capitalisme.

Au moment où j'écris ces lignes, rien n'a conduit à la résolution de l'énigme du meurtre de Mary Meyer, un après-midi d'octobre 1964, alors qu'elle marchait pensivement le long du vieux Chesapeake et de l'Ohio Canal à Georgetown. Elle est morte de deux coups de feu, l'un dans le cœur, l'autre dans la tête. Un auteur présumé a été identifié, puis relâché après avoir été complètement disculpé. Je m'étais persuadé que mon père avait laissé un témoignage sur sa rencontre avec cette femme. J'ai ainsi fouillé les recoins les plus secrets de la maison à la recherche d'un carnet qui aurait pu retracer son histoire avec la favorite de Jack, mais sans résultat.

Son meurtre a excité bien des curiosités, comme tous ceux qui se sont produits dans ces années-là, mais aucun enquêteur sérieux n'a fourni une thèse précise et crédible des raisons de son assassinat, onze mois après celui de son amant.

Est-ce cette impasse, dans laquelle je me trouvais alors, qui m'a poussé à déménager dans une autre impasse où j'ai acheté un ancien garage de plusieurs centaines de mètres carrés? Je l'ai meublé d'un lit, d'une table d'architecte, de deux chaises et d'un vieux canapé en cuir brun. Mes livres et mes disques vinyles s'entassaient en piles. Je n'ai jamais aimé les objets, et je leur prête des intentions maléfiques. Ainsi écartés de mon intérieur, ils laissaient la place à la résonance de mes seuls mouvements. J'ai rapatrié dans cet espace la plus grande partie des documents laissés par mon père. Certaines de ses réflexions étaient consignées à la machine à écrire, d'autres rédigées à la main, et aucune règle ne semblait dicter cette répartition. Dans un cahier comme en noircissent les écoliers, il parlait du communisme et des raisons de son engagement qui n'avaient rien d'idéologique. L'invasion de l'URSS par les nazis l'avait convaincu de rejoindre la clandestinité en 1941, clandestinité pour laquelle il ne s'était pas senti prédestiné jusque-là. Ses amis l'avaient entraîné dans la résistance communiste mais il était loin d'être endoctriné même s'il adhérait à une forme de fraternité de terrain qui disparaissait dès qu'il s'agissait de pouvoir. À le lire, je crois qu'il était opposé à tout ce qui enferme un individu et le prédestine à n'être que le résultat d'un conditionnement social et psychologique. Son appartenance à un réseau de résistance communiste, dont il était devenu rapidement le chef, ne l'a jamais conduit à adhérer au parti, dont il s'est détourné résolument dès qu'il a compris qu'une confiscation du pouvoir sans précédent s'abattait sur l'Europe rouge, prétexte à une persécution tragique qui ruinait à jamais tous ceux qui prétendaient qu'un renversement du capitalisme se développait pour le bien du plus grand nombre. Les textes réapparus montraient que sa fidélité allait à quelques hommes qui, sortis du contexte d'une promesse dévoyée, valaient la peine. Pour cette raison, il avait continué en pleine guerre froide à fréquenter le parti. Mais à l'époque où la déjà suspecte dictature du prolétariat s'était révélée n'être que la tyrannie d'une caste de psychopathes paranoïaques et pervers, mon père avait quitté l'Europe pour le Canada.

Ses notes ressemblaient à un journal de réflexions éparses guidées par la nécessité de consigner ses idées avant qu'elles ne lui échappent. Sans être marxiste, il pensait que la clé de l'équilibre social était dans la répartition et que le rôle de la civilisation était d'atténuer le plus possible les instincts reptiliens de l'être humain qui débouchaient majoritairement sur l'égoïsme et la cupidité. Et, pour ce faire, il fallait que l'homme soit capable de se connaître comme l'avait dit Socrate, sauf qu'à l'époque il n'en avait pas les moyens. La connaissance de

ses « propres verrous intérieurs » ne suffisait pas à en débarrasser l'individu. La psychanalyse lui paraissait un chemin trop
long et trop fastidieux pour atteindre des résultats satisfaisants
à l'échelle d'une vie entravée par une complexion psychologique défavorable, d'où son intérêt pour l'hypnose dont il pensait qu'elle pouvait faire circuler ces blocages à l'intérieur du
cerveau en les faisant changer d'hémisphère pour en atténuer
les dommages. Ce passage vers le rationnel était le premier
stade de sa thérapie. Une fois cette étape accomplie, il travaillait sur l'expulsion pure et simple des névroses du cortex cérébral. Il avait ainsi élaboré une méthodologie en trois temps, le
premier étant celui du diagnostic, qui selon lui ne nécessitait
pas plus de quelques semaines contrairement aux fastidieuses
psychanalyses dont il ne remettait pas en cause le principe
mais plutôt l'efficacité. Ses développements sur l'auto-hypnose
s'ajoutaient au corps de ses travaux. Selon lui, cette technique
permettait de sortir de soi-même et de se placer dans une extériorité propice à contempler ses propres dysfonctionnements
pour élargir la conscience de soi obstruée par la construction
psychologique. L'auto-hypnose bien maîtrisée conduisait l'individu sur les chemins de la méditation. Son stade ultime le
portait à une lévitation qui selon lui devait défier les lois de la
gravité ou a minima donner le sentiment de les avoir défiées.
De nombreuses notes montraient que sa théorie s'appuyait
aussi sur des idées libérales : « La question n'est pas de ramener l'individu dans le champ de la norme sociale. Pour peu
qu'il ne soit pas dans la transgression de règles fondamentales
(le meurtre ou l'abus sexuel par exemple), je considère l'individu libre d'accepter ce qu'il est, plutôt que de se conformer à
la norme. Plusieurs patients homosexuels m'ont demandé de
les débarrasser de ce qu'ils considéraient eux-mêmes comme

une déviance coupable. Je leur ai expliqué que l'homosexualité avait été placée par les gardiens de la morale commune
à un niveau aussi répréhensible que les idées marxistes, mais
que cette considération relevait d'un tabou aussi tenace que
le porc dans certaines religions. Dès l'instant où ils ne souf-
fraient pas de leur homosexualité autrement que pour des raisons de réprobation sociale, je leur conseillais de la vivre le
plus librement possible. L'un d'eux s'est suicidé. Le jour de
sa mort, il m'a envoyé un courrier me reprochant de ne pas
avoir voulu le soigner de cette perversion dont l'avait affligé la
nature. J'en ai été profondément marqué, mais cette tragédie
ne m'a pas fait fléchir dans ma détermination à ne pas soigner
l'homosexualité. Le cas s'est représenté à la fin des années cinquante quand une très riche New-Yorkaise m'a fait part de ses
craintes concernant d'éventuelles déviances sexuelles d'un de
ses fils "promis à un brillant avenir hypothéqué par un aspect
et des comportements 'féminins'". Cette femme autoritaire
avait opéré son propre diagnostic. Pour elle, son fils souffrait
probablement d'un déficit hormonal et d'un déséquilibre psychique qu'elle me proposait de soigner moyennant une somme
considérable. J'ai refusé en lui expliquant sans prononcer le
mot honni que son fils ne souffrait d'aucune névrose mais qu'il
appartenait seulement à une communauté d'individus dont
l'objet sexuel n'était pas obligatoirement le sexe opposé. Je lui
expliquai aussi que les souffrances auxquelles elle se référait
ne tenaient pas à son état mais à la perception de celui-ci par
la société et à l'image profondément blessante que celle-ci lui
renvoyait. »

Il consignait tous les cas intéressants rencontrés dans ses
consultations et tenait une comptabilité précise des résultats
qu'il obtenait où s'ajoutait, pour les échecs, une brève analyse

des causes de ceux-ci. Mais il parvenait à des résultats positifs sur plus de 80 % de ses patients dont il gardait les lettres de remerciements comme autant de trophées de sa réussite.

Un dossier épais entassait des revues professionnelles déjà jaunies où des articles consacraient ses mérites. On parlait de lui dans tous les bulletins de sociétés de psychiatrie aussi bien au Canada, en Grande-Bretagne qu'aux États-Unis, et l'intérêt de la CIA pour ses travaux a certainement été aiguisé par ces publications unanimes sur ses résultats en matière d'hypnose. D'autres psychiatres réputés se sont intéressés à son travail, et il a consigné dans ses cahiers plusieurs de ses entretiens avec d'éminents collègues. C'est en lisant ces entretiens qu'indirectement j'ai retrouvé la trace du mystérieux Godlove.

19

Ce jour du 2 mars 1967, Bobby s'est levé à 3 h 30 pour rédiger un discours essentiel de sa carrière au Sénat. Au petit matin, malgré le froid, il a baissé la capote de son cabriolet pour rouler tête nue à plus de 130 sur les petites routes qui conduisent à Washington. Cette façon puérile qu'il a de se mettre en danger comme un héros de bande dessinée ne le dérange pas. Dans les moments où il va mal, où la dépression règne en maître sur lui, la vie ne vaut rien. La risquer lui donne une tout autre perspective, celle d'un joueur excité par la part d'aléa qu'il concède à la Providence. « Que celui qui ose prenne ma malheureuse existence. » « Seule la mort donne son vrai sens à la vie ! » Ces slogans creux traversent son esprit affaibli depuis un peu plus de deux ans, un temps impuissant à atténuer son deuil, sans cesse relancé par sa culpabilité. Un activisme rageur succède à l'accablement, et ainsi de suite. Une autre version du mythe de Sisyphe. Son discours sur la guerre du Vietnam est dans la grande tradition pacifiste et réaliste des Kennedy. Il y ajoute une autre spécificité, rare dans le monde politique, celle de reconnaître ses erreurs, d'avouer n'avoir pas su, comme son frère, éviter l'escalade, convaincus qu'ils étaient tous les deux au début de ce conflit que céder n'aurait fait qu'encourager la contagion du basculement de l'Asie du Sud-Est dans le communisme. Il croit à la paix, Hanoï se dit prêt à négocier, il exhorte l'administration à s'y atteler.

Il s'en est bien sorti, du moins est-ce le sentiment qu'il a, en plus d'avoir retrouvé une ferveur oubliée. Jack avait fait de ses discours des moments de sincérité qui touchaient au plus profond ses auditeurs. Il leur donnait une dimension rarement atteinte dans l'expression politique où ses dires sonnaient vrais. L'intelligence, l'humanité ne cédaient jamais à la volonté de convaincre, et ceux qui recevaient ses mots s'en trouvaient gratifiés autant que celui qui les prononçait. Bobby n'a pas la présence de son frère, ni son assurance, ni sa décontraction, et il est encore loin d'atteindre son charisme. Mais il peut y arriver si la force, la constance de la détermination lui reviennent. Il craint forcément ces oscillations de sa volonté. Après ce discours devant la représentation de l'Union, il reprend confiance, même si celle-ci reste fragile. Le lendemain, alors qu'il en est encore à mesurer sa timide satisfaction, il est frappé de plein fouet par un article assassin. Rien n'aurait pu le blesser plus que l'éditorial de Drew Pearson qui dénonce la responsabilité de Bobby dans la mort de son frère. Il s'attendait à tout sauf à voir une vérité aussi forte lui être assénée en pleine lumière. Cette vérité, il vit avec elle depuis des années, dans une proximité épuisante, s'en accommode quand il peut, passe des heures à essayer de l'apprivoiser jusqu'à ce qu'elle revienne le frapper, plus sauvage que jamais. Mais l'entendre d'un autre, plaquée sur une colonne d'un journal lu par des milliers d'Américains, le dévaste. L'article de Pearson est sans doute l'attaque la plus vicieuse à laquelle il ait jamais été confronté. Certainement fomentée par le Richard III de la Maison-Blanche, Johnson, qui n'a pas supporté le discours pacifiste de Bobby devant le Sénat. Non content de relancer les bombardements au Vietnam, il fait ainsi courir une rumeur qui dépasse les conclusions du rapport Warren. La conspiration organisée par Bobby contre Castro aurait déclenché la fureur du dictateur cubain, faisant d'Oswald le bras armé des représailles. Une façon de désigner tout à la fois un commanditaire crédible, Castro, dont on sait très bien qu'il n'a jamais eu l'intention de tuer Kennedy, et un responsable ultime, Robert, l'homme qui a multiplié les complots contre le dictateur cubain jusqu'à l'indisposer. Interrogé pour confirmer ce point, le directeur de la CIA, Richard Helms, reste laconique de peur que l'attaque contre Bobby ne se retourne contre son institution. Il infirme calmement que le temps des Kennedy ait été celui de complots répétés contre Castro. Cette contre-vérité garde tout de même de l'intérêt à ses yeux puisqu'elle déplace l'opinion sur l'autre extrémité du spectre des hypothèses. Le délateur se saisit d'une part de vérité, la responsabilité de Bobby dans la mort de son frère, pour prêcher le faux, la vengeance de Castro. Le mensonge fait son œuvre, insidieusement. Bobby ne s'attendait pas à voir proférer en public des accusations qu'il se murmurait à lui-même, dans l'intimité de son chagrin.

À La Nouvelle-Orléans, un magistrat s'est saisi d'une enquête sur l'assassinat de JFK. Bobby y envoie ses observateurs. Les premiers rapports qu'il reçoit sur le procureur Garrison ne sont pas très élogieux. L'homme serait au service de lui-même plutôt que de la vérité. Bobby reste méfiant sur ses accusations, mais la mort de David Ferrie, un témoin clé mort la veille de son renvoi devant la cour, attire son attention. L'ancien pilote commercial, renvoyé de sa compagnie pour homosexualité, s'est activé ensuite dans les milieux d'extrême droite et parmi les anticastristes, allant jusqu'à prendre part à des opérations spéciales.

Arrêté la veille de la tragédie de Dallas sur la route de la capitale texane, sa voiture remplie d'armes, il se serait justifié en assurant qu'il projetait d'aller chasser l'oie. Ferrie a été retrouvé mort chez lui, d'une embolie, son appartement fouillé de fond en comble par des agents du FBI aperçus en sortir. Chaque fois qu'un témoin est sur le point d'éclairer le rôle des anticastristes dans la conspiration, il s'éteint dans des conditions discutables qui ne sont d'ailleurs jamais discutées.

Bobby, « cerveau » de la conspiration contre Castro, châtié en retour par l'assassinat de l'homme qui lui était le plus cher, qu'il a conduit à la mort par son acharnement et son aveuglement, les journaux en sont inondés. En attendant le reflux.

Mais le 1er mars 1967, la veille de son discours au Sénat, Jimmy Hoffa, débouté en appel, est enfin condamné pour corruption par un jury du Tennessee. Hoffa sombre dans la haine obsédante de Bobby. C'est lui qui, par son acharnement, a initié ce qui se conclut, aujourd'hui, dix ans plus tard, par une longue peine derrière les barreaux. Il fulmine, mais moins que son partenaire le plus intime, le chef du syndicat des camionneurs de Porto Rico, Frank Chavez, qui arme un commando et prend l'avion pour Washington avec l'idée de punir « Bobby, fils de pute » une bonne fois pour toutes. Une écoute incidente du FBI met Hoover en alerte. De la même voix neutre dont il a usé pour avertir Bobby que le président avait été assassiné, Hoover l'informe que des individus peu recommandables et lourdement armés se dirigeraient vers lui. Il informe mais ne fait rien pour contrarier leur avancée. L'imminence de la menace oblige Bobby à protéger sa famille. Il recrute des gardes du corps et fait entourer la résidence familiale de Hickory Hill par des hommes en armes. C'est Hoffa lui-même qui arrête l'expédition. Son sang-froid retrouvé, il a réalisé que la mort du deuxième frère Kennedy quelques jours après sa condamnation le désignerait de fait comme le commanditaire. Il annule l'ordre d'exécution. Mais Bobby n'a pas tremblé, car si la mort serait la fin de ses entreprises, elle aurait aussi des reflets apaisants pour cette personnalité qui voit dans la Faucheuse un juge de paix souverain à apprécier la réussite ou l'échec d'une vie.

Rassuré après son discours sur sa capacité à rallumer la flamme Kennedy, Bobby constate effaré que celui-ci n'a eu qu'un seul effet, l'intensification des bombardements. Des milliers d'hommes, de femmes, d'enfants sont morts parce que Johnson a voulu répondre à ce discours pacifique en balançant encore plus de napalm sur les « Jaunes ». Les humains, les campagnes et les rizières sont fondus dans le même feu. Johnson sait que Bobby, sous ses airs de terrier hargneux, a une profonde empathie pour la douleur, qu'il a développé dans le sillage de son deuil une aptitude particulière à se culpabiliser du malheur des autres. Johnson en profite pour en rajouter et intensifier l'horreur dans cette péninsule dont on se souvient comme d'un paradis, avant que la colonisation ne vienne la déséquilibrer jusqu'à la précipiter dans l'anéantissement. Le Vietcong se meurt de ce que Johnson n'a pas pu déverser directement sur Bobby. Ce dernier est le seul des Kennedy à ne pas avoir été coupé de ses propres émotions par son éducation et, même teintées de romantisme, sa sensibilité pas plus que son empathie ne sont feintes. Qu'une génération entière repasse au tamis d'une guerre dont le sens s'est évaporé dans la systématisation de l'horreur l'affecte profondément. Il en va tout autant de sa rencontre avec les enfants hagards auxquels il rend visite dans des fermes pouilleuses du delta du Mississippi. Sa compassion est parfois telle qu'il se surprend à vouloir être ces gens, ces

Noirs, ces Indiens, se fondre avec eux, et il mesure alors l'ampleur de ses devoirs. La souffrance des enfants est innommable, car il les aime inconditionnellement et il sait que les fausses excuses de l'Amérique égoïste ne peuvent rien contre leur innocence. Son romantisme confine parfois au ridicule dont il échappe toujours au dernier moment par un geste, par une attention spontanée qui dévoilent sa profonde humanité qu'il accompagne d'un sourire triste. Le grand Sud ressemble par endroits à des étendues désertes ponctuées de fermes abandonnées aux seuls domestiques nègres, comme si le Blanc colonisateur avait fui, laissant derrière lui ses esclaves sur des terres ruinées par une mystérieuse épidémie. Lui dont la famille a fui son pays pour échapper à la misère comprend que le mépris des protestants de Boston pour les Irlandais miséreux n'est rien comparé à la tragédie du Sud, celle de ces Noirs dont la mémoire a été forgée à coups de fouet et de crachats. Libérés de leurs fers par la guerre de Sécession, ils ont été depuis abandonnés, privés de considération pour eux-mêmes. Et cet hébètement qu'il lit dans les yeux des enfants, c'est celui de petites âmes qui réalisent avant de le comprendre qu'elles sont nées sans passé ni futur. À la rencontre des ombres de la nation indienne, il ne croise que des rescapés d'un génocide contre l'animisme et la spiritualité. Les puritains ont tué Dieu qui s'insinuait partout, dans chaque séquoia, dans la caresse du vent dans les feuilles, dans la courbe des herbes, pour lui substituer une imposture où le Christ cloué sur sa croix assiste impuissant à l'exécution de ses valeurs par ceux-là mêmes qui prétendent les incarner. Il en reste une poignée de ces Amérindiens, obèses, alcoolisés, pour témoigner de leur extermination par les forces de la cupidité sous étendard chrétien. Parqués dans des réserves, ils déambulent, hagards, eux aussi. Cette improbable proximité avec la pauvreté forge lentement la conviction de Bobby que la voie du sacerdoce, plus que de l'ambition, est celle qui doit l'inspirer dans les prochains mois. Essayer quelque chose pour tous ceux qui sont tombés de ce nuage inconsistant qu'est le rêve américain ou qui ne l'ont même jamais approché, exclus sans appel d'une idéologie de la réussite qui masque sa condition essentielle : être blanc, calculateur et sans pitié. Bobby a été sauvé par la façon dont son père l'a négligé, oubliant de réprimer cette sensibilité dont il pressent qu'elle va convertir ses propres interrogations en une quête du bien. C'est elle qui progressivement va lui permettre de recoller des morceaux désagrégés par son deuil et sa culpabilité. La mission prend forme. Elle ne se limite plus à être l'avant-dernier des rescapés de la fratrie et à reprendre le flambeau d'une tribu qui a déjà épuisé deux de ses fils par une ambition sans fondement glorieux ni charitable. Sa démarche est avant tout chrétienne. Partager maintenant qu'on a beaucoup reçu sans se demander pourquoi le partage ne s'est pas fait avant. Il n'est de grande fortune sans vol, celle de son père n'est pas l'exception, mais la redistribution telle que la pratiquent les immensément riches de ce pays n'est qu'une humiliation supplémentaire. La charité, c'est prendre aux pauvres tout ce qui leur reste, leur dignité. La croisade qu'il envisage ne sera pas celle d'un hérétique, il ambitionne juste d'apporter un peu plus de raison face à l'ivresse de l'enrichissement. La paupérisation est manifeste dans les campagnes et dans les banlieues où s'agrège une pauvreté au bord de l'explosion. Johnson le sait, vaincre la pauvreté n'est pas une affaire de cœur mais de survie dans un système d'inégalités dont le point de rupture est sans cesse repoussé. Johnson, président démocrate, est là pour faire entendre raison aux plus démunis et protéger les plus nantis de leur colère. Les informations remontent à la Maison-Blanche, le

255

pays est au bord de la rupture, une révolution violente des banlieues noires fermente et elle est imminente. Là où la ségrégation s'ajoute à la pauvreté, tout peut arriver. Johnson, né pauvre, a su tourner le dos à l'impécuniosité et s'enrichir considérablement par la politique. Johnson, c'était le grand gars un peu gauche. Avec les hommes, il a sa manière à lui de convaincre. Il se courbe jusqu'à toucher le front de son interlocuteur et reste ainsi collé jusqu'à l'approbation sans condition de l'autre. Il a poursuivi le travail de Jack sur les droits civiques moins par compassion que par pragmatisme. Son mépris des pauvres et des Noirs est sans haine contrairement aux racistes du Sud qui empoisonnent l'Amérique de son temps, et donner des droits aux Noirs ne lui coûte rien. Johnson est avant tout réaliste. La politique pour lui est une façon de rendre des services qu'il sait se faire rémunérer, alors pourquoi entraver les affaires par des questions idéologiques? Maintenir les Noirs dans des ghettos sans droits comme Wallace rêve de le faire ne conduit à rien, il en est convaincu. Johnson est réputé être d'une grande violence lorsque ses propres intérêts sont compromis, il l'a démontré à quatre reprises, et seule son accession à la présidence lui a épargné d'être le centre d'affaires judiciaires proprement criminelles. Mais les Noirs ne menacent pas directement ses intérêts. D'ailleurs, il en a envoyé un bon contingent se faire tuer au Vietnam pour la défense d'un système dont ils sont exclus. Johnson a le sentiment d'avoir fait pour les Noirs et les pauvres ce qui devait l'être, et les velléités de Bobby de le déborder par une générosité feinte au moment où l'extrême droite le vilipende l'indisposent. À cette contrariété s'ajoutent ses problèmes de santé. Depuis son infarctus en 1955, Johnson n'a pas réduit sa consommation de cigarettes ni d'alcool. Son visage, celui qu'il voit dans la glace le matin lorsqu'il se rase, n'est pas celui d'un homme apte à un troisième mandat. Mais il veut y croire alors que les sondages font du Texan l'homme le plus impopulaire du pays. Les émeutes de Detroit en juillet 1967 démontrent à quel point le pays est à cran. Une intervention policière dans un bar clandestin de la 12e Rue au petit matin dégénère. La police locale, dépassée par l'ampleur du soulèvement, interpelle le gouverneur qui en réfère à Johnson. Le président, qui ne fait pas la différence entre un émeutier noir et un Vietcong, dépêche l'armée sur place. Près de deux mille bâtiments sont détruits dans le souffle de cette guerre civile dont la violence hallucine l'Amérique. Le calme revient après cinq jours d'affrontements. Quarante-trois cadavres reposent à la morgue de la ville, quatre cent soixante-sept blessés tentent de survivre à cette flambée de violence réprimée par un président qui a montré sa vraie nature. « Comment va-t-on pouvoir survivre cinq ans de plus avec ce type ? cinq ans de plus avec ce malade ? » Bobby pose la question à Arthur Schlesinger, l'historien des hommes politiques libéraux et des Kennedy en particulier. Bobby ne manque pas de finesse. Il demande à ses collaborateurs de ne pas viser Johnson dans ses discours, le président est assez vain pour se détruire lui-même et les électeurs ne doivent pas s'imaginer que Bobby se détermine par rapport à lui dans un combat personnel attisé par de vieilles haines. Son émergence dans les sondages est aussi soudaine que l'éruption de violence raciale qui secoue le pays. Bobby calme sèchement les ardeurs de son entourage en affirmant qu'ils ne valent rien avant de les considérer attentivement. Le doute s'est emparé de son esprit. Celui qui n'a jamais rien visé d'autre qu'un rôle de soutien peut-il recueillir l'adhésion sur lui, seulement lui ? Il est déterminé, s'il venait à se présenter, à ne pas laisser l'ambition personnelle guider son choix, les idées, ses idées, peuvent prévaloir. Saul Bellow, futur Prix

Nobel de littérature, a l'opportunité de le fréquenter un temps, pour un article qui ne sera finalement jamais publié. « RFK manque de rigueur et d'entraînement pour se lancer dans un discours véritablement intellectuel. » Sa culture d'adolescent, si sincère soit-elle, ne suffit pas à construire une pensée assise sur un large panorama littéraire et philosophique. L'intuition et la générosité pallient cette lacune qui favorise son écoute. « Deux calots de volonté et d'anxiété », c'est ainsi que le poète Evtouchenko décrit ces yeux qui se posent sur ses interlocuteurs, implorant une mystérieuse réponse à une question qui n'a pas été posée. Puis soudain, alors que Bellow n'y croit plus, il bondit sur lui : « Dites-m'en plus sur l'aliénation. »

L'enthousiasme monte autour de lui. L'anti-héros romantique dont parle Norman Mailer est directement sollicité par les représentants de la contre-culture pour se présenter, cette génération spontanée dans laquelle il entrevoit un courant libertaire dont toute la portée ne lui est pas encore perceptible. Son chauffeur et garde du corps, un ancien du FBI, se crispe dès que l'odeur de marijuana plane dans une de ces nombreuses soirées où Bobby côtoie les étoiles montantes du pop art et l'encourage à ne pas se compromettre dans ces lieux de naufrage. La liberté sexuelle l'intrigue. Il aime la compagnie des artistes, trop selon certains de ses collaborateurs qui préféreraient que ses efforts portent sur les entrepreneurs du pays.

Le 26 septembre, Lowenstein, un activiste des campus d'étudiants devenu l'ami de Bobby, l'exhorte à se présenter et lui explique son appel comme un « impératif moral ». L'Amérique de Johnson se décompose. L'acide se propage dans la nouvelle génération comme un contrepoison au cynisme de Johnson censé représenter l'aile gauche de la classe politique américaine. L'« été de l'amour », cette vaste migration de milliers de jeunes hippies vers San Francisco, a marqué les esprits. Il se passe quelque chose de profond qui échappe à l'« establishment », qui transcende le clivage rouillé entre démocrates et républicains. Les jeunes ont pris la mesure de leurs représentants, des laquais bienveillants auprès d'intérêts gigantesques qui propulsent l'être humain hors du champ politique. La ségrégation n'est plus le seul moteur de la révolte. Le modèle économique, familial, religieux, intoxique les jeunes qui n'y voient que la promesse d'un ennui infini. Produire, se reproduire et mourir. La société américaine ne propose rien d'autre. Jusque-là, c'était toujours mieux que de faire la queue devant une boulangerie pour un quignon de pain comme chez les communistes anesthésiés par un régime honteux où les paranoïaques ont le triomphe immodeste. Mais l'aliénation, cette aliénation qui intrigue Bobby? Libérer les consciences, échapper à l'embrigadement consumériste. Les femmes vont enfin pouvoir user de leur corps librement. Contraception, avortement, elles ne verront plus le sexe des hommes comme une arme pointée sur elles. Pour le reproducteur méthodique qui compte dix enfants à ce jour, cette génération a pris une sacrée avance sur lui. Il est à la fois dépassé, aspiré, et comprend très vite qu'il n'a pas le choix, il sera leur représentant politique ou ne sera pas. Les fondamentaux chrétiens sont remis en lumière, sur fond d'abolition de la propriété privée, cette incitation obsessionnelle au mal. Les êtres humains doivent tout partager dans des communautés recomposées, corps, enfants, biens, chacun se doit de s'abandonner et de partager sans limites ses attachements. Cette naïveté n'aura qu'un temps, on peut le pressentir dès l'automne 1967. L'herbe et l'acide rythment déjà les jours de ces jeunes qui rêvent de sortir d'eux-mêmes et de leur planète par un voyage cosmique exploratoire. Le mouvement porte les germes de sa propre destruction qui, dans sa quête d'un paradis artificiel inaccessible, a déjà renoncé à changer durablement la société dans laquelle il vit. La révolution des fleurs, pacifiste, commence à compter ses morts emportés par la dérive hallucinogène. Et des morts, elle va bientôt en compter autant qu'en aurait comporté un mouvement violent. Bobby peut déjà le mesurer dans les soirées à Los Angeles, les affaires sont de retour, un vrai business de la contre-culture où l'argent coule à flots, autant chez les pourvoyeurs de stupéfiants que chez les peintres, les musiciens et les producteurs, d'autant plus âpres au gain qu'ils savent que cette parodie de bonté à l'échelon d'une nation comme l'Amérique ne durera pas. Cette contestation a les faveurs de la bourgeoisie libérale, tétanisée par la flambée de violence des ghettos qui laisse penser qu'une véritable guerre civile, la seconde, se prépare. Elle a aussi tout à la fois le mépris et la préférence des services secrets qui la favorisent dans l'ombre pour que, minée par la drogue, elle s'effondre sur elle-même. Pour eux, l'originalité de cette subversion, c'est que ses victimes sont toutes du même côté. Beaucoup en viennent à se tuer, très peu ont songé à s'en prendre aux représentants de l'ordre conservateur. Ils se punissent eux-mêmes des crimes de leur société, les observateurs des forces invisibles jubilent. En 1969, à Woodstock, ils seront un million à se rassembler pour écouter de la musique sans qu'une seule bagarre n'éclate. Ils iront même jusqu'à fraterniser avec les flics envoyés sur place. Leurs leaders infiltrés par la CIA, ils ne sont une menace pour personne, si ce n'est pour l'Américain moyen choqué par leurs cheveux longs, leur manque d'hygiène et leur sexualité d'animaux. D'ailleurs le mouvement ne s'arrêtera pas, il s'éteindra doucement comme un feu de camp abandonné, alors que la guerre du Vietnam qui l'avait provoqué durera encore des années, jusqu'au moment où les politiques et eux seuls décideront de l'arrêter.

Ethel, la femme de Bobby, l'encourage à se présenter, même si elle en mesure tous les dangers. Un président en exercice battu aux primaires, voilà le sort qu'il réserve à l'abominable Texan. L'anaconda de la Maison-Blanche ne lui pardonnerait pas cet affront. Poussé à la retraite par son ennemi personnel, le propre frère de son prédécesseur, il n'aurait été au final qu'une parenthèse désastreuse entre deux Kennedy qui se succèdent au pouvoir comme on les suspecte de se succéder auprès des femmes. Bobby ne craint rien moins que ce grand hypocrite dont la seule évocation lui arrache une expression de haine profonde qui interpelle ses interlocuteurs, Saul Bellow en tête. Non, il craint que la détestation de Johnson prenne une telle ampleur qu'elle déteigne sur le parti démocrate en fermant la route de la présidence à n'importe quel candidat qui se réclamerait d'une obédience qui n'en finit plus de trahir ses électeurs. 1968 est-elle la bonne année pour se présenter? Ne faudrait-il pas plutôt attendre 1972? Cette effervescence qui pourrait le porter en 1968 existera-t-elle encore quatre ans plus tard? Si Nixon succède à Johnson, il saura s'y prendre pour imposer deux mandats de suite. Que restera-t-il alors du souvenir de Jack en 1976, un Kennedy aura-t-il encore sa place sur l'échiquier politique, treize ans après la décapitation du chef de clan? Si Bobby reste fidèle à l'idée que ses convictions doivent inspirer sa démarche au-delà de toute autre considération, c'est maintenant qu'il faut agir. La colère gronde à propos du Vietnam, les pauvres pleurent leur désespoir, la ségrégation atteint son paroxysme, et il est le seul Blanc éligible à pouvoir lutter contre. Les jeunes le sentent et ils le disent.

Ils moquent son indécision. « Kennedy, faucon, colombe ou poulet ? » À ceux que cette affiche collée sur un mur de l'université de Brooklyn fait rire, il répond sèchement : « Ce n'est pas drôle », avant de se fermer, piqué. Ils ne savent rien de ce qu'il sait, lui. Il ne sera jamais un candidat comme les autres, il ne joue pas la victoire contre l'échec, il joue la vie contre la mort. Ils ne le laisseront pas faire. Ils trouveront un autre moyen que des types embusqués derrière une palissade, mais ils y parviendront. Tous ces jeunes qui le plébiscitent ne savent pas que c'est lui qu'ils voulaient tuer quand ils ont assassiné JFK, ils n'en ont pas la moindre idée, comment pourraient-ils d'ailleurs, alors que la version du tueur isolé habilement distillée par la commission Warren n'a même pas été contestée par la famille. Une autre mort l'attend s'il ne se présente pas, une extinction par la dépression. Et cette mort-là, étrangement, est presque plus certaine que l'autre. Bobby est incapable, sans s'investir pleinement, sans se surpasser, de profiter tranquillement des millions accumulés malhonnêtement par son père. Pour ses dix enfants, il ne saurait être autre chose qu'une figure charismatique, un chevalier moderne qui a multiplié sa descendance pour devenir l'admiration d'une large tribu fidèle. Appelé en conseil, Edward, le dernier des frères, le seul capable de mesurer les risques aussi précisément que Bobby, est formel : ces risques sont trop importants. « Et que dirait notre père ? – Il dirait non, j'en suis certain. » Bobby comprend que Joe qui, dans son isolement, a pris enfin la mesure de la tragédie qu'il avait initiée n'est pas prêt à sacrifier un troisième fils à une ambition qui doit lui paraître dérisoire maintenant, dans sa maison de Martha's Vineyard, depuis sa chaise roulante, une épaisse couverture sur ses jambes atrophiées, le regard porté sur la lutte entre la mer et l'horizon pour ne former plus qu'un.

La popularité n'est pas suffisante pour l'emporter en démocratie. Il faut percer la couche des notables, des maires, des gouverneurs, des leaders syndicaux. Tous ont un prix qui va de la fourbe considération à la corruption en passant par les honneurs. Cette façon de faire de la politique, Bobby ne la connaît que trop bien, et il sait jusqu'où elle peut conduire en creusant un passif de promesses non tenues. À ce jeu-là, Johnson excelle. Il caresse, menace, et chacun sait jusqu'où son désir de vengeance peut aller. Dutton, un vétéran de la campagne de 1960, est formel : « Ce serait un suicide. » Si amoindri soit-il, Johnson ne se laissera pas faire et il a dans sa manche, grâce à son compère Hoover, un atout majeur. Hoover n'a jamais eu une grande considération pour le Texan, sa vulgarité et sa brutalité en font un rustre à la fréquentation duquel Edgar répugne. Mais Hoover a lui aussi la rancune tenace. Désinvolture, vexation, sous-entendus blessants sur son homosexualité et sur sa relation avec Tolson, son adjoint au FBI, Edgar ne peut concevoir de servir sous les ordres de ce roquet qui n'a même pas la classe de son frère. Il lui suffirait de publier l'autorisation d'écoutes de Martin Luther King signée par Bobby pour le carboniser auprès de l'intelligentsia libérale qui compte pour plus que sa proportion, comme la plupart des milieux intellectuels.

Dante est soudainement d'un grand secours à Bobby. Une phrase, une seule : « La place la plus brûlante en enfer est réservée aux hommes qui maintiennent leur neutralité en période de grande crise morale. » Mais Angie Novello, son assistante, accorde peu de prix aux grandes déclarations universelles, fussent-elles d'un auteur fondamental. Elle s'en ouvre à qui veut l'entendre, elle a peur, peur qu'on lui fasse du mal. Encouragée à développer, elle se dérobe, rongée par l'inquiétude.

À la fin de janvier 1968, Bobby est reçu par le fameux club

national de la presse sur la Treizième Avenue de New York. L'attente est forte. D'une voix monocorde, désabusée, il déclare sans regarder ses interlocuteurs : « Je n'ai aucun plan à opposer à la nomination de Johnson comme candidat démocrate dans les circonstances actuelles. » Aveu de faiblesse. Junior n'ose pas. Deux émissions de télévision satiriques le ridiculisent en première partie de soirée. On le compare toujours à un poulet qui picore. La débâcle se profile avec la démission attendue de ses trois principaux collaborateurs, Walinsky, Dolan et Edelman. Il règne dans son bureau une atmosphère de morgue, les corps sont encore là mais les esprits sont déjà partis. Allard Lowenstein revient à l'assaut, et Bobby se confesse à lui, amicalement, les larmes aux yeux : « Je suis désolé, je suis simplement incapable de le faire. »

Ses propres contradictions lui semblent alors clairement insurmontables. Sa bonté, son empathie ne suffiront jamais à effacer les coups tordus, l'héritage maculé. Les bons sentiments en politique créent un lien fort avec quelques électeurs mais la grande masse attend de la cohérence d'un candidat. Johnson, même impopulaire, a toujours été cohérent. C'est un sale type qui sait se rendre sympathique à l'occasion en tapant sur le cul d'une vache, et les électeurs n'en attendent rien de plus.

Bobby s'enferme, il s'enfonce dans le mutisme, ne répond plus au téléphone. Au Vietnam, l'offensive du Têt surprend les forces américaines. Les victimes sont considérables. Bobby, choqué, sort de sa léthargie pour prononcer un discours contre la guerre où, cette fois, il ne prend pas la précaution d'épargner Johnson. En privé, comptant sur des indiscrétions pour qu'elles se répandent, il se déclare favorable à un désengagement sous six mois. Eugene McCarthy, autre rival de Bob, se lance pour de bon et commence à cristalliser les soutiens naturels de

Bobby, qui, déçus de sa mollesse, reportent leurs espoirs sur lui. Ses amis, ses collaborateurs font défection aussi au profit du sénateur démocrate. Il sait que, s'il perd tous ces hommes et ces femmes, ils ne reviendront jamais vers lui. La question de se présenter en 1972 ne se posera pas, ni plus tard d'ailleurs. Il est fini, c'est ce qu'il lit dans le regard de tous ceux qui se préparent à le quitter, le plus souvent à contrecœur. Passer pour un lâche? Pour un caractériel, pour un impétueux, un imprudent, même pour un tordu lorsque les circonstances l'imposaient, mais un lâche? Que la postérité ait raison de sa réputation passerait encore, mais de son vivant? Du côté des républicains, Nixon, l'adversaire de 1960, semble s'offrir un boulevard dépeuplé. Ceux qui, comme Fred Dutton, levaient les yeux au ciel devant l'hypothèse de la candidature de Bobby basculent. Il n'est plus temps de tergiverser. Kenny O'Donnell, le fidèle des fidèles, se résigne. Bobby n'avance que par la culpabilité. Il se reproche de ne pas s'être déclaré avant Eugene McCarthy, qui n'a que le nom en commun avec l'homme de la chasse aux sorcières et qui a pris de la consistance, menaçant de devenir une figure nationale. À midi, un vendredi, il fait passer le message à certains journalistes qu'il est en train de reconsidérer sa position de ne pas se présenter. On l'accuse de vouloir seulement faire les gros titres de la presse nationale sans d'autre but que de gâcher l'ascension de McCarthy. En coulisse, un premier tour des États-Unis des soutiens de Bob laisse des pages blanches entières dans certains États comme l'Alabama. Toujours sceptique, même s'il a basculé dans le camp favorable à la candidature, Ted Kennedy plaisante : « La thérapie de mon frère va encore coûter quatre millions de dollars à la famille. »

La déclaration de candidature se fera au Sénat, ce samedi matin, dans la propre salle où Bobby avait défié Hoffa, là où

JFK avait annoncé sa propre candidature. La veille au soir, Walinsky, Sorensen et Schlesinger se retrouvent à Hickory Hill et tentent de rédiger dans un coin le discours de candidature entre un dîner improvisé bruyant et une fête organisée par les enfants de Bobby où ceux-ci se roulent par terre avec les chiens sur la musique de Jefferson Airplane. « Cela n'a aucun sens, tout ce truc n'a aucun sens. » Ce commentaire, lâché après avoir lu le discours, ne s'applique pas au texte mais au sentiment de s'être laissé aller à une folie. « Je ne me présente pas pour m'opposer à n'importe quel homme, mais pour proposer une nouvelle politique... »

Avant d'entrer en campagne trop tardivement, il en est certain, il vole de Washington vers New York. Avec une seule idée en tête, rencontrer Jackie. On ne sait rien des propos échangés, mais la spéculation est aisée. Comment motive-t-il sa décision? Un choix délibéré? Jackie le connaît trop bien pour savoir que l'impulsion finale a été précédée de profonds doutes, de longs atermoiements tortueux. Au fond du précipice qu'il longe, son âme endommagée par le doute et la culpabilité. Intuitive, elle n'est pas surprise que la rupture de leur relation s'ensuive, conséquence inévitable de son retour sous les projecteurs. La peur du chantage, Hoover sait, Johnson aussi. On l'imagine, elle, digne, souriant légèrement, compréhensive. Leur relation était de toute façon sans avenir, une belle aventure au jour le jour, complice, profondément affectueuse. Avec des lendemains incertains. Il ne sera plus là pour la protéger, ni elle ni ses enfants, au milieu de cette famille de femmes hostiles. Il ne restera plus que Teddy. Mais elle va se tourner vers Onassis, l'armateur qui se vantait déjà à qui voulait l'entendre d'avoir possédé la femme du président des États-Unis de son vivant. Elle est ainsi, elle va de havre en havre, et l'icône féminine de la planète les perd les uns après les autres. Onassis aussi la quittera, en mourant, mais avant cela, il l'aura rassurée plus que séduite. Après Jack, qu'aurait-elle pu trouver d'autre qu'un désir protecteur chez cet armateur au cuir tanné ? Son destin est jalonné d'abandons, la chose qu'elle redoutait le plus au monde. Plus que l'amour, elle a toujours cherché la sécurité. La voilà évaporée et l'amour avec. Pas de scène entre eux, ni de dépit affiché. Qu'il en soit ainsi, un Kennedy succède à un autre Kennedy. Mais, avant de le quitter, elle le met en garde, même si elle sait qu'il est trop tard : « Il y a trop de haine dans ce pays, Bobby, et il y a des gens qui te haïssent plus qu'ils ne haïssaient Jack. Tu sais ce qu'il va t'arriver ? La même chose qu'à lui. » Elle le dit d'une voix douce et presque enfantine. Il répond d'un sourire amer, le regard embué. Elle se lève, elle ne veut pas assister à cela, elle veut partir le plus loin possible. Une chose les sépare : il n'a de la violence qu'une idée conceptuelle. Elle se souvient du sang sur elle, des matières cérébrales, de ce regard sans vie, fixant l'immensité, de son hébétement qui venait contredire tout le sens qu'il s'était évertué à instiller aux choses. C'est lui qui a pris l'initiative de la rupture, mais c'est elle qui le fuit.

20

« Je dois reconnaître, cher confrère, que j'ai aussi longuement hésité à me spécialiser dans le traitement thérapeutique
par l'hypnose. J'avais à l'égard de cette pratique les mêmes
réserves que Freud lui-même telles qu'il les exprime dans ses
lettres. L'hypnose est particulièrement adaptée à l'hystérie, elle
l'est selon moi beaucoup moins à la névrose. Elle le redevient
dans le traitement de la psychose, même si ses résultats y sont
plus incertains. L'hypnose nécessite une porosité particulière
du patient, une sorte de fétichisme transférentiel, un abandon
à l'autre, une foi dans sa parole de vérité qui crée un rapport de
pouvoir évident avec celui-ci dès le moment où il y est réceptif.
Le corollaire de ce que j'affirme, c'est le charisme de l'hypnotiseur, sans lequel il n'y a pas d'ascendant. Hitler avait des qualités hypnotiques comme en ont la plupart des gourous de sectes,
et l'histoire a montré qu'il a été de fait le médiateur de la plus
grande hystérie collective. Au lieu de la soigner, il l'a ampli-
fiée, j'allais dire jusqu'à la psychose définie comme "jouet de
l'autre". Et il faut consciemment ou inconsciemment accepter
d'être le jouet de l'autre pour espérer bénéficier de l'hypnose.
Les premiers résultats thérapeutiques que j'ai obtenus l'ont

été avec d'anciens déportés dont les défenses psychologiques étaient complètement anéanties. L'extermination des juifs d'Europe est d'abord passée par la destruction de leur personnalité. Vous ne m'en voudrez pas, cher confrère, de comparer l'hypnose à la radiothérapie. La radiothérapie a des effets bénéfiques incontestés sur la prolifération anarchique de cellules, de même qu'à des doses plus fortes elle va non seulement détruire les cellules malades mais emporter avec elles les cellules saines en provoquant ainsi la mort, l'exact inverse de ce qui était recherché. Il en va ainsi de l'hypnose comme de beaucoup de phénomènes. Exagérément pratiqués, ils induisent des effets exactement inverses. J'ai usé de mon pouvoir, j'en ai peut-être même abusé auprès de survivants des camps plongés pendant des mois dans une telle négation de leur être, face à une telle volonté de destruction, qu'il leur était devenu impossible de vivre dans une société normale, apaisée. Leur plus grande difficulté était de comprendre pourquoi les nazis avaient mis autant d'obstination à les exterminer. Les victimes du mal, quand il prend une forme absolue, ne parviennent pas à trouver une explication à cette volonté d'anéantir l'autre et, pour éviter la folie, il leur arrive de s'attribuer finalement la responsabilité de leur malheur. S'y ajoutait que la confrontation avec le mal absolu pousse à la folie en détruisant toute forme de confiance dans l'existence. Une enfant ou un enfant abusé par son père est dans une situation comparable de perte de confiance définitive dans les fondements de l'existence, et on est confronté comme thérapeutes à la même force du sentiment de culpabilité. Je me souviens de ce que me disait une petite patiente : "Si mon père a décidé de faire une chose pareille, une chose si horrible, cela ne pouvait pas venir complètement de lui, personne ne peut aller si loin dans le mal sans raison." Elle s'imaginait représenter une bonne partie de cette raison. Cette culpabilité la maintenait en vie, et j'ai compris que l'en libérer pouvait compromettre son existence en la poussant au désespoir.

« Je sais que le docteur Godlove insiste pour que je me joigne à votre équipe opérationnelle. J'ai déjà eu l'occasion de collaborer avec lui sur une mission donnée, certes, mais pour être sincère, je n'approuve pas l'orientation générale des recherches. Je dois vous avouer que, dans certains cas, elles heurtent mes convictions. Les médecins canadiens associés au programme ont sans doute de bonnes raisons de l'être, mais personnellement je réprouve leurs méthodes et en particulier celles qui ont été pratiquées à McGill sur des patients qui n'étaient pas informés de leur situation de cobayes. Cette façon de procéder me rappelle, ô combien, certaines expériences menées à une certaine époque en Allemagne, et je ne souhaite pas y être associé. Je sais que votre proposition ne concerne pas spécifiquement cette partie de l'expérimentation mais, au-delà de ma réprobation, je n'ai pas le temps de m'y consacrer. Comme vous le savez, je n'ai pas de fonction hospitalière et ma clientèle, exclusivement privée, ne peut pas être abandonnée.

« Je suis désolé de ne pouvoir répondre favorablement à votre demande, cher confrère, et... »

Les pages manquantes étaient certainement la première et la dernière. Les deux pages que j'avais retrouvées dans ses archives étaient écrites à la main, de sa belle écriture droite et angulaire. Un brouillon certainement, certains mots étaient raturés et remplacés par d'autres, plus précis. Suivant mes habitudes, qui m'avaient porté jusque-là, j'en tirais une théorie. Ce brouillon était destiné à la poubelle. Dans son empressement ou dans une confusion quelconque, il avait oublié de jeter ces deux pages.

Je les ai relues plusieurs fois pour y chercher une indication de la date à laquelle il les avait écrites. Il n'y en avait aucune explicitement mais un indice de temporalité y figurait : « celles qui ont été pratiquées à McGill... », etc. J'en concluais que les expériences pratiquées à McGill étaient terminées à cette époque. Or, au moment de mon enquête, ces expériences avaient déjà été révélées au public par d'anciennes victimes. On connaissait donc la date à laquelle elles avaient pris fin avec le départ en 1964 du docteur Cameron pour l'Albany Medical College même si son assistant Peter Roper avait continué les expériences un certain temps. Ces travaux financés par la CIA avaient pour but de diriger la psyché des individus. Ils figuraient parmi une palette plus large de méthodes de contrôle mental sur lesquelles la compagnie concentrait ses efforts. La méthode de Cameron connue sous le nom de *Psychic Driving* consistait à plonger un patient dans un sommeil profond et prolongé, grâce à un cocktail de barbituriques et de neuroleptiques, et à en profiter pour déprogrammer son psychisme au moyen d'électrochocs pour ensuite le reprogrammer à l'aide d'un Dormiphone, magnétophone répétant toujours les mêmes injonctions. Plusieurs cobayes avaient ainsi perdu la mémoire irrévocablement. Les patients, entrés à l'hôpital pour dépression, n'étaient évidemment pas informés des expériences menées sur eux. Les recherches sur le LSD avaient été confiées par la CIA en particulier à l'hôpital Hollywood de Vancouver. D'autres travaux portaient sur l'hypnose et sur des implants permettant de prendre le contrôle psychique d'un individu.

La lettre révélait clairement que mon père avait été sollicité pour cette partie du programme qui concernait l'hypnose. Hypnose collective, hypnose individuelle, pour la CIA, obsédée par le contrôle des individus et des masses, le sujet était effectivement d'importance. Mais je ne pouvais toutefois pas imaginer que mon père ait été tué pour avoir refusé de collaborer à ces recherches.

Au moment où je retrouvais ces pages, il me fut également aisé de découvrir qui se cachait derrière le nom du docteur Godlove cité à plusieurs reprises, une première fois par son agent traitant du MI6 et une seconde fois dans ce brouillon de lettre. Godlove ne pouvait être que la traduction littérale de Gottlieb, un nom allemand que portait le principal initiateur du programme de contrôle mental, entamé dans les années cinquante et particulièrement activé dans les années soixante quand la CIA, troublée par les menaces extérieures et intérieures, avait décidé de mettre les bouchées doubles. La société américaine, en pleine guerre froide, sous la menace permanente d'un conflit nucléaire, était sur le point d'imploser sous l'effet du racisme, de la pauvreté et de la guerre du Vietnam. Prendre le contrôle de dirigeants étrangers ou de contestataires par le traitement psychique, l'hypnose ou le LSD, relevait de la même stratégie de lutte contre les ennemis extérieurs et intérieurs. Ce programme devait-il conduire encore plus loin, à une maîtrise des individus comme l'avait imaginé Orwell, la CIA ne se défendait pas d'y penser. Le recours au LSD par une partie croissante de la jeunesse opposée à la guerre du Vietnam n'était pas une coïncidence. La CIA, en inondant le marché de cette substance dans la région de San Francisco, avait fait le choix de précipiter une génération entière dans son expérimentation de lutte contre la subversion. Le mouvement hippie était pour ses analystes une forme habile de dérivation d'une contestation ruinée par les sectes et par le LSD. Ces mêmes analystes pensaient que, raisonnablement, une nation aux prises avec la menace permanente d'un ennemi puissant ne pouvait se permettre de se voir rongée de l'intérieur par un mal assimilé de fait à une forme de collaboration avec cet ennemi.

La CIA s'est étroitement associée aux laboratoires de fabrication de LSD de la baie de San Francisco. À l'été 1967, alors que le *summer of love* rassemblait une bonne partie de la jeunesse contestataire américaine, un homme barbu, plutôt corpulent, s'est installé dans le quartier de Haight-Ashbury, le centre de l'effervescence, pour y soi-disant étudier les hippies dans leur habitat, comme l'aurait fait un biologiste animalier. Cet homme était un ancien major des forces aériennes, devenu président du département de psychiatrie de l'université d'Oklahoma. Il a été depuis désigné comme un des promoteurs du programme de contrôle mental de la CIA. Jolly West est alors déjà célèbre pour ses expériences sur le LSD, en particulier avec un éléphant du nom de Tusko. Après avoir reçu des doses massives d'acide, l'éléphant a sombré dans la stupeur. Pour le ramener à la conscience, West tente tous les protocoles médicamenteux possibles avant que l'animal ne rende l'âme. West pouvait ainsi se vanter d'avoir réalisé la plus grande expérience sur LSD avec un seul sujet.

La présence, pendant plusieurs semaines, de West au cœur du quartier emblématique du mouvement hippie a posé de nombreuses questions sur son rôle exact durant cette période. Les jeunes s'étaient payé le premier voyage jusqu'à San Francisco. La CIA s'occupait du second, cette exploration factice du champ de conscience jusqu'aux confins des astres, avec le secret espoir qu'ils n'en reviennent pas ou qu'ils en reviennent diminués, dociles. Il faut avoir vu cette jeunesse en haillons déambuler, hagarde, amaigrie, au début des années soixante-dix, pour comprendre que le grand voyage se finissait aux marches de la mort, et qu'il suffisait de peu pour que ces jeunes y basculent comme leurs illustres prédécesseurs, Hendrix, Joplin, Jim Morrison. Cette dérivation de la contestation vers l'aventure psychédélique restera l'exemple le plus sophistiqué de déportation masquée dans un au-delà interstellaire. Alors que, de l'autre côté du rideau de fer, les contestataires sont déportés par wagons vers la Sibérie inhospitalière jusqu'à ce que le froid et la faim les privent du peu de vie qu'il leur reste, la CIA paye à la subversion le voyage vers la paix éternelle.

Une société normale est une société où les criminels sont empêchés de nuire ; cette normalité bascule dès le moment où ces mêmes criminels prennent le pouvoir comme ce fut le cas en Allemagne en 1933, en Russie dans les années vingt. Il en fut de même aux États-Unis, même s'il est plus difficile de dater le début de cette inversion. Mais la logique est identique, des hommes animés par un irrépressible besoin de tuer s'organisent pour donner une justification, une forme de légalité, à leurs actes. « Le monopole de la violence légitime. » Si tous ne connaissent pas la phrase de Max Weber, tous s'en inspirent.

« La désignation d'un ennemi commun, incontestable, est la première phase du processus.

« Cet ennemi commun doit ensuite permettre de justifier la démence des moyens alloués pour le détruire. Il doit être assez menaçant pour qu'on puisse envisager d'aller jusqu'au coup d'État pour l'anéantir. Je remarque que cet ennemi est toujours défini au regard des risques qu'il fait peser sur la liberté, prétexte, pour lutter contre lui, à anéantir cette liberté. » Cette annotation sur l'un de ses carnets en moleskine montre que le sujet préoccupait mon père et qu'il voyait, à travers les sollicitations dont il faisait l'objet, que les travaux de l'organisation allaient, au prétexte de défendre la liberté et la libre entreprise, vers une prise de pouvoir totalitaire de la compagnie.

« Des études pourraient être menées dans une ancienne base de missiles afin d'expérimenter des modèles d'altération, de réduction des comportements indésirables. » Cette proposition de West, à peine cinq ans après l'« été de l'amour », est à l'attention de Stubblebine, le directeur de la santé de l'État de Californie dont le gouverneur est alors Ronald Reagan. Dans ce courrier, West se présente comme un spécialiste de haut vol du problème de la violence dont il attribue les causes prioritairement au sexe masculin, à la jeunesse, à la couleur (noire) et à la vie urbaine. West, qui est convaincu d'avoir obtenu des résultats probants à une large échelle en ayant réduit le mouvement hippie à une procession de jeunes pacifistes défoncés, propose ainsi aux autorités locales un vaste programme de prévention et de traitement de la violence par la castration, la manipulation des humeurs, la neurochirurgie et l'implantation de « régulateurs cérébraux » favorisant le contrôle à distance des personnalités violentes. À aucun moment il ne vient à l'idée de celui qui deviendra jusqu'à sa mort en 1999 directeur du département de psychiatrie de l'université de Californie Los Angeles (UCLA) que la violence puisse prendre racine dans des rapports sociaux liés au mode de fonctionnement d'une société basée essentiellement sur la réussite individuelle et sur l'accumulation sans fin, avec pour conséquence la transformation de l'individu lui-même en objet consommateur d'autres objets, et que le modèle pertinent de cette violence est avant tout celui de l'État. Mais West n'était qu'un maillon d'un dispositif qui avait son véritable inspirateur ailleurs.

Parce qu'il était bègue, il avait un diplôme d'orthophoniste. Parce que la nature l'avait malheureusement doté d'un pied bot, il passait des nuits entières à danser sur des musiques folkloriques, épuisant son entourage pour finir seul sur la piste dont il frappait le plancher sans relâche de son infirmité.

On ne connaît pas grand-chose de lui pour la simple raison qu'en dehors de ses fonctions, secrètes pour la plupart, l'homme ne présentait pas grand intérêt. Ses débuts à la direction du plan se sont effectués sous la direction de Richard Bissell qui devient, après Dulles et McCone, le patron de la CIA. Docteur en chimie, psychiatre militaire, ayant relégué toute forme de scrupules au plus loin de son âme, il est devenu rapidement à la CIA l'homme des éliminations physiques discrètes programmées. Il rejoint l'organisation en 1951 comme empoisonneur, autrement dit expert en poisons, ce qui lui vaut le surnom de « sorcier noir » ou de « sale escroc » pour les malveillants qui ne sont toutefois pas nombreux dans son entourage. Le Godlove de la correspondance de mon père se faisait appeler Sidney Gottlieb, mais en réalité son vrai nom était Joseph Scheider, originaire du Bronx où ses parents, Juifs hongrois, avaient posé leurs valises. Gottlieb a su prendre sa place dans l'organisation parfois un peu floue de la compagnie. Il mélange adroitement la prospective avec le programme de contrôle mental et l'opérationnel en supervisant les éliminations physiques des ennemis de l'Amérique, ou tout au moins d'une certaine Amérique à laquelle ce cafard scientifique a dévoué son corps et son âme, tout aussi mutilés l'un que l'autre. Il est d'ailleurs l'âme damnée d'Allen Dulles, qui le charge au début des années soixante d'explorer les solutions pour discréditer ou éliminer le dictateur cubain. L'imagination de Gottlieb n'est pas prise en défaut. Vaporiser de LSD un studio de télévision où le tyran charismatique s'apprête à délivrer un discours-fleuve, lui confectionner un cigare, une veste, un stylo empoisonnés, lui offrir un coquillage explosif, imprégner ses chaussures de thallium pour faire chuter sa barbe, l'arsenal de Gottlieb a tout d'une officine de farces et attrapes. Le programme MK-Ultra suivi d'Artichoke pour le contrôle mental des individus et des masses le place au centre d'un dispositif plus sérieux, même si ses résultats ne sont pas plus probants. Il s'appuie sur les fonds de la fondation Rockefeller pour étendre ses recherches aux universités canadiennes. L'opportunité d'employer des cobayes humains lui est donnée par certains psychiatres peu scrupuleux même si, avec les prisonniers vietcong, il dispose d'une matière qui le dispense de rendre des comptes.

Les recherches sur ce personnage m'ont amené à conclure que mon père avait été en contact avec une sorte de miniature de Mengele, en particulier lorsque j'ai découvert que ses expérimentations avaient porté sur des armes de destruction génétique testées sur certaines populations comme les Cubains ou les Guatémaltèques. Si Gottlieb avait été fier de son travail, il n'aurait pas organisé la destruction de ses archives sur la préconisation de Bissell qui, après avoir été son patron au plan, a pris la direction de la Centrale. Les archives auraient brûlé accidentellement avant que les promoteurs du programme ne soient convoqués devant la commission Church.

J'ai ainsi repris la liste des objectifs assignés par le programme de contrôle mental des individus : favoriser des raisonnements illogiques ou discréditer en public des personnalités, altérer leur capacité de perception, augmenter les effets de l'alcool, laver proprement le cerveau, provoquer des amnésies avant et après la prise de médicaments, des chocs et des confusions sur de longues périodes, des incapacités évidentes comme le priapisme, une euphorie inaltérable, une baisse durable de l'ambition, une distorsion des capacités auditives et visuelles. Dans cette longue nomenclature de cibles, seulement deux me paraissaient correspondre aux compétences de mon père. La première était l'accroissement de la sensibilité à l'hypnose par des moyens chimiques. La seconde visait à développer de la même façon les mécanismes de dépendance à l'autre. J'étais persuadé que le bon monsieur Gottlieb s'était mis en tête d'associer mon père à son programme et peut-être de lui en confier un ou deux chapitres sur la vingtaine qu'il comportait, si on y ajoute deux programmes spécifiques qui sont l'action sur les signaux électriques du cerveau et l'activation des comportements à distance. L'opposition de mon père à ces programmes de recherche était morale, cela ne faisait aucun doute. Même s'il ne s'étendait pas dans cette lettre sur les raisons de son refus, il y soulignait habilement l'inadéquation entre les objectifs recherchés et sa conception de l'hypnose, prise de pouvoir sur un autre à des fins uniquement thérapeutiques avec comme unique espérance l'amélioration de sa condition. Mais en faire une arme des opérations spéciales d'une puissance symbolisant aux yeux du monde les valeurs de liberté l'aurait entraîné dans des déviances qui ne s'accordaient ni avec son caractère ni avec sa vision de l'humanité. Mon père pouvait se montrer intraitable. Ni les promesses financières ni les menaces ne pouvaient faire plier ses principes. Après avoir flatté son ego en le désignant comme un des premiers spécialistes de l'hypnose du continent, ils avaient ensuite probablement testé sa cupidité avant d'en venir, dernier recours, aux menaces. Gottlieb était assez perspicace pour savoir qu'on ne faisait pas durablement travailler quelqu'un pour un programme, par le seul ressort de la crainte qu'on lui inspirait. Lorsque les États-Unis ont recruté nombre de scientifiques nazis comme von Braun après la guerre, ils ne se sont pas contentés de menacer de les renvoyer devant des tribunaux ou de les livrer aux Israéliens, ils leur ont offert des perspectives, un cadre de vie et une considération retrouvée. J'en déduisais que les intimidations portaient non pas sur un programme mais sur une mission. Une mission qu'il avait refusée mais qu'on l'avait forcé à exécuter. Pour conduire mon père à agir contre son gré, il fallait de solides arguments. Je n'en voyais pas d'autre que de lui faire porter la responsabilité de la mort de ma mère. Un argument bien plus fort qu'une menace physique. Déshonoré aux yeux de sa famille, aux yeux de la société, ruiné, enfermé jusqu'à ce que sa propre mort s'ensuive, telle était la véritable issue. Ils l'avaient piégé pour lui imposer de faire quelque chose, de participer à une action particulière.

Je m'en ouvris auprès d'Edmond. Les bateaux amarrés dans le port devant nous invitaient au voyage, un voyage infini mais où il n'était question que de tourner en rond. Je lui en fis la remarque. Il me confia que la mer ne lui inspirait rien, si ce n'était la perspective d'interminables nausées. Il aimait les lacs et leur torpeur apaisante, point que nous avions en commun. Il lui arrivait de pêcher à la mouche en rivière. La seule activité à laquelle il se livrait encore régulièrement. Il passait le reste du temps dans son appartement près de Horseshoe Bay à une demi-heure de Vancouver. Il lui arrivait de descendre jusqu'à l'embarcadère pour regarder le ferry se remplir de passagers pour l'île, en face, cette île longue et hospitalière où reposaient ma mère et Maine à côté de la tombe vide de mon père. Je lui demandai s'il lui arrivait d'embarquer et de partir à l'aventure de l'autre côté, mais il fit non de la tête, de l'air de quelqu'un qui cherche une explication mais qui ne la trouve pas, et je n'eus qu'un soupir pour toute réponse. Edmond restait enfermé en lui-même des semaines durant dans un appartement donnant sur un petit centre commercial dans un village discret. La monstruosité à laquelle nous pensions l'un et l'autre sans rien dire semblait nous dévorer sur pied. J'essayai de la sortir de mon esprit mais rien n'y faisait. Au bout d'un moment, il brisa le silence d'une voix neutre : « Il faut bien se rendre à l'évidence. Ils ont organisé le crime de votre mère pour faire croire que votre père en était l'auteur. Une fois qu'il a compris qu'il ne s'en sortirait pas, qu'il allait tout perdre, ils lui ont proposé un marché. Il l'a accepté pour vous sauver, sauver votre honneur, votre réputation, et sauver l'image que vous aviez de lui. Il n'avait vraiment plus le choix. Son accord donné, nos supérieurs, sous l'influence de la CIA, nous ont demandé d'abandonner les charges. C'est ce que nous avons fait. S'il n'avait pas accepté cette mission, il serait derrière les barreaux à cette heure, seul, sans visite de son fils qui ne lui aurait rien pardonné. »

J'aurais peut-être pu lui pardonner si j'avais connu le mobile de son crime mais, comme me le fit remarquer Edmond, il n'aurait jamais pu m'en fournir un qui soit vraisemblable, il aurait passé le reste de sa vie à clamer son innocence et, au bout d'un certain temps, il aurait lassé tout le monde et comme Ruby, l'assassin d'Oswald qui se faisait chaque jour de plus en plus menaçant, ils l'auraient tué en prison en prétextant une maladie mortelle. « Vous croyez vraiment que ces types étaient capables de cela, tuer ma mère pour entraîner mon père dans un piège ? » J'en étais convaincu mais j'avais besoin de l'entendre de la bouche d'un tiers. Arrêtez seulement un homme de la rue et racontez-lui que la CIA a tué votre mère pour accabler votre père et le faire chanter. Non seulement cet homme de la rue ne vous croira pas mais, dans le meilleur des cas, il vous traitera de complotiste, et au pis il vous conseillera de vous faire enfermer. « Il n'y aura que nous pour croire à cette histoire, Edmond, il n'y aura que nous. C'est pour cela qu'il n'y a rien à craindre, ils savent que tout paraît si invraisemblable que personne ne nous croira jamais. On passerait pour des paranoïaques délirants. Ils ne nous feront pas de mal, ce serait accréditer notre thèse, et ils sont assez malins pour éviter cela. » Edmond opina longuement avant de s'arrêter brutalement. « Sauf si nous parvenons jusqu'à la vérité dans sa globalité. Ils ne nous laisseront pas nous approcher trop près de la raison pour laquelle ils ont piégé votre père. » Cette raison, nous la connaissions l'un et l'autre et nous tardions à nous l'avouer comme si elle risquait de nous brûler les lèvres. Un type plutôt grand venait de gravir la passerelle d'un voilier impressionnant, un gros sac de marin sur le dos. Je me mis à rire en m'adressant à Edmond. « La mer recouvre les deux tiers du globe et c'est notre chance, même si on parvient à la saloper, elle est quand même un sacré rempart contre nous-mêmes. » Edmond acquiesça, mais il restait toujours crispé. Je poursuivis parce qu'il le fallait bien. « Mon père est mort le jour de l'assassinat de Robert Kennedy. Je ne pense pas qu'il s'agisse d'une coïncidence. » Edmond rétorqua aussitôt que mon père était effectivement mort ce jour-là et à peu près à la même heure que celle de l'attentat. Mais l'accident avait eu lieu à plusieurs heures de route de Los Angeles en allant vers le nord. Quand Kennedy avait été assassiné, mon père se trouvait déjà à plusieurs centaines de miles des lieux du crime. « Il n'était donc pas impliqué dans l'attentat... » Edmond s'interrompit pour éternuer puis il ajouta après s'être excusé : « jusqu'à preuve du contraire ».

Je continuais à penser à ma mère, exécutée dans le seul but de faire pression sur mon père. Ce genre de conspiration, le commun des mortels ne peut pas y croire, cela dépasse son entendement programmé pour voir dans l'État un protecteur de ses intérêts, mais une horreur pareille ne peut avoir été commise dans son esprit au nom de la raison de cet État. Ma mère n'a certainement pas compris ce que lui voulaient ces deux hommes de main. Ils ne lui ont certainement rien expliqué, ils n'en avaient ni le temps ni l'ordre. Ils ont ensuite pris le chemin du retour où l'un des deux a peut-être retrouvé sa femme et ses enfants. Il s'est sans doute enfermé dans son bureau pour peindre ses soldats de plomb ou finir la maquette d'un bombardier B-25 avant de rejoindre sa petite famille autour de la table de la salle à manger. Ils l'ont regardé respectueusement pendant qu'il récitait le bénédicité d'une voix morne et dans une attitude de profonde humilité dont les enfants tenteraient de s'inspirer le reste de leur vie. Le plus dur pour lui n'était certainement pas de justifier son acte à ses propres yeux mais de s'avouer le plaisir qu'il avait pris à enlever la vie à cette femme. L'humanité vit constamment au bord d'un précipice mais il ne pouvait pas s'avouer être tombé dedans. Au contraire, il se voyait comme le scrviteur zélé de grands desseins inavouables au peuple, ces enfants rassurés qu'on puisse faire le mal pour leur bien. Il y avait quelque chose de pourri au royaume d'Amérique qui ne l'affectait pas. J'imaginais son collègue comme un homme du Sud, un Latino d'extrême droite. La seule question qu'il s'était sans doute posée devant cette belle Irlandaise de quarante ans, c'était : « Tant qu'à la tuer, pourquoi ne pas la baiser d'abord ? » L'autre, le WASP de Langley, avait dû lever les yeux au ciel parce que son plaisir était ailleurs, dans la manifestation de sa puissance, dans cet acte d'essence divine qui est de reprendre la vie. Le Latino devait s'être enfermé ensuite dans un bar de Miami pour vider des bouteilles, confiant à qui voulait l'entendre ce qui pouvait l'être, sans rien dévoiler qui rende la mission reconnaissable, mais assez tout de même pour se donner de l'importance. Il avait aussi certainement beaucoup bu pour oublier qu'un jour ou l'autre quelqu'un viendrait l'éliminer pour effacer toute trace de ce forfait immonde.

La distance et le coût des recherches m'avaient découragé d'en savoir plus sur le rôle de mon père dans la Résistance à Bordeaux. Hélène Grindon, une professeur d'histoire de Montréal, spécialisée dans la Seconde Guerre mondiale, est venue enseigner un semestre à Vancouver au début des années quatre-vingt-dix. C'était une femme pleine de vie qui jubilait en permanence. Nous avions alors à peu près le même âge et il faut avouer qu'il nous est arrivé de coucher ensemble. Hélène ne cherchait pas d'aventure au long cours. Elle était libérale au sens où on l'entend en Amérique du Nord, déterminée à ne pas se laisser abuser par la dictature du mensonge. Le mensonge était d'ailleurs le thème de ses recherches, précisément dans la façon dont les Français s'en étaient accommodés, pour permettre à leur pays vaincu par les Allemands, moralement dévasté par la collaboration, de se recréer une identité fondée sur une reconstruction de son histoire récente acceptable. Ses travaux étaient centrés en particulier sur le rôle du général de Gaulle pour lequel elle avait une affection particulière depuis son discours où, emporté par l'enthousiasme, il s'était laissé aller à lancer son fameux : « Vive le Québec, vive le Québec libre. » Après deux ou trois verres de vin rouge français, Hélène était du genre à proclamer, devant une petite assemblée de vieux professeurs anglo-saxons, que la défaite militaire de Montcalm et la vente de la Louisiane par Napoléon avaient été le drame du continent nord-américain. Sous influence française, il n'aurait pas été submergé par le mercantilisme et l'absence d'esprit critique.

Elle ne s'adressait jamais à moi en anglais, elle préférait sa langue d'une richesse oubliée en France, déployer son accent charnu plein de charme. Il m'a fallu peu de temps pour tomber amoureux de cette femme drôle qui, sous une apparente rudesse, avait une façon très délicate de secouer ma mélancolie. Mon histoire la fascinait et elle me promit de m'aider à établir le rôle exact de mon père dans la Résistance à Bordeaux. Je n'imaginais pas trouver dans son passé de résistant les termes du chantage qui avaient pesé sur lui dans la dernière phase de sa vie, mais j'étais curieux de savoir jusqu'à quel point il avait participé de cet entre-monde que je commençais à honnir et dont je découvrais, sous l'apparence policée de l'espion magnifié au cinéma, l'effroyable brutalité. Le peu de temps passé à Bordeaux ne m'avait pas permis de pénétrer profondément dans son histoire. La Résistance française a l'odeur humide et âcre des catacombes. Elle fait penser à un jeu de lumière où les visages éclairés furtivement s'évanouissent dans la pénombre avant de sombrer définitivement dans l'obscurité. Rien n'y semble linéaire, et le chemin apparemment le plus court d'un point à un autre serpente longuement. Les non-dits parlent plus que les mots, les silences plus que les non-dits, et reconstituer ce qui s'est véritablement passé demande un travail minutieux d'archéologue dans une matière à la fois meuble et friable, comme si le chantier étayé longuement menaçait de s'effondrer à tout moment. « Soit les gens ne disent rien, soit ils parlent trop », disait Hélène à propos de cette vaste enquête qu'elle avait lancée sur la Résistance, sur son reflet en creux, la collaboration, et son appendice le plus pitoyable, la déportation des juifs. Moins glorieuse qu'elle n'y paraissait de prime abord, elle ne pouvait être approchée, selon Hélène, sans considérer le contexte de guerre civile qui prévalait alors, exacerbé par l'occupation allemande. Toujours selon elle, l'élection, à

peine dix ans plus tôt, de François Mitterrand, ancien colla-
borateur et ancien résistant présumé, homme profondément
à droite par sa culture et nombre de ses convictions, élu sous
une étiquette socialiste alors qu'il avait pour le peuple l'exquise
condescendance du pervers pour sa proie, exerçant sa fonction
présidentielle comme le dernier des Capétiens, entouré d'une
cour de grands bourgeois convaincue qu'un élan du cœur vaut
mieux qu'une aumône qui vaut mieux qu'un partage, cette élection, trente-six ans après la Libération, donnait à elle seule la
mesure de la confusion schizophrène qui s'était emparée du
pays depuis la fin de la guerre. Pour éviter que la Libération ne
se transforme en guerre civile, comme pansement national, de
Gaulle avait concocté une rare alchimie de procès immédiats,
de pardons feints, de généreux mépris. Au final, une seule réalité comptait, la Résistance avait représenté un peu moins d'un
Français sur vingt, dont il était encore difficile à l'époque de
distinguer ceux qui avaient vraiment risqué leur vie contre l'occupant des milliers de flagorneurs montés sur une meule de foin
pour chanter *La Marseillaise* une fois les Allemands partis. Ces
derniers avaient été les plus actifs pour monnayer le souvenir
de leur prétendu courage, pour négocier des avantages et des
situations. J'avais entendu mon père parler de la Résistance à
d'autres adultes. Sans refuser le sujet, il l'abordait sans enthousiasme et avec distance. J'en avais retenu que son souvenir était
celui d'une période épique sans gloire.

Après plusieurs mois de recherches discrètes, Hélène me pro-
posa de la rejoindre à Montréal pour qu'on parte ensemble
vers Sainte-Agathe où ses parents lui avaient légué une maison
construite au bord d'un lac gelé l'hiver. La neige avait envahi
les paysages et la route était à peine praticable. La maison
construite en rondins grossiers faisait une petite tache brune

dans le décor exagérément blanc qui envahissait jusqu'au ciel grisé par le déclin du jour. Le chalet n'avait pas été chauffé depuis plusieurs mois, et la première nuit fut celle d'une étreinte expéditive, suivie d'un empilement de couches de vêtements pour résister au froid. Le poêle à bois finit par produire son effet au milieu de l'obscurité, et nous nous sommes réveillés engourdis par ses émanations, recroquevillés l'un contre l'autre dans des duvets militaires hérités de son père. Nous avons pris notre petit déjeuner devant la fenêtre qui s'ouvrait sur le lac. Un traîneau l'avait sillonné du sud vers le nord, confiant dans la solidité de la couche de glace. Le franc-parler d'Hélène n'allait jamais jusqu'à évoquer l'essentiel : notre relation et la raison pour laquelle notre complicité intellectuelle et physique ne se transformait pas en passion amoureuse. Mais nous nous sentions bien ainsi, et les mois passaient sans plus de promesses. Notre approche des sciences sociales était différente. Hélène enquêtait scrupuleusement, patiemment, dans la jungle de sa période de prédilection. Il était selon elle aussi difficile de progresser sur l'histoire de la Résistance française que sur l'assassinat des frères Kennedy. Trop d'intérêts contradictoires s'affrontaient dans ces deux tragédies. Dans l'une comme dans l'autre affaire, une fiction avait été construite à l'usage du public, et les ramener dans le champ du réel demandait un travail considérable qu'Hélène accomplissait sans se décourager. La France était loin du Québec, les universitaires français ne se précipitaient pas pour aborder ce chapitre de leur histoire qui impliquait trop de dirigeants politiques encore en fonction. Les Français, toujours prêts à donner des leçons universelles, sont moins enclins à voir des étrangers parcourir le sentier de leur refoulement. Ils ne lui facilitaient pas la tâche mais, par son travail de fourmi, elle progressait dans sa compréhension de la

Résistance bordelaise qu'elle évoquait comme un enchevêtrement inextricable à première vue.

Une pièce de théâtre n'aurait pu mieux commencer. Les deux hommes sont dans un face-à-face ordinaire pour l'époque. Dohse est un policier nazi avenant. Dans son vaste bureau bordelais se tient devant lui un homme jeune mais marqué. Une barre de sourcils épais surplombe deux petits yeux noirs, enfoncés. Ses cheveux gominés coiffés en arrière dégagent un front large. L'apparente ouverture d'esprit qui en émane est aussitôt contrariée par un bas de visage fermé par un menton fuyant. André Grandclément n'est pas à son avantage. Le patron de l'OCM a été arrêté à Paris par la police française qui se révèle remarquable dans son travail de collaboration et d'une efficacité transcendée par son rôle de laquais de l'occupant. Dohse a des raisons de se féliciter, la résistance bordelaise qui remonte jusqu'au nord des Charentes est décapitée. Son chef est devant lui, sa femme a été arrêtée aussi et avec eux des dizaines de combattants de la liberté. Grandclément s'était préparé à cette éventualité et pense probablement que ce qui va suivre n'est qu'une formalité. Interrogatoire poli puis torture puis déportation ou exécution sommaire dans une cour de prison. Il sait qu'il est arrivé au terme de sa courte existence qu'il échange contre la postérité de libérateur d'une nation humiliée. Son esprit est déjà ailleurs, en route pour l'au-delà. Il écoute parler Dohse d'une oreille distraite. Soudain, le nazi en vient à l'essentiel. Qui est de les libérer, lui, sa femme et tous ses hommes. « Si je veux schématiser, je vais dire qu'il y a deux résistances à Bordeaux comme ailleurs. La vôtre et celle des communistes. La vôtre est la plus importante en nombre. Votre coopération se limite à des livraisons d'armes. Je vais vous surprendre, monsieur

Grandclément, l'Allemagne va perdre la guerre. J'en ai l'intime conviction. Nous avons ouvert trop de fronts. Dans deux, trois ans, peut-être, nous serons vaincus. Alors à quoi vous servirait-il de mourir puisque nous serons vaincus ? Il faut regarder les événements que nous vivons avec plus de distance. Nous avons amorcé une lutte sans merci contre le communisme. Je connais vos sympathies maurrassiennes et je crains que, idéologiquement, vous soyez plus près de moi que des réseaux de résistance communiste qui, une fois la guerre terminée, se retourneront contre vous pour aider Staline à progresser jusqu'à l'Atlantique. Je suis votre ennemi d'aujourd'hui, ils sont vos ennemis de demain, et vous perdrez devant eux comme vous avez perdu devant moi. Que vais-je faire ? Faire couler le sang ? Votre sang, celui de votre femme et d'autres hommes et femmes qui ont le même ennemi que moi ? La France finira par être libérée des Allemands mais elle retombera aussitôt dans une nouvelle forme de servitude. Seuls les maîtres changeront. Collaborons et nous éviterons que votre victoire, qui est inévitable, ne se transforme en tragédie. »

« Et ensuite ? »

Hélène ouvre l'épais dossier qu'elle a posé devant elle.

« Ensuite, en gage de sa bonne foi, il relâche la femme de Grandclément et ses hommes. Il connaît déjà une partie des caches d'armes mais Grandclément lui en révèle de nouvelles. Grandclément et Dohse conviennent de convaincre de Gaulle d'une paix séparée pour empêcher la victoire finale des communistes. De Gaulle s'offusque et refuse obstinément. On ne sait pas encore d'où vient l'ordre d'abattre Grandclément, sa femme et son principal adjoint, mais la BBC ne se prive pas de le dénoncer comme traître sur ses ondes. Et quelques semaines avant la libération de Bordeaux, ces trois individus sont assassinés par le SOE, le service britannique chargé de promouvoir la résistance contre les Allemands, de lui fournir des soutiens logistiques et de renseigner les Britanniques sur tout ce qui concerne l'ennemi. »

Hélène s'humecta un doigt qu'elle promena nerveusement de page en page en prenant soin de ne pas les écorner. Elle s'arrêta sur l'une d'entre elles pour l'extraire. Elle regroupait apparemment diverses notes. Elle me regarda avec l'air que prend un médecin pour vous annoncer le résultat de vos analyses.

« Je n'ai pas encore tout ce que je voudrais, mais il est clair que ton père dirigeait un réseau communiste très proche du SOE. Il a certainement collaboré à l'assassinat de Grandclément et de ses proches. Et je crois pouvoir dire qu'il a été ensuite recruté par le MI6 pour suivre l'évolution des communistes français. Il est clairement devenu agent des services de renseignement britanniques. Et tu sais ce qu'on dit : "agent un jour, agent toujours..." Alors, et là je prends toutes les précautions oratoires pour la suite, il est probable qu'il ait été vers la fin des années quarante détecté par les services de renseignement français comme agent des services britanniques, donc comme espion au service d'une puissance étrangère. Plutôt que de lui faire un procès en espionnage, ils ont préféré lui tendre un piège avec un procès pénal pour viol. Les Britanniques, le voyant pris dans la nasse, ont négocié son exfiltration. De toute évidence, les Français voulaient aussi le discréditer pour s'éviter un jour ou l'autre son témoignage sur ce qui s'était précisément passé dans la Résistance à Bordeaux. Que craignaient-ils exactement ? Cela me demandera encore des années de travail pour l'appréhender pleinement. Mais comme tu dirais, d'un point de vue hypothético-déductif, c'est assez cohérent. »

La participation de mon père à ces assassinats me perturbait.

Pour me rassurer Hélène m'affirma que cette hypothèse n'était rien moins que vraisemblable.

Alors que dans mon champ de vision un renard argenté pressé foulait la surface du lac enneigé en effectuant de petits sauts nerveux, je réalisai que mon père ne s'était pas contenté de collaborer avec le renseignement britannique, il en avait certainement été un agent dévoué de la guerre jusqu'à sa mort. Et qu'après avoir combattu avec les communistes, il les avait infiltrés pour renseigner les Britanniques, renseignements basculés sur la CIA, laquelle n'avait pas hésité à intervenir en sa faveur, lorsque l'impitoyable Hoover s'était mis en tête que mon père était un agent communiste infiltré en Amérique du Nord. Mon père était une vedette, une notoriété dans son domaine, et toutes les célébrités étaient systématiquement passées par Hoover au « détecteur de sympathies communistes ». Il haïssait particulièrement les psychothérapeutes, surtout depuis que l'un d'entre eux, le docteur Ruffin, lui avait révélé son homosexualité qu'il niait farouchement même s'il couchait depuis une trentaine d'années avec Clyde Tolson, son adjoint au FBI. Freud s'était révélé aux yeux de Hoover aussi dangereux que Marx, et un psychiatre marxiste comme il se représentait mon père était pour lui une forme d'abomination qui expliquait son acharnement à lui interdire l'accès au territoire américain. La CIA, qu'il avait informée indirectement pendant des années, s'était certainement portée garante, via l'intervention de Gottlieb, que son appartenance à la CIA ne l'empêchait pas d'entretenir des relations courtoises avec le patron du FBI.

21

Serrer des mains, toujours plus de mains, montrer de l'intérêt pour tous ces gens, pour leurs problèmes, pour ce cadre étriqué où ils se débattent, certains juste pour survivre. C'est pour eux qu'il s'est lancé mais il sait à quel point leur contact lui coûte. Ne les aime-t-il pas d'une façon complètement théorique ? Il a besoin d'eux, il aime à penser qu'ils ont besoin de lui, mais n'est-ce pas un malentendu qui les lie ? Les paysages défilent, en train, en voiture, quand il ne prend pas l'avion. Le nomadisme des campagnes politiques nationales bat son plein. Pas une heure ne passe sans qu'il ne repense à son frère. Il est recroquevillé sur lui-même, il n'explose pas dans le cœur des femmes comme savait le faire Jack, il n'est pas celui que les Américains rêvent d'avoir pour beau-frère. Il a plus de sensibilité que n'en avait Jack mais celle-ci ne l'aide pas à rayonner, il reste Bobby. Il impressionne son entourage mais ceux qui sont loin de lui voient un lauréat, juste diplômé. Étudiant privilégié, attardé, grand cœur, poches pleines, enfant de chœur les pieds en dedans reconverti à la charité politique, cela suffira-t-il à faire de lui l'homme le plus puissant de cette planète ?

Le Kansas s'étire, des étudiants de la KSU Field House

l'attendent. Rien à voir avec ces jeunes aux cheveux longs qui planent au-dessus de leur vie dans des utopies ouatées. Ces jeunes-là sont des enfants de la terre, des étendues âpres. Ils en savent plus sur le maïs que sur la colombienne et se sont rassemblés par milliers pour apercevoir un Kennedy. Bobby, lentement, gravement, mais la jambe animée par un tremblement compulsif, se lance dans une diatribe sans concession contre la guerre. Suspicieux, il doute jusqu'au bout de la réaction de ces jeunes que la nature a rendus conservateurs. Mais, de l'avis même d'observateurs présents, son discours est accueilli par un déferlement d'applaudissements. L'accueil de l'université du Kansas n'est pas moins enthousiaste. Très vite, son entourage comprend que sa base électorale vient d'une minorité de pauvres et d'étudiants dans une nation pas vraiment pauvre, ni vraiment noire ni vraiment jeune. L'Amérique a changé depuis la présidence de Jack. À part les jeunes qui voudraient tout foutre en l'air, les cols blancs, les sudistes et la classe moyenne se sont calcifiés. Bobby s'acharne sur Johnson. « Ils font appel à ce qu'il y a de plus sombre dans l'âme américaine. Je ne leur reproche pas seulement cette guerre que nous ne gagnerons jamais, je leur reproche aussi la répression des émeutes dont ils sont responsables, et de conduire la jeunesse au désespoir et à la drogue. » Bobby apparaît chaque jour un peu plus comme le porte-parole de la subversion, et ses détracteurs voient en lui un démagogue qui a monté sa voile dans le vent dominant. Johnson fulmine : « J'ai déjà été poussé à bout par les Noirs en révolte, les étudiants survoltés, les mères de famille, les profs et les journalistes hystériques, mais ce que je craignais depuis le premier jour de ma présidence s'est réalisé. Robert Kennedy a ouvertement annoncé son intention de réclamer le trône en mémoire de son frère défunt. Et les Américains, portés par la magie du nom, dansent dans la rue. » Mais Johnson, malgré toutes les infamies dont il est capable, garde une étonnante lucidité. Il n'est pas arrivé si haut par lui-même ni pour lui-même. Sa force a été de n'avoir d'autre conviction que de servir les intérêts disposés à le propulser à une place à laquelle il n'aurait jamais pu prétendre sur la foi de ses propres qualités. Il s'en fatigue. L'alcool, la cigarette, un premier infarctus. « Mon royaume pour un cheval. » Il se voit encerclé dans un champ de bataille parsemé de cadavres, à terre, à genoux, désarmé devant un Kennedy qui du haut de sa monture contemple l'imposture en l'irradiant de son regard méprisant. Johnson envisageait depuis des mois de ne pas se représenter. Seule l'idée qu'un Kennedy puisse lui succéder après l'avoir précédé l'en a empêché. Il ne veut à aucun prix figurer dans l'histoire comme une parenthèse. Mais le Pentagone lui demande deux cent six mille jeunes de plus pour approvisionner sa boucherie vietnamienne. Les sondages, déjà défavorables, s'effondrent. Il n'a plus la force physique d'une guerre à mort avec le foutriquet irlandais. Avec une dizaine d'années de moins... Ce ne serait plus pour lui, cette fois, mais il ne lâcherait pas prise s'il n'avait pas la profonde conviction que ce ne serait pas non plus Kennedy. Il n'en dit rien mais le pense très fort. « Ils ne laisseront jamais cet ectoplasme à peine pubère atteindre le sommet. » Johnson est convaincu que le terme de sa vie n'est plus très loin, il se sait condamné à un strapontin de l'histoire par le génocide de la jeunesse de son propre pays même si, au fond de lui-même, il ne ressent pas plus de peine devant leurs dépouilles que devant les corps carbonisés des Vietnamiens. Il sait ce que l'accession à la magistrature suprême lui a coûté de forfaitures, d'escroqueries et de meurtres. S'y maintenir demande une énergie qu'il n'a plus. Le 31 mars 1968, il relit seul dans le bureau Ovale le discours où il va annoncer l'arrêt des bombardements, sa requête pour des négociations de paix et sa décision irrévocable de ne pas se représenter. L'honneur qui lui a toujours fait défaut accompagne sa déclaration de retrait. Il espère ainsi s'exonérer aux yeux de la postérité. John Burns, le patron des démocrates de New York, s'engouffre dans l'avion de Bobby qui vient juste d'atterrir à La Guardia pour lui annoncer la nouvelle. Bobby n'en revient pas. Sur le chemin de la ville, il se perd dans ses songes, remuant les hypothèses avant de lâcher de cette voix exténuée, désormais naturelle : « Je me demande s'il a renoncé parce que je suis entré en campagne. » « Il ne méritait pas d'être président de toute façon », claironne Ethel. Puis soudain Bobby se détend. Le spectre de la lutte contre Johnson s'éloigne, la tension retombe. Un boulevard désert et silencieux s'ouvrirait-il devant lui ? Il s'autorise à le croire un moment avant de redevenir réaliste, Johnson s'emploiera d'autant plus à le détruire qu'il ne risque rien en contrepartie. Bobby doit s'en rendre compte par lui-même. Il demande à Johnson de venir le rencontrer à la Maison-Blanche. Le vieux roi renâcle avant d'accepter. Rendez-vous est pris le 3 avril. Washington, tous drapeaux flottants, se pare des fleurs du printemps sur les arbres de la ville. Le signe d'une renaissance. Sans agressivité, son regard morne posé sur Bobby comme une déjection de pigeon sur la statue d'un illustre inconnu, Johnson, docte, monologue sur le Vietnam, le budget, le Moyen-Orient, pendant que Bobby cherche sur la moquette où poser son regard. Bobby l'interrompt subitement : « Vous allez vous positionner comment durant la campagne ? » Johnson prend l'air renfrogné de celui qui ne peut pas exprimer la véritable violence de ses pensées. « Dehors, je ne suis pas faiseur de roi, et je n'ai pas l'intention de le devenir. » Un silence s'ensuit. Le temps que Bobby réalise que Johnson va jeter dans la bataille Humphrey, son vice-président. Humphrey peut raisonnablement espérer se laver d'une partie de l'impopularité de Johnson. Mais Bobby veut pourtant entendre de Johnson qu'il restera vraiment neutre. Johnson fait diversion, évoque son frère comme s'il était le seul Kennedy auquel il consentirait à parler. Bobby dodeline de la tête puis, en espérant l'amadouer, il lâche : « Vous êtes un homme brave et dévoué », mais il y croit si peu que, prononcés d'une voix presque mourante, les mots ne parviennent pas jusqu'à Johnson qui les lui fait répéter. « Vous êtes un homme brave et dévoué. » Bobby, lorsqu'il entend pour de bon ce qu'il prononce, n'en croit pas ses oreilles. Johnson non plus. Bobby n'a que des défauts selon lui mais pas celui de s'abaisser. On dirait qu'il le supplie. « Je sais que vous avez d'une certaine façon participé à l'assassinat de mon frère, que vous avez usurpé son trône, alors cette fois, puisque vous n'êtes pas dans la course, vous me devez bien... » C'est ainsi que le vieux roi l'entend. Les deux hommes se regardent longuement, Johnson par-dessus, Bobby par-dessous. Ils n'ont plus rien à se dire. Bobby quitte ce bureau, qu'il ambitionne d'occuper dans dix mois exactement, convaincu que Johnson n'est pas prêt à signer l'armistice. Ce dernier reçoit Humphrey aussitôt après pour discuter des modalités de son soutien. McCarthy lui rend visite dans la journée, et en garde le souvenir d'une conversation amicale, jusqu'au moment où le sénateur évoque Robert Kennedy. Il voit subitement Johnson qui se crispe et qui, la haine dans les yeux, accompagne cette expression d'un geste signifiant qu'il va lui trancher la gorge. Puis le démissionnaire convoque Pearson, son allié dans la presse, pour discuter de la façon de salir « le petit fils de pute ». Mais pire que cela, en proposant l'arrêt des bombardements et le début des négociations de paix, Johnson a coupé l'herbe sous les pieds de Bobby. Ses diatribes contre la guerre soulèvent les foules et sans elles, il ne reste pas grand-chose pour les galvaniser. Bobby en perd la voix, acte manqué qui prend la forme d'une laryngite. Les primaires à gagner absolument doivent débuter en Indiana le 7 mai pour s'achever à New York le 18 juin, et son équipe est dans un état d'impréparation qui le laisse songeur. Jack avait su porter son propos à une altitude hors de portée du politique commun. En proposant de s'engager sur la voie du désarmement, il avait cloué ses rivaux au sol, et en avoir fait la condition pour se représenter avait armé ses convictions à un niveau inaccessible pour les politiciens à la petite semaine. « Pourquoi pouvons-nous réparer nos erreurs ? Tout simplement parce que nous en sommes la cause. » « Nous respirons tous le même air, nous chérissons tous l'avenir de nos enfants et nous sommes tous mortels. » La force de ce discours pour la paix, prononcé par Jack devant un parterre d'étudiants, tient à sa sincérité. Jack le fataliste, Jack le nonchalant savait que l'arbre de ses origines avait croisé des zones d'ombres inacceptables, que ses compromis avec le passé familial ne l'étaient pas moins, mais ses convictions restaient inattaquables. Et toi, Bobby, quelles sont tes convictions profondes ? Oh non, je ne te parle pas d'accès de sensiblerie, de gestion économe de ta culpabilité de gosse de riche catholique, de tes remords d'avoir poussé trop loin la duplicité avec les pouvoirs de ce pays comme s'il s'agissait d'un jeu d'étudiant après une soirée trop bien arrosée, je te parle de ta foi. Es-tu de ces exhibitionnistes qui font parade de leur foi, qui la promènent comme un caniche toiletté, qui l'exploitent pour s'exonérer d'une pensée, d'une morale authentique ? Ne cherches-tu pas plutôt une façon glorieuse de te suicider, d'en finir avec cette dépression qui te mine, avec cette imposture qui est en toi. L'homme que tu es, sans l'appellation Kennedy, serait-il seulement là à viser la magistrature suprême ?

Juste après son entretien avec Johnson, il vole en direction de l'Indiana pour un premier grand discours dans un ghetto. Le reporter du *New York Times* surgit de nulle part pour lui annoncer qu'on a tiré sur Martin Luther King à Memphis dans le Tennessee. Bobby devient livide comme si son sang lui-même cherchait à fuir l'attentat. À son arrivée à Indianapolis, Martin Luther King a été déclaré mort. L'émoi autour de lui ressemble étrangement à celui provoqué par la mort de son frère, mais s'y ajoute la force massive de la répétition. La police lui déconseille fortement de maintenir son discours dans le ghetto et d'annoncer la mort de King. Il s'obstine et met la foule en émoi. Walinsky lui tend ce qu'il a préparé pour lui. Bobby met le papier dans sa poche dont il tire une autre feuille écrite à la main : « Pour ceux qui sont noirs et tentés de se remplir de haine et de méfiance devant l'injustice d'un tel acte, contre le peuple blanc, je peux seulement dire que j'ai les mêmes sentiments. J'ai eu un membre de ma famille tué par un Blanc. Nous devons faire un effort aux États-Unis pour nous comprendre et dépasser ces temps difficiles. Mon poète favori a écrit : "Dans notre sommeil, la douleur tombe goutte à goutte sur notre cœur jusqu'à ce que, dans notre désespoir, contre notre volonté, vienne la sagesse à travers l'horrible grâce de Dieu." Ce dont nous avons besoin aux États-Unis, ce n'est pas de la division, ni de la haine, ni de la violence, ni du mépris des lois, mais de la compassion les uns vis-à-vis des autres et d'un élan de justice vis-à-vis de ceux qui souffrent encore dans notre pays, qu'ils soient blancs ou noirs. Donc, je vais vous demander de retourner chez vous ce soir pour prier pour la famille de Martin Luther King, c'est vrai, mais encore plus important : je vous demande de prier pour votre pays, celui que nous aimons tous, une prière pour cette compréhension mutuelle et cette compassion dont j'ai parlé... Consacrons-nous à ces idéaux grecs rédigés il y a tant d'années contre la sauvagerie de l'homme et pour rendre le monde meilleur. Consacrons-nous à cela et disons une prière pour notre pays et notre peuple. »

Discours d'espoir, mais d'un espoir tellement lointain. Un barrage contre la colère. Rien qu'avec des mots, des prières, prononcés par un riche Blanc, seul espoir de pauvres Noirs. Ceux d'un prêtre novice qui veut croire au pardon, à l'amour entre ses fidèles, qui pense pouvoir éteindre un feu de forêt avec des larmes.

Son discours terminé, Bobby offusque son entourage par une sécheresse affectée. « Après tout, ce n'est pas la plus grande tragédie dans l'histoire de cette nation. » Son équipe rassemblée autour de lui le regarde, incrédule. Il n'en dit pas plus, laissant chacun à son interprétation. Veut-il suggérer que cette tragédie ne pourra jamais effacer pour lui celle de la mort de son frère ? Ou alors est-ce une manifestation de la condescendance du Blanc pour la disparition d'un symbole noir ? À la lueur de ce manque apparent de sentiments, son discours prend des reflets factices. Certes les deux hommes n'étaient pas très proches mais King avait fini par se convaincre d'appeler à voter Kennedy pour l'élection. Bobby voulait ce soutien des Noirs, mais trop de Noirs effraient les Blancs, et si les Blancs ne votent pas pour ce Blanc, c'est mauvais pour les Noirs. Cela, à la limite, on peut le comprendre, mais cette subite âpreté... Ce discours restera comme son plus grand discours, il en a le pressentiment, mais il ne vaut pas mieux qu'un sermon improvisé dans une messe de quartier. Il n'atteint pas le niveau du discours de la paix de Jack. Rien à voir. N'importe quel diacre, même récemment converti à l'existentialisme, en aurait fait autant si ce n'est plus. Dans le Marriott d'Indianapolis, Bobby, incapable de trouver le sommeil, passe de la chambre d'un conseiller de campagne à une autre, pour y tourner en rond, sans rien dire. Il commence : « Harvey Lee Oswald »... On le reprend : « Lee Harvey Oswald, Bobby. — Oui, je sais. » Mais il ne continue pas. Tard dans la nuit, il frappe à la porte de Joan Braden, une fidèle de la campagne de 1960, une de ces femmes avec lesquelles il aime flirter. Là aussi, sans respect pour la fatigue de la jeune femme, il tourne en rond sans rien dire avant de lui avouer : « Cela aurait pu être moi à la place de King, cela aurait pu être moi. » Il a enfin lâché ce qu'il avait sur le cœur. Il s'est vu mort ici et il craint que cette époque veuille le retenir entre ses serres, lui interdire le futur, comme King, comme son frère.

Au matin, il apprend que son discours dans le ghetto d'Indianapolis a éteint la révolte qui y couvait. Mais pas ailleurs. Cent dix villes ont explosé et l'on dénombre trente-neuf morts et plus de deux mille cinq cents blessés. À l'approche de Washington, en avion, plus tard dans la matinée, il voit de la fumée épaisse sortir des bâtiments de la 14e Rue. Bobby s'y rend pour y endurer la colère des Noirs qui s'en prennent à lui parce qu'il est le seul Blanc présent. Certains le regrettent aussitôt, comprenant qu'ils n'ont plus d'autre espoir politique. Il se rend à l'enterrement de King à Atlanta dans une chaleur de four. Il y déambule, défait mais étrangement calme.

La campagne se poursuit, ses gardes du corps sur les dents. Il les défie en se jetant dans la foule, en serrant des mains, en improvisant des discours depuis le toit d'une voiture, en refusant de fermer son cabriolet, mais en avion, il blêmit, s'accroche à la manche de son voisin. Il ne veut pas de n'importe quelle mort. Pas d'une mort sans gloire. Après un décollage avorté, l'avion s'est reposé, et certains ont remarqué gentiment sa peur. Bobby se rend dans le cockpit et prend le microphone pour rappeler avec son humour noir habituel qu'en cas d'accident seul son nom fera la une des journaux.

De retour au sol, il désespère son escorte, il veut, il a besoin d'être touché, comme si une lointaine impulsion messianique lui imposait de subir cette hystérie, de la part des femmes, particulièrement, dont une va jusqu'à lui prendre une chaussure au moment où il ne s'y attend pas. Aux reproches de son entourage, il répond toujours avec la même phrase de Camus : « Savoir que vous allez mourir n'est rien. » S'interroger sur la profondeur de cette phrase n'est pas interdit, mais il la prononce avec un air tellement entendu. Les observateurs de ses bains de foule inconsidérés parlent de son regard absent, de cette lévitation où, au comble du danger, il crée ce rapport charnel avec le peuple venu le saluer, lui, l'espoir d'une dynastie. Plusieurs suspects ont été repérés, dont un homme dans le Michigan ou en Illinois, peu importe, sur un toit, un fusil à la main. « Il plonge dans la foule comme il le ferait dans un bain glacé. » Sauf qu'il ne sait pas ce qu'il en retirera, de la chaleur humaine ou le froid de la mort, et cette alternative le galvanise car il n'en voit pas d'autre.

Laissez venir à moi les petits enfants... Mais il fait encore mieux que le prophète lui-même, il les raccompagne jusqu'à leur domicile où il boit un thé glacé avec leur mère, sur le perron de la maison, pendant que le cortège officiel attend sous le soleil de l'Indiana. Le missionnaire prône l'unité, la réconciliation entre les communautés, et sa voix a subitement pris une consistance inattendue. L'emphase a cédé la place à un discours qui correspond mieux à une classe moyenne inquiète mais qu'il pense assez responsable pour l'entraîner vers une vision plus humaine du traitement de la pauvreté et de la discrimination. Il fait de la protection sociale des pauvres une question morale, même s'il sait que l'argent pour réaliser cela doit venir de plus haut, de son monde, celui de l'avidité comme ultime moteur, un monde qui l'observe de loin, avec mépris et condescendance, convaincu que quelque chose, quelqu'un, l'arrêtera avant que ses incantations ne se transforment en réalité. Ils ne voient chez lui que la crise d'adolescence d'un gosse de riche qui s'oppose à son monde, un temps, avant de le rejoindre pour s'y abriter du vulgaire qu'il a approché de trop près. Aux États-Unis d'Amérique, les pauvres ne peuvent faire de politique au niveau national qu'après être devenus riches. Une façon de calmer les ardeurs philanthropiques, pour que partager rappelle à celui qui en a l'idée ce qu'il peut perdre. Un des fils de l'Amérique la plus riche fait campagne à l'extrême gauche de la scène politique, et même si cette place correspond au centre droit de l'échiquier d'une démocratie européenne, elle inquiète les grands possédants qui n'y voient que faiblesse et démagogie. Bobby s'allège sur la question de l'intégration des Noirs. Son empathie et sa vulnérabilité restent apparentes. Il veut des foules considérables à mettre en mouvement. Les moyens investis sont sans limites, jamais une campagne présidentielle n'a été aussi coûteuse. « L'argent coule comme l'eau. » Au fil du temps, la campagne rend Bobby toujours plus exigeant et plus dur avec ses collaborateurs, insatisfait qu'il est de cette image de grand garçon pieux que des agences de communication hors de prix ne parviennent pas à transformer. Il reproche à sa plume ses discours ennuyeux mais ne parvient pas à trouver la spontanéité qui lui permettrait d'en sortir ; des qualités d'acteur, l'improvisation lui font défaut. Malgré l'enthousiasme des foules, son ton reste morne, entre prière et sermon, sans ampleur. Deux à trois fois par semaine, il prend le temps d'appeler son père. Il s'ensuit un long monologue, mais parfois le vieux patriarche affaibli trouve la force de prononcer un « non » à peine audible. Bobby s'interrompt alors avant de reprendre la narration de sa campagne.

Rien à voir avec les tombereaux de billets de banque déversés par le père lors de l'élection de 1960, mais les finances de la campagne sont utilisées pour fluidifier les énergies. Une réponse au soutien inconditionnel des syndicats à McCarthy. Humphrey, investi par les délégués de Johnson, peut se permettre d'ignorer les primaires, ce qui fait de McCarthy le principal adversaire de Bobby pour le moment. En Indiana, Bobby parvient à concentrer sur son nom près de neuf Noirs sur dix et presque autant de Polonais blancs. La victoire lui donne une sérénité ressentie par les électeurs du Nebraska, État qu'il parcourt en train. « Quand je me posais la question de ma candidature, ma femme m'a dit : "Tu devrais, ce serait une occasion d'aller au Nebraska." Et pourquoi je devrais aller au Nebraska ? Elle m'a répondu : "Parce que sinon tu ne verras jamais Crete." Que ceux qui croient à cette histoire lèvent la main. » Et le voilà à Crete devant un parterre de fermiers ébahis. Ils sont un millier rassemblés dans ce village où trois mille âmes bravent le vent et la langueur des plaines infinies. Les feuilles de son discours se soulèvent dans un courant d'air. Bobby plaisante : « Je crois bien que mon programme pour vos fermes vient de s'envoler. » L'assemblée s'esclaffe. L'énorme cuillère en argent que la Providence a placée dans la bouche de Bobby à sa naissance ne l'empêche pas d'avoir une sincère tendresse pour ces agriculteurs et leurs enfants condamnés à vivre dans ces plaines désolées. Il mesure sa chance tout en se reprochant de n'en tirer aucune joie profonde, comme si cette naissance avantageuse l'avait paralysée. Jack lui a transmis sa lointaine affection pour ses électeurs, il s'est rapproché d'eux, et il voit ce que la loi du plus fort fait des victimes, résignées ou non. La rumeur de la révolte lui vient d'Europe en ce mois de mai 1968. La France, paralysée par les grèves, menace de destituer son roi, le général de Gaulle. Mais ailleurs aussi la jeunesse se dresse contre l'illégitime autorité des générations qui l'ont précédée. Au Nebraska, Bobby devance McCarthy de 20 %. Puis vient le temps de l'Oregon, un État désespérant pour l'équipe de campagne, peuplé essentiellement de Blancs protestants qui n'ont pas trouvé assez de Noirs sur leur territoire pour les parquer dans des ghettos. Les positions de Kennedy en faveur du contrôle des armes en font un adversaire désigné pour une population qui répond à sa légendaire tranquillité par le surarmement. Bobby s'y rend à contrecœur. Dans cet État reculé du grand Nord-Ouest, Bobby apprend que Johnson fléchit dans son soutien à son vice-président Humphrey qu'il considère comme un faible. Dans son obsession à le contrer, on le suspecte de soutenir en sous-main un candidat républicain descendant d'une autre prestigieuse lignée, un Rockefeller. Un président démocrate soutenant un républicain lors d'une élection présidentielle, Johnson est prêt à tout pour qu'un Kennedy ne lui succède pas. À l'évidence, il est plus proche de l'esprit Rockefeller, une dynastie que l'on retrouve dans le financement de plusieurs programmes particuliers liés à la CIA. Johnson s'est égaré chez les démocrates au début de sa carrière politique, il a dû y voir de la lumière, et il s'est avancé là où le chemin lui paraissait le mieux dégagé. Johnson s'impatiente, Bobby devrait déjà se trouver hors course. Au contraire, chaque primaire le rapproche de l'investiture, et chacun sait que la période n'est pas favorable aux républicains, à la répression et à la guerre

Johnson s'est écroulé dans les sondages pour avoir suivi une politique républicaine. Bobby vainqueur des primaires, la présidence sera certainement à sa portée. Tous les observateurs, l'ensemble de ses détracteurs, ceux qui se souviennent de lui comme du chien de guerre de son frère commencent à réaliser que l'impensable risque de se produire, Robert Kennedy pourrait succéder à Johnson. Ce dernier sait qu'il détient les preuves que Bobby a autorisé les écoutes de Martin Luther King. Il est temps de les révéler pour que les libéraux sachent l'homme qu'il est. Il ne s'agit plus de rumeurs mais de documents précis. Pearson, le journaliste à la solde du président, lance l'offensive le 3 mai en parlant d'un fils qui n'hésite pas à renier son père. On reste dans le vague. Le 22, il révèle que Kennedy aurait payé un témoin clé contre Jimmy Hoffa. Puis le 24 vient l'estocade, RFK comme ministre de la Justice a autorisé les écoutes de King. Des archives du FBI ont montré postérieurement que l'attaque avait été planifiée directement depuis le bureau Ovale. L'étonnement de Bobby tient uniquement au temps qu'a pris Johnson pour passer à l'offensive. Avec l'aide de ses conseillers, il démonte l'accusation. Il a certes autorisé pour des motifs de sécurité nationale les écoutes des conversations téléphoniques de King, suspecté en juin 1963 de liens avec l'Union soviétique. Mais il n'a jamais autorisé les systèmes d'écoutes dans les chambres d'hôtel qui jalonnaient le parcours du Prix Nobel de la paix à travers les États-Unis. La presse nationale ne reprend pas les accusations contre le candidat aux primaires démocrates. La communauté noire prend l'information avec flegme et philosophie à l'image de John Lewis, activiste noir, impliqué dans l'organisation de la campagne de Bobby : « Quand vous aimez votre femme et que vous apprenez qu'elle vous trompe, si vous l'aimez vraiment, vous fermez les yeux. »

Ne dormant plus que quatre heures par nuit, Bobby est exténué. L'épuisement se lit sur son visage. Il a vieilli au-delà du temps qui s'est écoulé depuis la mort de son frère. Les conflits intérieurs ont ruiné sa jeunesse, et son entourage commence à voir en lui un vieil homme aux allures d'étudiant attardé. Il envisage la défaite comme une éventualité salvatrice. Ethel est enceinte de leur onzième enfant. Son fils David, sensible et fragile comme lui, a été arrêté par la police pour avoir lancé des pierres sur des voitures passantes. La rage des absences de son père défoulée sur des inconnus. « Il est temps que je rentre pour élever la prochaine génération de Kennedy. » La défaite en Oregon ne l'atteint pas, il l'avait prévue. Dans une semaine, il sera en Californie pour la primaire décisive où Mexicains et Noirs comptent sur lui pour faire valoir leurs droits dans ce pays où le Blanc, qu'il soit catholique ou protestant, ne veut majoritairement rien devoir à cette main-d'œuvre humiliée. Ses conseillers, sachant que cette population abandonnée lui est acquise, lui suggèrent d'en faire le minimum en leur direction pour ne pas compromettre son élection. Ces calculs l'épuisent. Montrer toujours plus de tolérance à l'intolérance. Il s'offre une escapade chez des artistes libéraux. John Frankenheimer lui ouvre les portes de sa maison de Malibu où se sont rassemblés Shirley MacLaine, Warren Beatty, la sublime Jean Seberg et son mari, Romain Gary. Gary, hypnotisé, ne laisse pas Bobby un moment seul et profite d'un court tête-à-tête pour lui asséner : « Vous savez que quelqu'un va vous assassiner, vous le savez, n'est-ce pas ? » La question ne le surprend pas puisqu'elle est la compagne de ses jours. « C'est un risque que je dois prendre. » Sa réponse faite, ses pensées l'emmènent ailleurs. Ils sont capables de lui laisser la vie, mais une fois élu, et il en est encore loin, le laisseront-ils seulement agir de façon significative ou sera-t-il un président qui de concessions en concessions, de barrages en barrages, laissera ses idéaux s'éroder sur l'autel du pragmatisme qui veut que jamais une grande ambition n'aboutisse dans sa dimension originale ? Sans compter les farouches oppositions du monde invisible qui endossent les intérêts d'un monde qui l'est beaucoup plus. Il se souvient de la CIA préparant un ultime assassinat contre Castro à l'aide d'un stylo empoisonné pendant que son frère dépêchait auprès du dictateur Jean Daniel, le rédacteur en chef du *Nouvel Observateur*, un hebdomadaire français, pour avancer vers une résolution pacifique des désaccords entre les deux pays.

Les sondages parient sur sa victoire en Californie. Après avoir obstinément refusé, il accepte un débat télévisé avec McCarthy qu'il domine sans grands efforts. Quand vient la question des écoutes de King, McCarthy semble ailleurs, aux prises avec l'alcool qu'il a bu pour se donner du courage. Bobby en profite pour répéter ce qu'il a déjà affirmé à plusieurs reprises pour fidéliser l'électorat juif. Il s'engage irrévocablement pour le soutien d'Israël dans sa lutte contre ses voisins et il favorisera la vente d'avions de chasse à destination de l'État hébreu.

Il ne reste plus que Humphrey. Un jeu d'enfant. Il lui fera endosser la politique de Johnson. Puis viendra l'élection, la vraie, vraisemblablement contre Nixon. Il n'est pas sûr de gagner, son entourage l'est plus. Mais il connaît les hommes de l'ombre, ils ne prendront pas le risque de voir l'« escroc » perdre cette élection. Il est leur homme, sa construction intellectuelle colle à leur vision diabolique du monde. Difficile de se mettre à leur place. Alors que face à l'océan il regarde le brouillard descendre lentement sur la mer, presque rassurant, il imagine qu'ils n'attendront pas l'élection présidentielle pour l'éliminer. Trop près du scrutin, son assassinat créerait un émoi compliqué à maîtriser. Avant, ils attendaient de savoir si sa candidature était réellement un danger ou pas. Maintenant ils savent que la probabilité qu'il succède à Johnson est forte, consistante. La Californie est acquise, New York le sera. Jack mélangeait le cynisme et de fortes convictions avec brio. Il ne peut abandonner ces foules qui se sont rassemblées pour le célébrer comme l'espoir d'un tournant du siècle. Mais leur doit-il plus qu'à ses propres enfants ? Le dilemme est presque trivial. D'autant qu'il se le répète, il décevra forcément ses électeurs car l'essence même de la démocratie est de créer des espérances que chacun sait inaccessibles et qui se révèlent l'être immanquablement, comme si la volonté n'était qu'une falsification de l'esprit commun. Le peuple, ses enfants, la mort : son esprit épuisé se débat dans une pièce triangulaire dont il ne distingue pas l'issue. Jack l'avait, lui, pour rompre le cercle vicieux de la solitude. Teddy n'est jamais loin, mais la complicité n'est pas la même. Il est seul pour supporter ces incessantes oscillations de son âme. Les autres sont toujours à contretemps de ses humeurs, ils ne voient pas la joie où elle est, s'imaginent des triomphes là où ils ne sont pas et s'inventent des optimismes qui n'ont pas lieu d'être. Sa dernière joie ? Un vote dans une réserve indienne qui lui a donné plus de huit cents voix contre moins de dix à Humphrey et McCarthy réunis.

22

Je surprenais souvent Hélène me regardant à la dérobée, comme si elle cherchait à découvrir, sur mon visage, un signe, une indication. Nous ne parlions jamais de cette observation clandestine. Elle savait que je savais, mais la boucle s'arrêtait là. Elle se passionnait pour le rôle de mon père dans la Résistance et m'aidait à comprendre pourquoi, au fond, il n'était pas si fier de cette période de sa vie. La gloire n'y était pas nette dans bien des cas. Pourquoi les Britanniques ont éliminé Grandclément, son adjoint et sa femme peu de temps avant la Libération, voilà une vraie question. Ils auraient eu toutes les raisons de le faire bien plus tôt. Grandclément était-il au courant que les Britanniques auraient sacrifié une partie significative de la Résistance pour leurrer les Allemands sur leurs opérations militaires ? S'en serait-il servi pour sa défense après la Libération ? Sa femme et lui ont été proprement exécutés, et si Grandclément le méritait d'un certain point de vue pour avoir trahi et collaboré avec Dohse, pourquoi avoir abattu sa femme ?

Le tueur s'est vanté d'avoir vu le sang gicler alors que le projectile tiré en pleine rue l'atteignait à l'arrière de la tête. Elle ne l'a pas vu venir, elle n'a pas entendu ses pas, juste son souffle.

Rien d'autre qu'une sensation glacée, une névralgie fulgurante peut-être, et la voilà morte. Le tueur lui a non seulement pris la vie mais il lui a ôté la conscience de sa mort, il l'a privée du passage, moment certes terrifiant mais que l'on devrait considérer comme un droit individuel, le droit de savoir qu'on quitte l'existence. Hélène, en me décrivant les derniers instants de la femme de Grandclément, me rappelait les circonstances de la mort de ma mère dont on peut dire qu'elle a été, comme elle, la victime collatérale d'une histoire qui la dépassait. Ma mère n'a certainement pas vu non plus son tueur de face. J'imaginais, je l'ai déjà dit, que la scène avait eu lieu dans le salon qui donnait sur la crique, que l'un des hommes lui faisait face, diversion qui a permis à l'autre de se glisser derrière elle et de lui tirer une balle d'une position qui enlevait toute incertitude quant à un possible suicide. Mais l'analogie ne s'arrête pas là, on le verra bientôt.

« Tu devrais te faire soigner ! » Une injonction anodine couramment utilisée par un couple qui se dispute. Exprimée souvent en dernière extrémité, une incantation à la psychiatrie comme remède au comportement de l'un ou de l'autre, comme si seule la folie pouvait expliquer la monstrueuse incompréhension qui s'installe entre deux êtres convaincus qu'une même conception de la normalité les réunit. Cette injonction dans la bouche d'Hélène ne relevait pas de ce revers de la main blessant qui vient conclure les discussions sans fin entre des êtres épuisés par leur acharnement à rester ensemble, pour la simple raison que nous ne nous sommes jamais disputés. Elle a prononcé ces mots d'une voix douce et pleine de compassion, presque maternelle, trop maternelle peut-être, pour que nous puissions y survivre ensemble. Je l'ai sentie désespérée par l'ascendant du devoir et de la raison sur ses sentiments. Je comblais son présent tout en hypothéquant son avenir, et Hélène avait une haute idée de son avenir. Elle voulait un enfant mais ne pouvait pas prendre le risque d'en faire un avec moi tant que l'on ne saurait pas l'origine de mon problème. J'imagine qu'elle faisait référence à une possible cause génétique de mon comportement qui me classait dans une catégorie particulière et parfois inquiétante.

Edmond me rappelait en général le jour où je cherchais à le contacter ou au plus tard le lendemain. Trois jours ont passé avant que je ne m'inquiète. J'ai prévenu la police et je l'ai même accompagnée lors de l'ouverture de la porte de son appartement situé dans une modeste résidence. L'odeur épouvantable qui nous a saisis m'a dissuadé d'aller plus loin. Lui qui se parfumait méticuleusement avant de sortir, comme un vieux célibataire obsédé de propreté, avait soudainement perdu la bataille. Il avait été terrassé par une crise cardiaque sous la douche, et la décomposition avait commencé son travail dégradant. Une fois les policiers revenus sur le palier, je leur ai demandé s'ils avaient remarqué l'existence de traces suspectes qui auraient pu faire penser à un crime. Je me suis empressé de leur préciser qu'Edmond travaillait sur une affaire sensible qui justifiait mes craintes. Ils m'ont souri aimablement et se sont croisé les bras en attendant l'ambulance venue chercher le corps.

Le réveil biologique d'Hélène a sonné un jour alors que nous étions séparés par nos devoirs respectifs, elle à Montréal et moi à Vancouver. Ses hormones lui ont indiqué qu'il était temps de faire un enfant. La façon dont elle m'en a parlé ne souffrait aucune discussion. Jésus lui-même lui aurait envoyé un ange pour lui enjoindre de procréer, elle ne se serait pas sentie plus pressée. J'ai essayé de la raisonner, mais à cette époque-là une femme de trente-huit ans sans enfant n'échappait pas au sentiment d'impasse que provoquait en elle cette absence de descendance. Je trouvais la chose trop impérative pour la cautionner complètement même si je la comprenais. J'avais moi-même envisagé une descendance à une époque, mais mon obsession à comprendre pourquoi mon ascendance avait disparu si tragiquement m'avait arrêté dans mon élan. J'entretenais inconsciemment l'idée que je ne pourrais sérieusement songer à prolonger ma lignée que le jour où je connaîtrais la cause de la mort de mes deux parents. Mais Hélène m'aurait demandé ce jour-là de prendre l'avion pour Montréal et de nous enfermer dans son chalet jusqu'à ce nous ayons la certitude d'être trois, je l'aurais fait. Apparemment la question n'était pas là. Après plusieurs années d'une relation certes compliquée par la distance mais pleine de complicité intellectuelle et de véritable chaleur affective, elle m'annonçait cette envie pressante de procréer en y ajoutant que je n'étais « définitivement » pas la bonne personne pour lui faire un enfant, que mon état mental, qu'elle assumait parfaitement comme compagne, présentait pour l'enfant un danger d'ordre génétique mais aussi éducatif. La façon dont elle débita la sentence montrait qu'elle s'était préparée à me l'asséner depuis plusieurs jours et qu'il ne servait à rien de s'offusquer, d'argumenter, de se défendre. J'ai pris sa décision avec le fatalisme d'un homme à qui une coiffeuse apprendrait qu'il est atteint d'un début de calvitie. Mais j'en ai été profondément attristé. Les malheurs ne viennent jamais seuls, ils sont comme les lâches, ils chargent en bande. À la même époque, j'eus le sentiment diffus que mes collègues me traitaient avec distance. Je discernais parfois de la pitié dans leur façon de me regarder.

Je voyais dans leurs yeux qu'ils cherchaient autour d'eux une raison de me fuir dès le moment où je leur adressais la parole, le plus souvent par un signe à un autre collègue, signifiant qu'il n'allait pas tarder à le rejoindre. Il arrivait qu'on me plante au milieu d'un couloir, sans d'autre excuse que : « Désolé, Mark, je dois y aller. »

Je m'étais replié sur moi-même, convaincu qu'à l'approche de la vérité une gigantesque conspiration se tramait. Hélène et mes collègues, sans se concerter mais probablement poussés par les mêmes forces, cherchaient à m'isoler dans un monde que je me serais créé et dont ils ne faisaient pas partie. Ils avaient arbitrairement décrété représenter la normalité, faisant de moi l'exception à cette normalité.

Le refus de la police d'enquêter plus avant sur la mort d'Edmond me parut un signe supplémentaire qu'un étau se refermait sur moi, me condamnant à la solitude du fou, le seul qui ose la vérité. Il est concevable que, dans cet état d'esprit, je me sois persuadé que les avances de Lorna, sous forme de regards dérobés lors des premiers cours du nouveau semestre, étaient une tentative de sa part de s'infiltrer dans mon univers pour m'espionner. Plus âgée que les autres étudiants, elle renvoyait un sentiment de maturité rare dans cette classe d'âge. Ses traits semblaient mûris par l'expérience et une dense réflexion. Durant tout ce semestre, elle fut la seule à me porter la contradiction. Sa proximité, son intérêt pour l'époque objet de mes cours faisaient d'elle une étudiante attentive, concentrée au point que, par moments, je la sentais prête à bondir. Elle détonnait au milieu de ses camarades faiblement cultivés, dont l'attention était détournée par leur téléphone « intelligent », ce petit concentré d'informations qui a pris le pouvoir sur toute une génération pressée de savoir mais pas de penser. Certains essayaient visiblement de résister aux messages qu'ils recevaient mais l'impatience, la curiosité l'emportait. Nombre d'étudiants étaient là sans l'être. Tout ce que je cherchais à leur enseigner était accessible sur Internet, et les Kennedy ne leur semblaient rien d'autre que deux fils de riches qui n'avaient pas eu de chance. L'enjeu que leur histoire représentait pour la démocratie américaine ne les effleurait même pas, et je me souviens que, cette année-là, à l'exception de Lorna, j'ai ressenti une difficulté plus grande à les intéresser à cette période qui n'était pourtant pas si éloignée d'eux. Un peu plus d'un demi-siècle s'était écoulé et rien ne s'était passé depuis d'aussi notable à part peut-être le mensonge éhonté de la famille Bush pour envahir l'Irak et déstabiliser durablement cette région du monde. Il me semblait qu'ils avaient abdiqué tout esprit critique et qu'ils imaginaient leur avenir comme un fleuve paisible portant leur barque au gré du courant. Rien ne paraissait devoir les révolter. Cet amphithéâtre me faisait penser à un agrégat de solitudes, chacun ayant, avec son téléphone ou son ordinateur, la possibilité d'être ailleurs tout en étant là, et ils en tiraient une forme de supériorité un peu dédaigneuse comme si, au même titre que les hommes politiques qu'ils méprisaient, j'appartenais à une espèce en voie de disparition, celle d'un homme prétendant dispenser un savoir accessible partout, n'ayant pas plus de légitimité à s'exprimer sur un sujet que n'importe quel intervenant sur Internet.

J'ai commencé à leur parler des enjeux de mon cours et d'un en particulier qui me paraissait essentiel. Le rapport entre mensonge et vérité dans une démocratie avait axé mes recherches de même que la notion de coup d'État invisible, et je ne parvenais d'ailleurs pas à les dissocier. Les conditions de la fabrique de l'histoire en étaient donc l'enjeu, un enjeu fondamental pour la compréhension de la société dans laquelle ils vivaient. L'énigme liée à la disparition des deux frères Kennedy avait perdu de son intérêt avec les années, submergée par le flux des théories et des contre-théories. Je devais leur apporter plus, ranimer leur curiosité, et la meilleure solution était d'incarner mon exposé en leur parlant de mon énigme personnelle, celle de la participation présumée de mon père à l'assassinat de Bobby Kennedy, celle du meurtre inexpliqué de mes deux parents. Je n'avais pas vraiment le choix entre donner des cours distanciés à mes élèves et perdre leur attention ou investir leur cerveau émotionnel pour leur faire réaliser qu'une pareille affaire, même si elle semblait appartenir uniquement à la grande histoire, avait touché des familles au plus profond d'elles-mêmes, les entraînant dans des tragédies solitaires et obscures.

Dès les premiers cours, Lorna m'est apparue comme l'envoyée des puissances invisibles chargée de me surveiller et de me discréditer. Je n'avais jamais été soumis à de telles forces contradictoires entre l'attirance que j'ai eue immédiatement pour elle et la conviction qu'elle était là pour m'épier, envoyée par la CIA, ou un service quelconque, qui jugeait mes cours menaçants pour sa conception de l'ordre public. Cette impression a été confortée par ses avances lorsqu'elle restait la dernière, à la fin des cours, pour approfondir un point de détail. Elle demeurait ensuite silencieuse, sans bouger, comme si elle attendait que j'engage la conversation sur un terrain plus privé. Elle était ravissante, et le léger parfum musqué qui l'enveloppait lui donnait l'allure d'une planète envoûtante perdue dans une galaxie étrangère. Vingt ans plus tôt, j'aurais compris qu'une élève puisse s'éprendre de moi mais à l'approche de la soixantaine, aucune sincérité ne me semblait pouvoir inspirer sa démarche. Cette jeune femme éblouissante m'avait été envoyée pour m'infiltrer, elle était l'œil de Langley dans mon enseignement. Je me demandais comment la CIA pouvait encore s'intéresser à ceux qui professaient différentes théories sur l'assassinat des frères Kennedy, mais sans doute, de leur point de vue comme du mien, la vérité sur cette double affaire n'était pas sans conséquence sur l'image des États-Unis dans le monde entier. Même si le temps avait passé, la preuve donnée par des universitaires que des mensonges éhontés avaient été assénés pour couvrir l'assassinat d'un président en exercice et d'un sénateur amené à le devenir, cette remise en perspective de l'histoire, entamait la foi accordée à la parole d'un État visant à l'hégémonie de ses intérêts. La France a payé et paye encore cher de s'être longtemps privée d'un examen scrupuleux et honnête de son comportement sous l'Occupation, et de la même façon j'ai toujours pensé que les États-Unis ne retrouveraient leur lustre que le jour où la vérité sur l'exécution des Kennedy serait livrée au grand jour. Si tant est qu'on puisse encore le faire. La disparition progressive des protagonistes, la dissimulation d'archives décisives ne permettront au plus qu'une approximation de cette vérité, et le contexte politique dans lequel elle sera délivrée comptera beaucoup pour son authenticité. J'ai toujours considéré que la vérité est comparable à Dieu, la question n'est pas de la trouver mais de la chercher, intensément, sans intermédiaire, de bonne foi.

Quand elle ne me portait pas la contradiction pendant les cours, ce qui arrivait de temps en temps et avec beaucoup de précision, assez pour me déstabiliser parfois, Lorna exerçait sur moi, par l'intensité de son regard, une force hypnotique, et à plusieurs reprises j'eus le sentiment qu'elle essayait d'entrer en moi au point qu'avant même le début de notre relation, il m'arrivait d'avoir le sentiment de ne plus être seul, mais habité par un mystérieux occupant tout aussi silencieux que présent. Je n'ai jamais pu déterminer si j'ai finalement cédé à son charme ou si elle m'a littéralement envoûté. Je ne me souviens pas avoir été confronté à de telles forces contradictoires. La façon dont elle s'est rapprochée de moi n'avait rien de violent ni d'impératif, elle ne s'est jamais imposée. Lorsque je la croisais en dehors des cours, elle avait l'air d'une âme en peine, sa beauté ne suffisait pas à lui attirer les attentions de ses camarades. D'où qu'elle fût, elle me fixait en tirant sur une cigarette dont elle rejetait la fumée par saccades successives avant de baisser les yeux comme si elle plongeait subitement dans un abîme familier. La princesse retrouvait son taudis caché dans une sombre forêt dont elle ressortait lumineuse selon de brèves incursions qui ne visaient apparemment que moi. Il lui arrivait de m'attendre à la sortie de l'université, et elle faisait mine de se trouver là par hasard; il était pourtant visible que ce hasard était le fruit d'une organisation minutieuse. J'ai pensé un jour la chasser, la menacer de déposer une plainte pour harcèlement, mais il lui suffisait d'afficher son sourire triste pour que j'oublie aussitôt mes mauvaises intentions. J'ai cédé, bien évidemment à l'abri d'un prétexte fallacieux que m'avait inspiré un mauvais livre d'espionnage. Celui-ci stipulait qu'une fois que la conviction d'être espionné est acquise, il était préférable d'investir la personne qui vous espionnait plutôt que d'essayer de lui échapper. Mais au fond, il m'importait peu d'être espionné, et la perspective de vivre une histoire avec une femme belle et mystérieuse allait me permettre de rendre à ma vie l'enchantement dont j'avais été privé depuis l'adolescence. L'énorme différence d'âge me gênait socialement mais elle me donnait l'espoir de repartir de très loin alors même que j'approchais de la résolution de l'énigme qui avait régenté ma vie comme toutes les obsessions s'y emploient.

23

La veille, à Sacramento, il s'est effondré pendant son discours de fin de campagne. Sillonner la Californie l'a épuisé. La défaite en Oregon, la première d'un Kennedy à une élection, l'a fait douter de ses chances d'accéder à la finale à Chicago contre le vice-président Humphrey. Il sait qu'il a toutes les chances de l'emporter contre ce vieux cacique, un de ces démocrates qui n'auraient qu'un ou deux mots à changer dans leurs discours pour se ranger du côté des républicains. Ils sont l'illusion d'une alternance, entretenue par de puissants intérêts. Il en va autrement pour Bobby, il est devenu de semaine en semaine l'espoir d'une génération, des pauvres, des Mexicains, des Noirs, de tous ceux que l'Amérique a écartés de ses rêves. Le matin de l'élection, il reste longuement au lit dans la maison de plage de son ami John Frankenheimer. Le réalisateur s'est passionné pour la campagne, et filme la ferveur d'un espoir qui va grandissant dans la jeune génération et dans les minorités. La politique se nourrit des hommes providentiels, de la formidable espérance qui les accompagne. Mais Bobby a pleinement conscience que, derrière les mots sincères qu'il dispense à chaque discours, provoquant un enthousiasme grandissant, se profile la déception, l'amertume, mais il veut continuer à se battre pour eux, pour lui-même, qui trouve dans cette lutte sa principale raison d'exister même si, comme le lui a fait remarquer le remarquable écrivain français Romain Gary marié à l'éblouissante Jean Seberg, collecteur de fonds pour les Black Panthers, cette campagne est aussi pour lui une bonne raison de mourir. « Je dois saisir ma chance. Il faut se remettre entre les mains du peuple et lui faire confiance. À partir de là, la chance est de votre côté ou elle ne l'est pas. Je suis persuadé qu'on attentera à ma vie, tôt ou tard. Pas forcément pour des raisons politiques... » La vie et la mort lui semblent égales, mais ce qu'il craint le plus au fond de lui-même, c'est de perdre l'élection tout en restant vivant. Et pourtant, Ethel, qui s'affaire autour de lui, porte en elle leur onzième enfant. Condamné en lui-même à être président ou à figurer près de son frère dans le cimetière d'Arlington. Quand il se lève vers 11 heures du matin, roué de fatigue, les yeux exorbités, il appelle son aide de camp, Fred Dutton, pour organiser une réunion l'après-midi, puis il conduit six de ses enfants à la plage, suivi de près par leur chien, Freckles. Le malheur n'est jamais loin de cette famille, et cette fois il s'abat sur un de ses fils, David, douze ans, qui manque se noyer. Bobby, pourtant à bout de force, plonge pour le sauver. Le destin n'en finit donc jamais de se manifester par de petites attentions funestes. De retour à la maison, Teddy, son frère, Goodwin et Dutton le rejoignent pour lui annoncer qu'une première estimation de CBS le donne largement en avance sur McCarthy. La victoire plane au-dessus d'eux. Bobby en accepte l'augure, tout en gardant la tête froide, attitude qui ne lui demande pas un grand effort, sa nature ne le poussant pas à goûter aux plaisirs du succès.

En début de soirée, John Frankenheimer sort sa Rolls-Royce rutilante de son garage pour conduire le roi des pauvres à l'hôtel

Ambassador dans le centre de Los Angeles. Ils y parviennent à 20 h 15 et filent directement à la suite du cinquième étage qui sert de quartier général à l'équipe de campagne depuis six semaines. Ils y pénètrent pour entendre une bonne nouvelle supplémentaire, le Dakota du Sud où se déroule une autre primaire pourrait aussi être conquis. Gagner le plus rural des États alors qu'il est en mesure de l'emporter dans le plus urbain est une indication que sa popularité se répand à travers tout le pays et à travers toutes les classes sociales pourvu qu'elles croient à la nécessité du partage. Mais en politique le ressac n'est jamais loin, les premiers résultats des comtés hors de Los Angeles donnent une confortable avance à McCarthy qui ne pourra être contrée que par les votes de la ville. Il faut compter encore deux heures pour en obtenir le résultat. Mais toute l'équipe est confiante que Robert Kennedy va gagner dans le plus grand État de l'Union, et cela sur ses propres qualités. Si le bonheur avait compté pour lui, cette perspective aurait comblé Bobby, mais s'agissant d'un objectif, il n'en tirera que la satisfaction d'un devoir accompli. Vers 23 heures, la victoire se précise et le calcul complexe qui en résulte pour les observateurs conduit à la conclusion que Bobby sera en mesure d'emporter la primaire à Chicago et, de là, certainement l'élection présidentielle. Cette conclusion est la même pour tous, ceux qui l'adulent comme ceux qui le haïssent. Pour ces derniers, s'il faut briser cette trajectoire, c'est maintenant qu'il faut le faire. Ensuite il sera trop tard, chaque jour passant, il sera de plus en plus médiatisé. Pour le moment, même s'il s'appelle Kennedy, il n'est qu'un sénateur du Nord-Est qui cherche à se hisser dans une finale de primaires. Ils y pensent forcément, chacun dans leur fauteuil club, ou dans un bar de Los Angeles, Miami, Chicago ou Tampa, un verre à la main, cigare au coin des lèvres, devant leur

poste de télévision où un présentateur excité ressasse le phénomène Robert Kennedy porté par une période historique plus
cruciale que celle pendant laquelle son frère a émergé. Jack a
permis à la nation d'éviter le pire, Robert peut maintenant lui
permettre d'accéder au meilleur en arrêtant immédiatement la
guerre au Vietnam et en rendant aux Noirs et aux Mexicains
leur dignité bafouée par une exploitation massive. Les syndicalistes les plus purs sont derrière lui alors que les autres, les
corrompus, les mafieux, sont de l'autre côté de l'écran de télé,
abasourdis. L'ont-ils prédit? Ont-ils seulement pris leurs précautions? Vont-ils être pris de court? Personne n'a la réponse
pour l'instant. Si rien n'a été prévu, c'est qu'il est déjà trop
tard. Pour ceux qui ne savent pas si la Providence s'est organisée
ou pas, un cauchemar recommence, celui d'une seconde présidence Kennedy mais avec de notables différences. Cette fois,
c'est le pire des deux qui sera aux manettes et il n'aura probablement qu'une idée en tête, venger son frère. Dans leur cerveau
reptilien rétréci par la haine, ils n'imaginent pas que Bobby
puisse prétendre seulement à une continuité et qu'il aborde
cette présidence sans esprit de vengeance.

En bas de l'hôtel, dans la grande salle de bal, mille cinq cents
jeunes qui ont formé l'architecture de sa campagne jubilent,
s'exclament, chantent, lâchent des ballons tricolores. C'est dans
cette salle bondée, chauffée par un enthousiasme juvénile, que
le sénateur a prévu de faire le premier de ses deux discours.
Le second aura lieu dans l'autre salle de bal où se rassemblent
autant de jeunes déchaînés prêts à fêter bruyamment la victoire
de leur idole. Le moment du discours se rapproche. Bobby
s'apprête à descendre mais la fatigue lui impose d'être conduit
au podium sans traverser la foule. Du cinquième étage, on lui

propose de le mener à son public en prenant un ascenseur de service, ce qui lui permet d'accéder au pupitre en passant par les cuisines. Bill Barry, l'ancien agent du FBI, garde du corps sans arme de Bobby, donne le signal du départ à l'aréopage qui accompagne le sénateur. Bobby s'élance dans l'office de la cuisine de l'hôtel, où des employés en rangs tendent leurs mains pour toucher les siennes, il s'arrête pour signer un poster, lève la main pour se protéger des flashs des caméras de télévision. Juan Romero, un serveur de l'hôtel, se dresse sur la pointe des pieds, le bras étiré pour venir au-devant de la main du sénateur, dévoilant derrière lui, à moins de trois mètres, un jeune homme sombre aux yeux noirs qui se balance d'une jambe sur l'autre près d'un porte-plateaux. Puis Bobby passe la porte battante qui sépare cette pièce du couloir situé au fond de la salle de bal. La concentration d'individus l'oblige à progresser doucement jusqu'à l'estrade sur laquelle il émerge par la droite. Il est exactement minuit deux, et il lui reste treize minutes avant que sa vie ne bascule vers le néant. Une fois sur l'estrade, Bobby attend que les acclamations et les incantations « nous voulons Bobby, nous voulons Bobby » se calment assez pour lui permettre de parler. Sa femme, Ethel, est à sa droite, Karl Uecker, le maître d'hôtel assistant qui ne le quitte pas d'une semelle, et Jesse Unruh sont derrière lui. Il remercie en vrac et, il le précise, sans ordre de considération, son beau-frère, son chien, sa femme, qui a été « fantastique », lui souffle le public, puis César Chávez le syndicaliste, Dolores Huerta pour le soutien de la communauté mexicaine américaine et ses amis de la communauté noire, Paul Schrade, Rafer Johnson, le champion olympique du décathlon, le footballeur géant Rosey Grier « qui a dit s'être occupé personnellement de tous les gens qui ne voulaient pas voter pour moi ». Puis, plus sérieusement, il se met à plaider pour la fin des divisions dans le pays. « Je pense que nous pouvons travailler tous ensemble, nous sommes un grand pays, un pays généreux et plein de compassion, et j'ai l'intention d'en faire mon credo pour les mois qui viennent. » Le pays veut s'engager dans une nouvelle direction, les délégués doivent s'en rendre compte. « On veut régler nos propres problèmes et nous voulons la paix au Vietnam. » À minuit quatorze, Bobby fait part d'un message imaginaire qu'il aurait reçu du maire de Los Angeles, qui d'ailleurs ne l'aime pas, comme quoi il est déjà trop long. « Donc merci à vous tous, et maintenant en route pour Chicago et gagnons là-bas. » Il lève son pouce alors que les chants reprennent, mêlés d'applaudissements. Il semble maintenant embarrassé, ne sachant par où partir, aspiré par la foule joyeuse. Karl Uecker lève la main, un phare dans la tempête, puis il la repose sur le bras droit du sénateur et le conduit à un petit corridor derrière la scène pendant que Barry aide Ethel, enceinte, à descendre de l'estrade. Barry et l'entourage de Bobby accélèrent pour le rattraper et émergent dans le petit corridor au moment où il s'engage dans la double porte battante de l'office de la cuisine, en route pour une conférence de presse dans la salle Coloniale. « Ralentissez, vous avez semé tout le monde ! » lui lance Burns, étonné de la direction qu'ils ont prise. Kennedy entre dans l'office de la cuisine précédé d'Uecker rejoint par l'agent de sécurité Cesar qui travaille pour une entreprise privée de sécurité. Ce dernier a posé sa main gauche sur l'épaule droite du sénateur pour le conduire à travers une foule de plus en plus dense. Bobby sourit généreusement comme s'il commençait à croire lui-même aux promesses qu'il porte pour eux. Ce matin même, les électeurs aux primaires faisaient la queue devant les bureaux de vote avant leur ouverture, un phénomène unique dans l'histoire américaine. Il sent se lever avec lui un mouvement irrépressible vers la paix et plus de compréhension mutuelle. Il sait désormais qu'il n'est pas l'alternative à McCarthy, à Humphrey ou à Nixon, mais à la seconde guerre civile de l'histoire des États-Unis. Cette réalité a fait son chemin chez nombre d'électeurs de la classe moyenne, brusquement, en quelques semaines, et au moment où il pénètre dans l'office, certains hommes de son entourage, peu convaincus jusqu'ici, voient surgir le futur président des États-Unis. Étudiants, jeunes employés de l'hôtel se précipitent à nouveau pour lui serrer la main. Lisa Urso, une étudiante, hésite à s'avancer vers lui alors qu'elle lui fait face, lorsque, venant de derrière elle, un petit homme frêle la contourne pour se rapprocher du sénateur en le gratifiant d'un sourire extatique avant d'avancer, un revolver à la main, en criant : « Kennedy, fils de pute. » Deux détonations retentissent immédiatement, irréelles dans le brouhaha, comme deux pétards ou deux sacs en papier gonflés aplatis par des enfants. Les dernières personnes à apercevoir Bobby dans la mêlée le voient remonter ses deux mains vers sa tête, les coudes repliés, puis chanceler avant de disparaître, effondré sur le sol de l'office, mais leur attention est divertie par le petit individu brun qui continue à tirer alors que plusieurs hommes tentent de le maîtriser, sidérés par une force insoupçonnable pour un être de cette taille et de cette constitution. Quand ils parviennent enfin à l'immobiliser, les observateurs sont fascinés par la quiétude qui se dégage du regard de ce tout jeune homme, comme s'il était touché par une grâce soudaine. D'autres hommes et femmes ont été blessés, dont Paul Schrade, le fidèle. On se presse désormais autour de Robert Kennedy, étendu sur le dos, les yeux ouverts fixant le plafond. Sa tête est dans une mare de sang pourpre qui se mélange avec la saleté du sol foulé sans relâche depuis le matin. Un œil fixe normalement le plafond où une balle s'est logée alors que l'autre décrit d'étranges circonvolutions comme s'il n'obéissait plus à rien. C'est le signe que le projectile qui a traversé son cerveau a commencé son œuvre funeste. Avant de tomber dans un coma profond, il lui reste assez de lucidité pour s'inquiéter des autres, de Paul étendu apparemment sans vie près de lui. Il prend la main d'Ethel qui a enfin pu fendre la foule, la pose sur la croix qu'il a sur le torse avant de s'enfoncer dans la nuit.

La nouvelle infuse dans le chaos et heurte un à un les supporters présents abasourdis. « On a tiré sur Bobby. » L'espoir de blessures légères est vite démenti par la rumeur qui le dit sérieusement touché. Ces jeunes qui, il y a quelques minutes encore, ouvraient leur cadeau de Noël le voient aussitôt repris par une main invisible. S'ensuivent une hystérie profonde, des larmes sincères, des hurlements qui se perdent dans la clameur générale. Pour le public assemblé, le cauchemar vient de se reproduire, le même que quatre ans et demi plus tôt. L'espoir a été brutalement confisqué. Les plus optimistes savent que même s'il survit, le sénateur Kennedy n'ira pas plus loin. Les nouvelles alarmantes convergent. Beaucoup veulent encore y croire mais, le lendemain, le cerveau de Bobby ne répond plus. La décision de le débrancher est prise, il est déclaré mort le jour suivant. Un long deuil commence, et avec lui celui d'une Amérique différente, où l'argent et ses pulsions de mort ne seraient plus le seul étalon, où le brassage ethnique se ferait avec bienveillance, où la violence civile et la guerre ne seraient plus que les tristes souvenirs d'une période révolue. Une utopie en quelque sorte, et cette utopie vient de mourir.

Le matin de l'assassinat, une consigne particulière s'est propagée parmi les agents du LAPD, la police de Los Angeles, celle de rester loin de l'hôtel Ambassador. Difficile d'en connaître la raison même si l'on sait que le sénateur ne veut pas d'uniformes autour de lui pour être libre de ses déplacements et ne pas apparaître comme un politique surprotégé, distant de ses électeurs. Mais surtout il ne veut pas que les membres des minorités qui l'accompagnent se sentent cernés par des policiers. Seul Barry, sans arme, lui sert de garde du corps. L'hôtel a tout de même appelé en renfort une société de sécurité privée pour assurer l'ordre dans les lieux submergés par les jeunes inconditionnels du sénateur, ses équipes de campagne, et la presse qui flaire la victoire. Le LAPD, averti par l'hôtel que des coups de feu ont été tirés, impliquant probablement le sénateur Kennedy, demande à ses agents de converger vers les lieux du drame. Pendant que l'assassin terrorisé à l'idée d'être battu est conduit au poste de Rampart, commence un long et fastidieux travail de sécurisation de la scène de crime. Curieusement une consigne revient presque mécaniquement aux oreilles des policiers, répétée par une hiérarchie profondément embarrassée. « On ne veut pas d'un second Dallas. » Dans sa bouche, la phrase indique que le LAPD ne veut pas être impliqué dans une nouvelle suspicion de complot, cette rumeur qui plane avec insistance depuis l'assassinat de John F. Kennedy. La question n'est pas pour le moment de couvrir un coup monté mais de laisser le moins de doutes possible sur son éventualité, et elle installe les policiers de Los Angeles dans une position défensive devant les témoignages qui affluent, délivrés à chaud par des hommes et des femmes bouleversés. Une autre disposition d'esprit de ces équipes ne favorise pas l'objectivité de leur travail. Beaucoup d'entre elles considèrent qu'en matière criminelle les témoins, outre leurs émotions aveuglantes, ne disposent ni de l'expérience ni de la compétence pour apprécier justement les faits. La première rencontre avec deux d'entre eux se déroule pour le sergent Sharaga sur le parking de l'hôtel où un couple d'une soixantaine d'années court vers lui, complètement hystérique. Sa première réaction est de les calmer et de relever leur identité. Les époux Bernstein en ont perdu le souffle. Quand ils ont quitté l'hôtel, un jeune couple les a doublés. Leur joie contrastait avec la désolation ambiante et ils se sont mis à crier, presque en chantant : « On l'a descendu, on l'a descendu. » « Mais qui donc avez-vous descendu ? s'est insurgée Mme Bernstein. – Kennedy, nous l'avons descendu, nous l'avons tué. » Le jeune homme avait entre vingt et vingt-deux ans, il était de type caucasien, mince, blond avec des cheveux ondulés, six pieds de haut. La femme, tout aussi jeune, avait les cheveux noirs et portait une robe à pois.

Alors qu'il est remis à la police, apeuré, timide, comme s'il ne comprenait pas l'importance qu'on lui accorde, Sirhan Sirhan craint d'être battu, mais lentement le détective Jordan le rassure. Il profite des droits que lui donne la constitution pour garder le silence. Il est conduit à Rampart, suivi par les principaux témoins de la fusillade regroupés dans un bus. Là, il refuse de décliner son identité. Interrogé sur les circonstances et les raisons de son geste, il affirme ne plus se souvenir de rien, et ceux qui l'observent à ce moment précis confirment que l'assassin est dans un état second. Parmi les témoins rassemblés dans une salle d'attente qui leur est spécialement réservée, une jeune femme d'origine mexicaine est en état de choc, et la chaîne de télévision NBC décide de recueillir son témoignage en direct. « Il faisait trop chaud dans la pièce principale pour y attendre le discours, dit-elle haletante, j'ai décidé de sortir prendre l'air. J'étais dehors sur la terrasse, seule, sans rien faire, pensant au nombre de gens qui étaient là et à quel point je trouvais cela merveilleux. À ce moment-là, une fille s'est précipitée dans l'escalier derrière moi en répétant à tue-tête : "On l'a descendu, on l'a descendu" et je lui ai demandé : "Mais qui vous avez tué ?", et elle a répondu : "Le sénateur Kennedy." Je me souviens de ce qu'elle portait, et juste après un homme l'a rejointe, il avait dans les vingt-trois ans, et il était américain d'origine mexicaine. Je l'ai noté parce que je le suis moi-même. » Vanocur, le journaliste qui l'interroge, hésite un moment entre le sentiment d'avoir devant lui un témoin clé ou une folle. « Attendez un moment, la jeune femme a dit : "on" ? – Oui elle a dit : "on", insiste Sandra Serrano. Elle était de type caucasien, elle avait une robe blanche à pois noirs, cheveux sombres, mince, et elle avait un drôle de nez. »

À Rampart, l'assassin s'enferme dans une béatitude silencieuse, comme si tout lui semblait merveilleux. Il s'ouvre à toute forme de discussion avec les policiers qui l'entourent sauf celle le concernant ou concernant les faits pour lesquels il est enfermé derrière les barreaux. Il ne semble plus très bien avoir la notion du temps, ni de ses séquences, et demande s'il a déjà été présenté à un magistrat. Les policiers se montrent attentionnés avec ce criminel fataliste, curieux de tout, plus détendu que s'il avait été arrêté pour un banal excès de vitesse. Après avoir soutenu avec un policier une courte conversation sur le déterminisme qui conditionne l'existence de chacun, il conclut sur l'idée que « nous sommes tous des marionnettes ». Sa présentation à un juge inquiète les policiers : comment le transférer sans qu'un Jack Ruby ne vienne l'éliminer sur le parcours ? Les braves fonctionnaires qui entourent le meurtrier à ce moment-là ont le sentiment que l'homme qu'ils détiennent pourrait tout aussi bien être un leurre.

Au juge Dempsey Klein qui lui demande son nom, il fait la même réponse qu'aux policiers : « Monsieur X. »

Le lendemain de l'assassinat de Bobby, Munir Joe Sirhan, un Américain d'origine palestinienne, les yeux cerclés de grosses lunettes noires, légèrement voûté, l'air d'un intellectuel, rejoint le commerce où il travaille. Après s'être installé tranquillement derrière le comptoir à cette heure calme du matin, il jette un œil aux nouvelles diffusées sur un petit écran. Il n'aura certainement pas le souvenir d'un choc plus violent dans sa vie. Il se précipite dans le bureau de son superviseur pour lui emprunter sa voiture, avec pour toute explication : « Mon frère a descendu Kennedy. » Quelques minutes plus tard, il s'arrête à Pasadena devant une petite maison aux murs couverts de bardeaux crème. Il y entre affolé et se jette dans la chambre de son frère aîné, Adel, enfoui dans son premier sommeil après sa nuit de musicien dans une boîte du nom de Fez et lui demande s'il a vu Sirhan. Sans réponse, il rejoint la chambre de ce dernier pour y constater qu'elle est vide et que le lit n'a pas été défait. Les deux frères se présentent ensuite à la police pour identifier Sirhan.

Les heures passant, les brumes se lèvent sur l'identité du meurtrier du sénateur Kennedy. Né dans le quartier arabe de Jérusalem, de nationalité palestinienne, le prévenu a immigré aux États-Unis en 1957 avec sa famille, immigration financée par une organisation chrétienne. Il apparaît que le père de Sirhan Sirhan n'a pas réussi à s'acclimater à la culture et à l'esprit américains et qu'après deux tentatives pour s'intégrer, il est retourné en Palestine seul, laissant derrière lui sa femme, sa fille et ses trois fils. Cet abandon ainsi que le décès prématuré de sa sœur auraient joué, entre autres, sur la psychologie du prévenu. Pendant les mois qui vont suivre, les théories sur les raisons de son passage à l'acte vont fleurir les unes après les autres, la première émanant de Sirhan lui-même. Il se dit traumatisé par les bombardements israéliens auxquels sa famille aurait échappé pendant son enfance. Raison pour laquelle, lorsqu'il a entendu le sénateur Kennedy se déclarer favorable à la livraison d'avions de chasse à l'armée israélienne, il aurait vécu son attitude comme une trahison indigne de l'homme qu'il promettait d'être et pour lequel il avait a priori la plus grande admiration.

Une autre piste s'ouvre quant à l'analyse de son équilibre mental lorsque les enquêteurs et les experts découvrent que, alors qu'il travaillait dans le milieu des courses de chevaux avec l'ambition de devenir jockey, ce à quoi le prédisposaient sa petite taille et sa morphologie, il a fait plusieurs chutes dont une plus grave que les autres. Selon son frère aîné, il n'aurait plus jamais été le même après ce dernier accident.

Aux alentours de 11 h 15, les enquêteurs sont conduits par les deux frères au domicile des Sirhan où se pressent déjà des centaines de journalistes et de curieux auxquels l'adresse a été fournie par Yorty, le maire de Los Angeles, par voie de conférence de presse. La petite maison des années vingt semble ne pas avoir été construite pour devenir l'attraction du monde entier. Elle est sagement posée sur une pelouse tondue ras à un angle de rue, à l'ombre de plusieurs grands arbres déployés dont un somptueux magnolia florissant. Plusieurs fenêtres étroites l'ouvrent sur le jour.

Dans la chambre de Sirhan, les enquêteurs découvrent un premier cahier, puis un second posé sur un petit bureau entre un miroir et un chandelier. Le second cahier s'ouvre sur ces mots inscrits d'une écriture qui s'allonge et devient de plus en plus désarticulée : « 18 mai 68 9 h 45. Ma détermination d'éliminer RFK devient une obsession inébranlable... RFK doit mourir, RFK doit être tué... Robert F. Kennedy doit être assassiné avant le 5 juin 68. » Un bon nombre de livres sur l'ordre mystique des Rose-Croix figurent près de la table de travail dont une brochure d'Anthony Norvell sur la projection mentale ainsi qu'une large enveloppe de l'administration fiscale sur laquelle est écrit au stylo : « RFK doit être traité comme son frère l'a été. »

Yorty, caricature du politicien réducteur et bavard, donne une conférence de presse impromptue sur la base des documents recueillis qu'on lui a donnés à parcourir.

« Il apparaît que Sirhan Sirhan était une sorte de solitaire qui favorisait les idées communistes de toute provenance. Il disait que les États-Unis devaient s'écrouler. Nous avons trouvé de nombreux écrits pro-communistes, anticapitalistes et anti-américains. Lors de son arrestation, il portait sur lui un éditorial de David Lawrence sur Kennedy mentionnant sa volonté de soutenir militairement Israël. Nous avons retrouvé beaucoup de phrases griffonnées, répétées à plusieurs reprises, beaucoup de références à la nécessité de l'assassiner avant le 5 juin 1968. Je ne sais pas pourquoi. »

Le jour suivant, l'inénarrable Yorty blâme publiquement une organisation communiste diabolique d'avoir enflammé l'assassin. Le prêt-à-porter de la responsabilité meurtrière politique a été enfilé par le maire de Los Angeles. Cette responsabilité est confiée au dénominateur commun de ce genre d'affaires, un homme isolé, détraqué. Sans doute par manque de connaissance, le maire n'a-t-il pas fait le lien entre cette date du 5 juin et l'anniversaire du début de la guerre des Six-Jours.

À 13 h 44 vient l'annonce officielle de la mort de Robert

Francis Kennedy à l'âge de quarante-deux ans. Sirhan apprend la nouvelle alors qu'il est entre les mains du docteur Crahan, avec lequel il aime converser même s'il refuse souvent de répondre à ses questions. À l'annonce de la mort de sa victime, il se tourne vers l'agent venu la lui annoncer et, les yeux pleins de larmes, il murmure : « Je suis un raté, monsieur Wirin. Je crois en l'amour et au lieu de montrer de l'amour... » Il ne finira jamais sa phrase. Après le départ de Wirin, Sirhan se montre abattu, subitement épuisé.

Dans ses comptes rendus, Crahan parle de lui comme de quelqu'un d'immature sur le plan émotionnel, d'une intelligence au-dessus de la moyenne, idéaliste, impressionnable, curieux d'apprendre, affamé d'argent, patriote et égoïste. Crahan en vient à conclure que Sirhan était sain au moment de la fusillade et qu'il avait la capacité mentale de former un projet d'assassinat.

« Certains hommes voient les choses telles qu'elles sont. Je rêve de choses qui n'ont jamais été et je dis pourquoi pas ? »

La voix sapée par l'émotion, Edward, le survivant, cite son frère dans un ultime éloge. Ce catafalque inerte placé devant lui est la preuve morte qu'il doit désormais limiter son ambition à être un honorable sénateur.

Un an plus tard, dans un tragique acte manqué, il s'est disqualifié pour toujours dans la course à cette funeste ambition suprême. Le 18 juillet 1969, le projet de Joe Kennedy pour ses fils se noie définitivement dans un bras d'eau qui passe sous le pont du Dike. Ted est au volant de son Oldsmobile de retour d'une soirée donnée au Lawrence Cottage de Chappaquiddick. Il est apparemment ivre. Empruntant un pont de bois sans garde-fou, sa voiture verse. Ted réussit à se sortir de la voiture mais sa jeune passagère, Mary Jo Kopechne, accessoirement sa maîtresse, se noie. Ted aurait essayé de la sauver mais, n'y parvenant pas, l'aurait laissée dans l'habitacle du véhicule sans prévenir les secours qui témoigneront ensuite qu'elle aurait pu être sauvée. La peur du scandale l'a transformé en lâche. Il sera condamné légèrement pour cette faute mais elle pèsera définitivement sur ses chances de se présenter à la magistrature suprême, s'il en avait eu l'envie ou même l'audace. Mais alors qu'il a les yeux fixés sur le cercueil, il sait qu'il n'aura jamais le courage suicidaire de son frère à qui il avait d'ailleurs conseillé de renoncer. Dans la foule éplorée, un autre homme fixe la dépouille, dévasté. Bill Barry, le garde du corps de Bobby, se reproche de ne pas avoir réagi assez rapidement et de s'être laissé distancé alors qu'un changement de parcours inopiné propulsait Bobby vers la mort.

Le cercueil est ensuite hissé dans un train qui conduira Bobby jusqu'à Washington où il sera enterré près de son frère. Le long de la voie, des centaines de milliers de citoyens se sont regroupés pour lui rendre un ultime hommage. Les minorités ont perdu leur dernier représentant crédible et sincère. Les Noirs, les pauvres, les jeunes jalonnent le parcours du train funéraire qui emporte la dépouille de leurs derniers espoirs.

À Los Angeles commence le ballet des experts, des pièces à conviction et de la médecine légale qui a eu peu de temps pour faire son travail, la famille Kennedy se montrant réticente à cette extorsion de la vérité par la dissection d'un être aimé. L'autopsie de JFK, couverte par de hauts gradés de l'armée, a laissé de mauvais souvenirs.

Rafer Johnson, le champion olympique noir de décathlon, n'a rien perdu de sa superbe au cours des événements tragiques.

C'est lui en particulier qui a désarmé le minuscule Sirhan. Méfiant, il ne rend l'arme saisie qu'en main propre à un officier chargé de l'enquête. Le pistolet que découvrent les enquêteurs est si petit qu'on dirait un jouet. Il s'agit en fait d'une arme de calibre de type 22 qui tire de petits projectiles avec une relative précision due à l'absence de recul. Son barillet lui permet de tirer huit balles.

Wolfer, le chef de la police scientifique du LAPD, a été conduit sur les lieux du crime vers 2 heures du matin, une fois l'hôtel largement évacué. Il est accompagné d'un adjoint, William Lee, et du photographe civil du LAPD, Charles Collier. Collier est dans un premier temps assigné par Wolfer à photographier tous les orifices suspects qui apparaissent dans les montants de la double porte par laquelle Bobby a pénétré dans l'office mais aussi dans les carreaux du plafond. Ces instantanés resteront inaccessibles au public pendant plus de vingt ans. Les recherches se poursuivent jusqu'au début de l'après-midi. Les enquêteurs quittent les lieux non sans avoir emporté des morceaux des montants de porte ou du plafond qui comportent les impacts de balles.

Une des dernières pensées de Bobby a été pour les autres, ces autres qui ont été touchés en même temps que lui. Ils sont au nombre de cinq. Bien que deux aient été touchés à la tête, tous s'en remettront. Ils le doivent au petit calibre utilisé par Sirhan et à des trajectoires heureuses. Au total, Wolfer relève sept blessures par balles pour un barillet de pistolet qui en contient huit. Les huit ont été tirées, l'arme en témoigne. Wolfer observe que ces balles conçues pour la chasse prennent une forme de champignon lors de l'impact pour causer un maximum de dommages. Un examen aux rayons X des éléments du plafond le conduit rapidement à considérer que deux balles s'y sont logées.

Thomas Noguchi, médecin légiste du LAPD d'origine japonaise, est devenu célèbre lors de l'autopsie de Marilyn Monroe dont il a eu la charge en 1962. Il procède à celle de Bobby dans la salle de l'hôpital des Bons-Samaritains prévue à cet effet, pendant six heures, sous le regard de deux assistants, de deux médecins militaires et de représentants du LAPD, du FBI, des services secrets et du bureau du shérif.

Sans préjuger de l'ordre dans lequel elles ont été tirées, Noguchi atteste que la première balle a pénétré l'os mastoïde droit à l'arrière de la tête, endommageant plusieurs branches de l'artère supérieure et causant des dommages irréversibles dans la partie droite du cerveau. Il note que la balle s'est désintégrée, même s'il a été possible d'en retirer le fragment principal qui est à l'origine de la mort. La deuxième balle est entrée par l'aisselle gauche du sénateur dans le sens droite gauche avant de ressortir intacte à l'avant de l'épaule. Une dernière balle est entrée deux centimètres et demi sous la précédente pour se loger à l'arrière du cou près de la sixième cervicale où le cou et le dos se rejoignent. La balle retirée après incision se révèle curieusement intacte.

J'ai agrémenté cette démonstration auprès de mes étudiants de schémas dessinés à la craie sur le tableau. Sans doute est-ce l'influence des romans policiers, des films et des séries télévisées, mais leur intérêt pour ma narration a subitement pris de l'importance lorsque je suis entré dans les détails liés à l'autopsie. Je les ai sentis émoustillés par la nudité létale de ce personnage célèbre, par son impuissance, l'ensemble animé par un voyeurisme favorisé par l'époque. L'énigme prenait subitement un tour plus policier que politique, et visiblement cela favorisait leur concentration. Lorna me regardait fixement, ce qui lui valut rapidement dans mes pensées le surnom de l'« œil de Langley » tant elle adoptait cette façon unique qu'ont les agents du renseignement de scruter les lieux où s'échangent des informations compromettantes. Pour ceux qui seraient tentés de penser qu'une histoire aussi ancienne aurait perdu de son intérêt pour la célèbre Centrale, je voudrais rappeler qu'il y a encore peu, alors qu'il travaillait sur le sujet, l'écrivain et réalisateur irlandais Shane O'Sullivan a été prévenu par les anciens de la Centrale des risques qui pesaient sur sa vie et celle de sa famille. Il rapporte d'ailleurs qu'alors qu'il effectuait ses recherches, des agents des services secrets britanniques à Londres sont venus à plusieurs reprises chez lui au prétexte de surveiller un suspect dans l'immeuble en face du sien. Prétexte qui leur a certainement permis de mettre son appartement sur écoutes. Après la fabrique de l'histoire, le monde invisible s'applique à contrôler ses dérives et à traquer les comploteurs.

L'autopsie a permis de déterminer l'angle de tir. Elle fait apparaître que les trois balles ont été tirées de la droite vers la gauche en montant, derrière et à droite de Kennedy. Un examen des balles retrouvées a démontré, selon Wolfer, que toutes avaient été tirées de la même arme, le pistolet 22 mm saisi à Sirhan. L'examen des balles ayant atteint les autres victimes et de celles retrouvées dans le plafond confirma que les huit balles que comportait le barillet avaient toutes été utilisées et identifiées comme provenant de la même arme. Un nouvel examen effectué sept ans plus tard par des experts indépendants allait prouver que trois des balles ne correspondaient pas au pistolet de Sirhan. Des documents retrouvés ultérieurement montrent que les enquêteurs en charge de l'assassinat connaissaient cette inadéquation.

Devant le grand jury réuni le 7 juin pour la mise en accusation de Sirhan, le docteur Noguchi apparaît austère, concentré et précis. Il explique la mort par une blessure causée par une balle ayant pénétré le mastoïde droit avant d'atteindre le cerveau. Noguchi en vient ensuite à ce qui représente pour lui un détail d'importance : des traces de poudre ont été retrouvées autour de la plaie, brûlée sur les bords, ce qui indique formellement que la balle mortelle a été tirée d'une distance d'au plus cinq à sept centimètres et demi. Un des procureurs adjoints, incrédule, interpelle rudement Noguchi : « Êtes-vous vraiment sûr de vous ? Si vous avez fait une erreur d'appréciation, il est encore temps de vous déjuger. Ne pensez-vous pas que vous avez parlé de centimètres là où il s'agit de mètres ? » Noguchi, sans élever la voix, porte froidement son regard sur son interlocuteur. « Il s'agit bien de centimètres, pas de mètres. » L'accusation, confortée jusqu'ici par les rumeurs d'un crime parfaitement intelligible, se raidit. Cinq témoins considérés comme les plus proches de la scène de crime sont appelés à comparaître devant les magistrats assemblés, quatre sont des employés de l'hôtel, le cinquième est une victime, Irwin Stroll. Le maître d'hôtel Uecker, celui-là même qui conduisait Bobby en le précédant, affirme s'être précipité sur Sirhan et l'avoir empoigné. Selon lui, son action sur son bras a permis de détourner les tirs à partir du troisième. Les magistrats s'abstiennent de lui demander à quelle distance Sirhan se trouvait du sénateur. Les autres témoins s'accordent sur le fait que Sirhan ne s'est jamais approché à moins d'un mètre de Bobby et penchent même pour deux mètres. Il apparaît que le tueur, de petite taille, n'a jamais pu vraiment contourner le grand Uecker qui se trouvait entre lui et Kennedy.

De nouveaux tests seront diligentés avec une arme similaire à celle de Sirhan sur une tête de porc, montrant que pour obtenir des dommages comparables à ceux observés sur la tête de Bobby, la balle mortelle aurait dû être tirée au plus à deux centimètres et demi du point d'entrée du projectile. À la fin de l'audition de ces premiers témoins, l'accusation va dresser une liste des cinq meilleurs témoins susceptibles d'éclairer le tribunal lors du procès. Au cours de leur audition, aucun d'entre eux ne sera interrogé sur la distance de tir. Mais plus tard, Karl Uecker sera formel : jamais les blessures infligées à Kennedy ne peuvent selon lui être l'œuvre de Sirhan. « Sirhan n'aurait jamais pu tirer à bout portant. » Or, les experts sont formels, la balle fatale l'a été.

Était-ce un prétexte ou une objection utile, mais Lorna attendit la fin du cours pour revenir sur la question du « bout portant », une question centrale pour la résolution de l'énigme. « Pardonnez mon incursion, mais il me semble que lorsque vous parlez de la distance à laquelle Sirhan se trouvait, vous parlez de son corps, n'est-ce pas ? » J'acquiesçai en pressant légèrement le pas. « Ainsi, reprit-elle, vous ne prenez pas en compte le fait que Sirhan ait pu tendre son bras pour tirer sur Kennedy. À un mètre de quelqu'un, si vous tendez les bras, vous le touchez. Même à plus d'un mètre en allongeant votre bras dans un mouvement vers l'avant, en prenant en compte la taille du revolver, même si celui-ci était minuscule, vous êtes à bout portant, c'est-à-dire à moins de deux centimètres et demi de l'orifice d'entrée de la balle. J'ai fait des calculs à partir des différents témoignages de telle sorte que j'ai obtenu une moyenne de la distance observée par les différents témoins entre Sirhan et Kennedy. J'en ai soustrait un mètre pour la taille du bras tendu et du petit revolver, ce qui est peu. J'en conclus que la balle a été tirée à bout portant. » Comme je continuais à marcher d'un bon pas en direction de la sortie de l'université sans rien dire, je sentis sa gêne, tout près de moi, mais aussi l'odeur de son parfum au jasmin légèrement citronné. Elle reprit : « Le témoignage de Thane Cesar, le garde privé affecté à la sécurité de Kennedy par la société Ace, qui cheminait à sa droite au moment du drame, situe Sirhan à soixante centimètres de Kennedy au moment du premier tir. »

Je m'arrêtai pour lui répondre.

« Vous savez que Thane Cesar est le principal suspect dans la théorie qui évoque la présence d'un second tueur au moment du crime. En admettant qu'il soit le second tireur, ce dont nous reparlerons plus tard, il a tout intérêt à témoigner sur la distance la plus courte possible entre Sirhan et Kennedy. »

Nous avions enfourché nos bicyclettes l'un et l'autre et je lui ai proposé d'aller vers le parc en bord de mer. Il me fallut un moment pour réaliser à quel point la journée était lumineuse. La mer paradait, éblouissante. Nous nous sommes installés sur un banc reculé du rivage. Un peu plus loin, deux étudiants profitaient de la chaleur pour faire l'amour sous un arbre. Lorna les vit et s'empourpra.

« C'est peut-être tout ce qui reste de cette époque, mais c'est déjà beaucoup. »

Elle sourit sans les quitter du regard. Il n'y avait rien d'obscène dans leur comportement, rien de répréhensible, rien d'animal. Au contraire la tendresse qui les unissait diffusait des ondes qui s'accordaient avec la douceur de la brise.

« Quand vous parlez de cette époque, me demanda-t-elle, quand la situez-vous précisément ?

— Je dirais qu'elle commence avec la pilule et qu'elle finit avec le sida. Mais, à partir de 1970, le courant libertaire commence à s'essouffler gentiment. Le sida a permis une remise en ordre morale presque naturelle, sans compter que beaucoup l'ont vu comme la réponse du ciel aux prétendus excès de la libération sexuelle. »

Je n'avais jamais vu Lorna de si près. Je détaillais son visage aux contours fermes. Je les imaginais peu sensibles au vieillissement. De beaux cheveux coiffés naturellement qu'elle lissait en permanence lui tombaient jusqu'à la racine des seins. Mais quelque chose d'énigmatique fermait son visage à la sincérité, ce qui ne gênait en rien son pouvoir de séduction. Comme je restais silencieux, elle rompit le silence par une phrase anodine.

« La mort de RFK a mis fin à une époque, et l'Amérique aurait été différente s'il n'avait pas été assassiné.

— Vous le croyez vraiment ?

— Oui. Pourquoi, vous en doutez ?

— Bien sûr que j'en doute. Ils ne l'auraient pas laissé changer les choses en profondeur. De toute façon, ils l'auraient tué. Sirhan a-t-il été le déséquilibré providentiel qui a agi seul ou a-t-il été instrumentalisé ? A-t-il servi de leurre pour couvrir un ou plusieurs autres tueurs, c'est une autre question. Moi je parle de l'intention. Leur intention était de tuer Robert F. Kennedy. Lorsque j'étais enfant, il y avait dans mon école un prof pervers et visiblement pédophile. C'était un prof de sport, et je sais qu'il a pratiqué des attouchements dans les vestiaires sur un des élèves de ma classe. Je l'ai surpris à la fin d'un cours. Cet élève m'a demandé de ne rien dire. Je me suis juré de tuer ce prof. Il est mort un mois après en faisant du rafting. Je ne l'ai pas tué, mais j'en avais l'intention. S'il n'était pas mort, je ne l'aurais certainement pas tué. Pour Bobby, c'est différent, les faits sont presque moins importants que l'intention, que la détermination.

— Mais ce n'est pas la même chose pour le grand public.

— Je sais. Mais je suis le grand public et j'ai le droit de savoir pourquoi des gens que je n'ai pas élus sonnent le glas de mes espérances. Et vous, votre intérêt réel pour cette période ? »

Elle a longuement cherché une réponse crédible à mes yeux sans compromettre son rôle de surveillante dont j'étais toujours aussi persuadé. Elle se contenta d'un commentaire assez vague sur la place de la parenthèse Kennedy dans l'histoire contemporaine sans vraiment me convaincre. Ses employeurs présumés me faisaient beaucoup d'honneur en me suspectant d'être capable de faire avancer significativement la réflexion, plus que l'enquête, sur leur participation à l'élimination de Bobby. Les faits discordants ne sont rien sans une lumière particulière projetée sur eux, et je travaillais cette lumière plus que les faits eux-mêmes déjà contorsionnés dans tous les sens par de grands enquêteurs, là était l'originalité de ma démarche, résolument subjective puisqu'elle me touchait personnellement par l'implication de ma famille dans cette tragédie. La présence de Lorna me flattait et m'indisposait tout à la fois. Elle jouait son rôle à la perfection comme si elle l'avait répété pendant des mois. Elle glissait facilement vers l'intimité et je savais qu'elle n'aurait de cesse de se rapprocher jusqu'à m'infiltrer au plus profond de moi-même.

Lorna alimenta la controverse lors du cours qui suivit. Elle mentionna le témoignage de Lisa Urso, une étudiante de San Diego qui avait vu le pistolet coller pratiquement Kennedy. Elle fit également référence à celui de Barry, le garde du corps de Bobby, qui avait évalué la distance entre les hommes à une vingtaine de centimètres. Je lui rétorquai que, rappelée à témoigner plus tard, Lisa Urso, qui avait été la personne la plus proche de Sirhan lors de son assaut, l'avait finalement situé à plus d'un mètre de Kennedy. Quant à Bill Barry, il était encore à près de trois mètres derrière Kennedy lorsque le premier coup de feu avait éclaté et il n'avait rien vu sur le moment. Je reconnus que la question de la position de Sirhan prêtait à discussion. Tout comme celle de la position du sénateur au moment des tirs. L'autopsie pratiquée par Noguchi révélait que la balle fatale avait été tirée de trois quarts arrière et de bas en haut. Pour que son point d'entrée soit en adéquation avec la position de Sirhan au moment du tir, il aurait fallu que Kennedy lui tourne le dos et que Sirhan se présente très en dessous de lui. Or les témoins affirment que Sirhan se trouvait en extension sur la pointe des pieds, le bras pratiquement à l'horizontale. Sur la position de Kennedy, le sénateur lui avait sans aucun doute présenté son profil au moment où, pénétrant dans l'office, il avait été aspiré par des jeunes qui voulaient lui serrer la main. Mais au moment du premier tir, Bobby, tiré par Uecker, s'était remis en route et faisait face à son assassin.

Non sans délicatesse, Lorna fit remarquer alors à toute la classe que McCowan, enquêteur engagé par les avocats de Sirhan, avait confié à l'auteur Dan Moldea que, durant une visite qu'il avait rendue à Sirhan pour reconstituer les circonstances de l'assassinat, il avait demandé à ce dernier pourquoi il n'avait pas visé le sénateur entre les deux yeux. « Je voulais le faire, lui a avoué Sirhan, roublard, mais ce fils de pute a tourné la tête au dernier moment. » Lorna me demanda ensuite l'autorisation de garder la parole pour soulever un point fondamental. « Jusqu'ici, Sirhan avait toujours nié se rappeler quoi que ce soit concernant les circonstances de son acte, comme s'il était sous l'influence de drogues ou d'une manipulation qui l'empêchait de rassembler ses souvenirs. Il plaide l'amnésie dès son arrestation et n'en démordra pas officiellement y ajoutant chaque fois qu'il peut ses regrets. Or, ce témoignage montre bien que Sirhan se souvient parfaitement de ses actes. Il a agi consciemment, et n'a rien perdu de sa haine contre Kennedy. »

Soudain, un étudiant qui semblait somnoler jusqu'ici rétorqua : « Mais il n'y a pas de témoin ayant assisté à cet entretien. Rien ne dit que ce... McCowan n'ait pas formulé ce témoignage sous la pression du LAPD qui voulait en finir avec cette théorie du second tueur.

— Si l'on prend la voie de la subornation de témoin, il est clair que chaque témoignage peut être remis en question », fit observer une étudiante à raison.

À la controverse sur la distance de tirs s'ajoutait un argument décisif qui concernait le nombre de balles retrouvées. L'une d'elles posait problème en particulier. Selon Wolfer, une balle avait traversé la veste du costume de Kennedy pour finir sa course dans la tête de Schrade, sauf que la trajectoire supposée du projectile n'était pas réaliste compte tenu de la position des deux hommes au moment de l'impact. Un autre fait grevait lourdement la véracité des affirmations de Wolfer, le chef de la police scientifique, concernant le nombre de balles. Les montants de la porte battante de l'office avaient été découpés après que plusieurs traces de balles y avaient été découvertes et dûment entourées pendant les premières minutes de l'enquête. Les balles qu'ils contenaient n'ont jamais été mentionnées et quand, plus tard, on demanda au LAPD de produire ces montants découpés, ce dernier fit savoir qu'ils avaient été détruits par manque de place pour les entreposer. Mais des photos prises sur les lieux montraient l'existence de ces cavités qui n'avaient rien à voir, contrairement aux allégations du LAPD, avec des traces de choc causées par des chariots. Un des trous en particulier avait été élargi sur place pour en retirer une balle. Sur la base d'hypothèses raisonnables, plus d'une dizaine de balles avaient été tirées avec une arme dont le barillet ne pouvait en contenir plus de huit.

La femme avec la robe à pois n'a jamais été retrouvée. Pourtant elle demeure le personnage clé de l'assassinat de RFK. Plusieurs témoignages concordants la décrivent comme une femme de type caucasien, fascinante de désinvolture et dotée d'un nez particulier qui n'altère en rien sa beauté. Le témoignage de Sandra Serrano a été de loin le plus médiatisé. Malgré les tentatives du LAPD de la faire revenir sur ses déclarations puis de les décrédibiliser, Sandra Serrano n'a jamais varié dans sa déposition à l'exception de détails mineurs. Alors qu'elle se trouvait sur l'escalier de secours, elle a vu passer dans un premier temps deux hommes et une femme qui se déplaçaient ensemble. L'un d'eux était sans doute possible Sirhan, l'autre était un homme qu'elle a identifié comme un Mexicain américain. La femme, visiblement plus excitée que les deux hommes, s'est excusée poliment en passant à côté d'elle. C'est cette même femme qu'elle verra repasser dans l'autre sens avec celui des deux hommes qui n'est pas Sirhan, affirmant qu'ils venaient de tuer le sénateur Kennedy. Le LAPD, conscient que ce témoignage, sans prouver l'existence d'un second tueur, montrait que Sirhan n'avait pas agi seul, voulut convaincre Serrano qu'au lieu de clamer : « On l'a descendu », la jeune femme avait entendu en réalité : « Ils l'ont descendu. » Mais le témoignage des époux Bernstein allait exactement dans le même sens. La description du couple était identique et la relation des propos lancés par la jeune femme était aussi la même.

Lorna m'interrompit très poliment pour faire remarquer à ses camarades et à moi-même que la question qui n'a pas été souvent posée est celle de savoir pourquoi cette femme, compte tenu de l'importance des enjeux, alors que son intérêt était de passer inaperçue, s'est vantée par deux fois d'avoir tué le sénateur, tout en évoluant dans des vêtements relativement voyants. Je dus reconnaître que la question n'était pas sans valeur. Selon moi, cette très jeune femme et son acolyte avaient reçu pour mission d'encadrer Sirhan jusqu'au dernier moment pour qu'il ne défaille pas dans sa volonté d'exécuter Bobby Kennedy. Cette préparation avait demandé plusieurs jours, et sans doute la jeune femme, encore un peu immature, avait-elle jubilé d'une façon puérile une fois leur mission accomplie. D'autres témoignages spontanés font état de la présence de cette femme habillée d'une robe à pois et de deux hommes dont les descriptions correspondent. Dans chacun des cas, l'observateur note que quelque chose dans ces trois personnages ne s'accordait pas avec la soirée, ils ne participaient ni à l'enthousiasme ni à la joie qui animaient les jeunes de leur génération. Un dernier témoignage est particulièrement intéressant parce qu'il émane d'un jeune homme qui se trouvait dans l'office de la cuisine juste avant la fusillade et qui non seulement a remarqué la jeune fille mais l'a fixée un bon moment, la trouvant à son goût. Selon lui, elle se tenait contre Sirhan, qu'elle ne quittait pas. Après la fusillade, il remarqua qu'elle avait disparu comme si le drame n'était pas parvenu à lui faire oublier cette charmante apparition.

Le trio n'a pas seulement été aperçu le soir du drame à l'hôtel Ambassador, d'autres témoins affirment l'avoir remarqué dans d'autres manifestations dans la semaine qui a précédé l'assassinat. Une rencontre inopinée avec eux a marqué l'esprit de Dean Pack le 1er juin alors qu'il faisait de la marche en montagne avec son fils. Au détour d'une colline, il s'est trouvé nez à nez avec trois jeunes gens, dont une femme, qui s'entraînaient à tirer sur des canettes de bière. Il relate que l'effet de surprise les rendit assez menaçants pour qu'il presse le pas et leur tourne le dos en espérant qu'ils ne tireraient pas sur lui et son fils. Non seulement Pack reconnut Sirhan mais la description de ses comparses correspond à tous les autres témoignages.

On peut considérer comme établi que Sirhan n'a pas agi seul, que pour le moins il était entouré d'un homme et d'une femme qui l'ont accompagné dans les jours qui ont précédé l'assassinat et l'ont visiblement soutenu le soir du 5 juin dans son action criminelle. Ainsi Sirhan n'était pas l'homme solitaire décrit par ses accusateurs qui aurait macéré dans une rancune grandissante à l'égard de Kennedy jusqu'à décider de le tuer au dernier moment.

L'étude de son histoire et de sa personnalité montre des aptitudes particulières pour ce type de mission. Son passé est marqué par l'humiliation. Arabe chrétien orthodoxe à Jérusalem, il vit avec sa famille l'exclusion d'une communauté refoulée par Israël devenu un État essentiellement juif. La violence faite à sa communauté le marque. Le traumatise-t-elle ? Même s'il l'a prétendu, ses frères témoignent du contraire en parlant d'un garçon doux et attentionné. Il est probable que la décision de leur père de les abandonner pour toujours l'ait affecté d'un point de vue psychologique. Cette décision brutale a ravivé aussi chez lui l'attachement à la mère patrie.

Alors que la nature a dessiné aimablement ses traits, Sirhan souffre d'un complexe qui tient à sa petite taille, à sa maigreur et à sa race. L'addition des trois lui a visiblement interdit la moindre aventure féminine, et s'il lui arrive de se prévaloir de liaisons, chacun sait que les filles de son âge le repoussent parce que trop arabe, trop petit, trop inconsistant et trop pauvre.

Son obstination à transformer son handicap en avantage va finalement se révéler un échec. Alors qu'il rêve de devenir un jockey reconnu, il se révèle piètre cavalier et tombe à plusieurs reprises – l'une des chutes va lui laisser des séquelles, même si médicalement aucune lésion n'a été identifiée. Tout le monde s'accorde sur le fait qu'après il n'a plus jamais été le même. Sans toutefois déterminer si ce changement de caractère qui l'a aigri, l'a rendu plus agressif, plus imprévisible et plus sombre tient à des lésions neurologiques ou s'il est profondément dépité de n'avoir pu transformer ses faiblesses en forces. Son rapport à l'argent change. Lui qui avait espéré faire des fortunes en montant des cracks en est réduit à parier sur eux et il perd souvent. Il quitte le milieu des courses, ses revenus baissent et il se retrouve même sans emploi quelques mois avant le drame. Sans vouloir trop emprunter à la psychologie, on peut considérer que, juste avant son action criminelle, Sirhan est nié de toutes parts et qu'une action d'éclat, même si elle présente des risques mortels, est en quelque sorte sa seule perspective d'exister dans le regard des autres, de tous les autres, et plus précisément dans celui de cette femme en robe à pois dont tout le monde s'accorde à dire qu'elle est ravissante. Être reconnu, c'est tout ce qu'il demande, car il a cet orgueil. Enfermé dans un anonymat médiocre, il trouve une raison de se différencier de la masse, d'exister par l'accomplissement d'un projet auquel il est capable de rattacher une véritable dimension salvatrice pour son peuple, humilié par les juifs soutenus par Kennedy, ce pacifiste qui prône la paix au Vietnam et justifie la guerre au Proche-Orient. Comme Chapman qui assassinera John Lennon douze ans plus tard, c'est sa propre icône qui sera l'objet de son action sacrificielle. En tuant Bobby, Sirhan exécute l'homme qu'il a adulé avant de le haïr. Pourtant, les positions de Bobby sur Israël ne sont pas récentes et n'ont pas empêché Sirhan de le hisser sur un piédestal. Mais à ce moment-là, avant qu'il ait quitté le monde des courses, il n'a pas encore failli à exister socialement au niveau qu'il s'est fixé. Sa vie qui ne vaut plus rien à ses propres yeux, le voilà désormais prêt à l'échanger contre celle d'un homme dont la propre existence est une valeur grandissante à mesure qu'il se rapproche de la magistrature suprême. Il ne sait pas s'il sera tué au terme de son action mais s'il la réussit, la peine de mort se profile immanquablement, d'autant plus qu'il n'a pas l'intention de fuir ni de se cacher. Pour être reconnu, il faut exister dans les faits. Sirhan n'est pas homme à s'embusquer sur le toit d'un immeuble et à tirer sur sa cible avec un fusil à lunette, non, il recherche cette proximité fatale, et il veut qu'on parle de lui, quitte à regretter les conséquences de son action. « Je ne voulais pas le tuer, je voulais seulement vivre. » Il ne l'a pas dit mais on l'a entendu. Tout ce qu'il demandait, c'était d'exister dans le regard des autres alors que ses échecs successifs le conduisaient à un pitoyable et insupportable anonymat. De fait, il restera le meurtrier d'un espoir jamais abouti, et en cela il a réussi à exister bien au-delà de ce que sa vie lui permettait d'espérer. L'Amérique est alors le pays qui exerce la plus grande pression sur les individus quant à la réussite. Au-delà du bien et du mal, on sépare les gagnants et les perdants. C'est dans ce terreau de réprouvés que se dessinent ces destins de tueurs solitaires les plus nombreux au monde. En tout cas, c'est ainsi qu'il l'a ressenti. L'envoi auprès de lui d'une belle jeune fille n'est pas anodin. Ni celui d'un autre jeune homme qui le concurrence avantageusement dans tous les domaines si l'on en croit les témoignages. Plus beau, plus fort, il est la menace que Sirhan va vaincre en montrant sa supériorité sur lui, en montrant qu'il a le courage d'aller jusqu'au bout. Le jeune homme et la jeune fille en robe à pois n'ont été présents que pour soutenir sa motivation et l'encadrer, certainement pas pour la lui révéler.

À y regarder de plus près, une contradiction apparaît clairement. Bobby était supposé représenter les gens comme Sirhan, ces déçus du rêve américain, récemment immigrés, pour qui la réussite s'était révélée un objectif inaccessible. Sirhan n'aurait pas été aussi intelligent, il n'aurait probablement pas eu une conscience aussi aiguë de son échec. Il n'en aurait pas autant souffert. Il a fini par tuer le seul homme politique qui semblait se préoccuper d'individus comme lui, qui cherchait à leur redonner une dignité. À l'aune de sa fierté, nourrie par cette intelligence au-dessus de la moyenne, cette aumône l'a humilié, une fois de plus. L'humiliation est l'histoire de sa vie.

Si l'on en revient aux faits, ces faits obsédants, impératifs, comme si la vérité n'appartenait qu'à eux, le silence observé par Sirhan lors de son arrestation ne semble pas résulter de sa volonté mais plutôt d'une stratégie concertée. Sa psychologie au moment des faits le poussait à revendiquer haut et fort son crime, au lieu de cela, il se tait, refuse de révéler son nom et prétend ne se souvenir de rien. Il se comporte à l'opposé du solitaire qui revendique sa pleine existence à travers son acte criminel, fier de son passage à l'acte. Ce mutisme lui a-t-il été inspiré de l'extérieur?

Au début de mai 1968, Sirhan reçoit le nouveau numéro du *Rosicrucian Digest* auquel il est abonné. Un article en page 191 retient son attention : « Mettez-le par écrit », d'Arthur Fettig.

« Osez quelque chose de différent, quelque chose d'excitant!

Planifiez votre succès et soyez prêt à sauter pieds joints dans l'excitation de la vie. Mais pour y arriver, suivez mon conseil, mettez votre plan, vos objectifs par écrit, et découvrez par vous-même comment soudain ils prennent forme. Voyez ce que vous gagnez en énergie par le simple fait de l'écrire. »

Cette lecture expliquerait l'acharnement scriptural de Sirhan à répéter les mêmes phrases dans son carnet : « Robert F. Kennedy doit mourir », inscrit à plusieurs reprises. Ces pages d'incantation personnelle à tuer Kennedy ont été écrites le 18 mai. Quand il est interrogé sur sa motivation à cette date, Sirhan pense qu'elle est liée à l'annonce par RFK de sa décision d'envoyer cinquante avions de chasse à Israël. « Je me souviens d'avoir vu à cette époque un documentaire sur Robert Kennedy qui montrait son action en faveur des pauvres et des déshérités. Puis soudainement le documentaire a dévié sur son soutien à Israël depuis 1948. La façon dont il parlait d'Israël m'a mis hors de moi. Jusque-là je l'adorais, et j'espérais le voir bien-tôt président, mais quand j'ai vu, quand j'ai entendu que non seulement il soutenait Israël maintenant, mais aussi depuis sa création, j'ai eu le sentiment qu'il faisait des choses horribles dans mon dos, et c'est comme ça que je me suis mis à écrire ces phrases répétitives. »

La déclaration de Sirhan, si cohérente soit-elle, pose un pro-blème d'agenda. Les auto-incantations à tuer Kennedy ont été écrites le 18 mai. Or, le documentaire de Frankenheimer a été diffusé une première fois à Los Angeles le 20 mai et une seconde fois le 25. Par ailleurs, Kennedy s'est prononcé en faveur de l'envoi de cinquante avions de chasse à Israël pour la première fois le 26 mai à la synagogue de Portland dans l'Oregon.

Mais Sirhan ne se souvient de rien concernant ses écrits. Les enquêteurs sont intrigués par la dernière phrase. Après avoir répété inlassablement que Robert Kennedy doit mourir, Sirhan finit par une phrase énigmatique : « Merci de payer à l'ordre de de de de de de de de de de ceci ou cela. »

Sirhan ne se souvient pas d'avoir formé cette phrase incompréhensible mais ne nie pas qu'il s'agit de son écriture. « Je n'ai pas de compte bancaire, je ne comprends pas. »

Évidemment, cette dernière phrase, associée à un corpus de mots cohérents dans les intentions qu'ils manifestent, surprend car elle insinue que l'action de Sirhan serait liée au paiement d'une somme qui pourrait lui avoir été promise. Mais sachant qu'il n'avait aucune chance d'en sortir libre, comment l'argent aurait-il pu devenir une motivation, même si on sait que Sirhan en manquait cruellement ? Lorna en fit la remarque judicieusement et j'acquiesçai à l'idée que l'argent ne constituait pas la motivation de Sirhan pour autant que la promesse de versement d'une grosse somme sur un compte n'ait pas été assortie de celle de le faire libérer quelques années au plus après l'attentat. On retrouve là des similitudes avec le cas de Jack Ruby. Lorsqu'il vient tuer Oswald à bout portant au commissariat de Dallas, il n'ignore pas que plusieurs années de prison pour meurtre l'attendent. Mais on sait aussi avec le temps que la Mafia a effacé une grande partie de ses dettes et lui a certainement promis beaucoup d'argent le jour de sa libération. Cette libération s'est fait attendre, et Ruby a commencé à s'impatienter, menaçant de révéler les dessous du complot. Il n'en a pas eu le temps, il est mort prétendument d'un cancer foudroyant en prison.

Mais pour Sirhan, la première des motivations provient de l'énergie dégagée par l'affrontement de forces contradictoires entre son idolâtrie pour Kennedy et l'effroyable déception qui résulte de la vision de l'homme dans les journaux, la kippa sur la tête, flattant l'électorat juif sur la question d'Israël. C'est un saint déchu, entaché de haute trahison sur lequel Sirhan, le chrétien orthodoxe, va s'acharner.

Il est évidemment possible de spéculer longuement sur la question de savoir si le fait que Sirhan ait été chrétien comme Bobby n'est pas la cause du profond ressentiment qui conduit à son passage à l'acte. Eût-il été musulman, ses raisons objectives de tuer Bobby n'auraient pas varié, mais celles qui demeurent plus subjectives n'auraient pas joué de la même façon. Un musulman n'aurait jamais idolâtré Kennedy, il ne se serait jamais enthousiasmé pour lui, et leur relation n'aurait jamais été empreinte d'émotions aussi profondes dans l'amour que dans la haine.

Un détail qui, dans d'autres circonstances, pourrait paraître dérisoire ressurgit peu de temps après les faits. La jeune fille vêtue d'une robe à pois noirs avec un drôle de nez a été vue longuement en compagnie de Sirhan dans un bar, dans les heures qui ont précédé l'attentat. Vincent di Piero, serveur de son état, témoigne que Sirhan a bu nombre de whiskies, ce que le jeune Palestinien ne démentira pas. Il se souvient de son ivresse. Ce constat soulève une question qui, comme beaucoup d'autres, restera encore longtemps sans réponse. Si cette jeune femme était chargée d'encadrer Sirhan, pourquoi l'avoir laissé boire alors qu'elle attendait de lui un tir de précision? Seule réponse possible, elle n'attendait pas de lui un tir de précision. Pour aller au plus court, elle attendait de lui qu'il sorte son calibre, se mette à tirer, attire irrésistiblement l'attention sur lui pendant qu'un ou plusieurs hommes profiteraient de la confusion pour achever leur funeste mission. On peut aller jusqu'à imaginer qu'elle ait fait croire à Sirhan qu'il ne serait pas désigné comme le tueur.

Un autre témoignage dont on ne connaît pas le degré de sérieux mentionne une conversation avec cette femme mystérieuse qui, jour après jour, prend une importance romanesque dans les esprits, parce qu'elle est belle avec son drôle de nez, habillée d'une façon étonnamment voyante pour une personne en service commandé dans une affaire de meurtre d'une telle dimension. Fantasque, elle l'est certainement, presque hystérique, assez pour s'attribuer le meurtre de Kennedy. Un dénommé Fahey est passé au détecteur de mensonge avec succès mais ses souvenirs restent confus. Un journaliste intéressé par son témoignage lui propose de le rendre plus précis sous hypnose. Il accepte. « Elle m'a dit qu'elle allait quitter Los Angeles pour San José pour visiter le siège d'une organisation qu'elle a appelée les Rosalyns ou quelque chose comme ça. – San José ? Elle n'a pas plutôt dit les Rose-Croix ? – Oui, c'est ça, les Rose-Croix. »

Le témoignage des époux Bernstein n'a jamais été formalisé, l'officier de police n'ayant pas relevé leur identité, mais il existe de fait par la relation scrupuleuse qu'en a faite le policier Sharaga. La jeune femme vêtue d'une robe à pois n'est pas seulement un fantasme grandissant chez les enquêteurs harassés par les premières semaines d'enquête, elle ouvre la voie à la théorie du complot, à la conspiration. Qu'on la retrouve, et il faudra admettre que Sirhan n'a pas agi seul. Qu'on ouvre la porte à une complice, et on risque d'en voir pleuvoir de toutes parts. Accepter l'existence d'une conspiration pour tuer Robert Kennedy revient à s'interroger de nouveau sur le meurtre de son frère. Cinq ans après, il est désormais admis dans les milieux policiers que le rapport Warren est un tissu de mensonges et de manipulations. Les efforts pour maintenir le couvercle sur la cocotte en ébullition n'ont pas été minces, et ils le furent au prix de nombreuses vies, d'ailleurs les policiers le reconnaissent en privé. Si personne ne désigne les vrais commanditaires, nul ne peut décemment se ranger à la version officielle du tueur solitaire. Les agissements du LAPD pour effacer toute trace de cette jeune fille mystérieuse pourraient se comprendre comme la simple volonté de ne pas vouloir regarder la vérité en face, d'éviter un scandale avec le lot de complications qui l'accompagnent. Mais l'interrogatoire de Sandra Serrano par la police de Los Angeles suffit pour expliquer par quelles forces et selon quelles méthodes naît une théorie du complot dont on voudrait nous faire croire qu'elle émane d'esprits fragiles, infectés par la paranoïa, cette maladie invoquée pour toute personne mettant en cause une vérité officielle.

24

L'interrogatoire a été restitué par voie de bande enregistrée, il n'est donc pas sujet à discussion. Les deux voix sont clairement identifiées comme étant celles de Sandra Serrano, principal témoin concernant l'existence d'une femme ayant revendiqué en son nom et au nom d'un autre homme l'assassinat du sénateur Kennedy, et de son interrogateur, le sergent Enrique « Hank » Hernandez, seule personne affectée au détecteur de mensonge durant toute l'enquête criminelle. Hernandez est assigné en particulier par la commission d'investigation « aux aspects liant l'enquête à une conspiration ».

La soirée commença de la plus belle des façons. Hernandez invita Sandra et sa tante qui l'accompagnait dans un restaurant. Sandra n'ayant pas l'âge légal de consommer de l'alcool, Hernandez prit sur lui de commander deux verres pour la jeune femme. Choquant son verre contre celui de Sandra, Hernandez commença d'une voix doucereuse :

« Je suis la dernière personne à laquelle vous allez parler de cette tragédie du point de vue de l'enquête. Vous êtes une fille très intelligente. Je croirai tout ce que vous allez me dire. »

Hernandez impressionne la jeune fille par sa taille, sa virilité et une certaine élégance.

Le repas terminé, le sergent conduit Sandra au Parker Center. Il lui explique le fonctionnement du détecteur de mensonge. Sandra s'étonne du recours à cette machine, ses avocats lui ont conseillé de ne pas s'y soumettre et considèrent, selon ses informations, que ce n'est pas un instrument fiable.

« Ne le prenez pas mal, mais une de mes professeurs y est passée une fois, ils lui ont demandé son nom, elle l'a donné, et le détecteur de mensonge a décidé qu'elle mentait.

— Je comprends, mais le succès d'un détecteur de mensonge dépend essentiellement des compétences de celui qui s'en sert. Mes références dans ce domaine sont incontestables.

— Je ne comprends pas pourquoi je dois suivre cette procédure, d'autant qu'on m'a dit qu'elle n'a aucune légalité devant un tribunal.

— Quelqu'un vous aura mal informée. »

À ce moment précis, Hernandez ment délibérément car il sait bien sûr que le détecteur de mensonge n'est pas reçu comme preuve par les tribunaux. Et de poursuivre :

« Si c'était le cas, nous n'aurions pas de détecteur... mais rassurez-vous, nous n'irons pas devant un tribunal. Je vais vous faire passer un test honnête et objectif. Je vous apprécie beaucoup. Vous voyez, Sandy, c'est une grande tragédie, certainement la deuxième plus grande tragédie que nous ayons eue dans ce pays.

— Je sais.

— Nous ne voulons pas donner l'occasion à quiconque de dire des contrevérités. Nous voulons nous assurer que ce rapport n'a pas été incomplet, comme celui de Dallas. »

Puis, Hernandez demande à la tante de Sandra de sortir de la pièce et commence à procéder à l'examen.

« Est-ce que votre vrai prénom est Sandra ?
— Non. »

Sandra rit nerveusement.

« Est-ce que vous pensez que je serai juste avec vous pendant cet examen ?
— Non.

— Entre l'âge de dix-huit et dix-neuf ans vous souvenez-vous avoir menti à la police à propos de quelque chose de sérieux ?
— Non.

— Quand vous avez affirmé à la police qu'une jeune femme en robe à pois vous a déclaré avoir tué Kennedy, disiez-vous la vérité ?
— Elle n'a pas dit : "Nous avons descendu Kennedy", elle a dit : "On l'a descendu."

— Est-ce que la fille en robe à pois vous a dit : "Nous avons descendu Kennedy" ?
— C'est une robe blanche avec des pois noirs.

— Est-ce que la fille avec une robe blanche à pois noirs vous a dit : "Nous avons tué Kennedy."
— Oui.

— Vous pouvez vous détendre maintenant. Rappelez-vous que je vous ai demandé de répondre seulement par oui ou non.
— Ouais, mais on ne peut pas toujours répondre comme cela.

— Êtes-vous effrayée à l'instant présent, Sandra ?
— Je n'aime pas ça. Ce n'est pas que je sois effrayée, je n'aime pas cela, c'est tout.

— Je le sais. »

La discussion vient ensuite sur le fait que Hernandez n'avait pas prévenu la tante de Sandra à propos de l'examen, Sandra l'affirme, Hernandez prétend le contraire. Voyant que Sandra commence à prendre le test à la légère, Hernandez emprunte une voie inattendue.

« Nous devons faire cela pour que la famille Kennedy puisse trouver le repos. Ethel Kennedy veut savoir ce qui est arrivé à son mari, ce n'est pas une chose anodine, n'est-ce pas ?

— Je sais que ce n'est pas anodin, mais n'essayez pas de mêler des sentiments dans tout cela, finissons-en ! »

Hernandez reprend :

« Dans quel État nous trouvons-nous actuellement ?

— Ohio.

— Sandy, je veux vous parler comme un frère. Vous êtes une fille intelligente et vous savez que pour quelque raison tout cela a été entièrement fabriqué. Vous devez la vérité au sénateur, le regretté sénateur, et soyez une vraie femme par rapport à cela. Je ne sais pas, et vous ne savez pas, s'il n'est pas en train de nous regarder au moment présent. Ne le couvrez pas de honte en continuant sur cette foutaise. J'ai de la compassion pour vous. J'ai besoin de savoir pourquoi vous avez fait cela. C'est une question très sérieuse.

— J'ai vu ces gens.

— Non, non, non, non, Sandy. Rappelle-toi ce que je t'ai dit à ce propos. Tu ne peux pas affirmer que tu as vu quelque chose que tu n'as pas vu. Je peux expliquer ton erreur aux enquêteurs, comme ça tu n'auras plus à leur parler. Ce que tu dis avoir vu n'est pas la vérité. Tu ne peux pas vivre dans la honte sachant que ce que tu fais à l'instant présent est mal. S'il te plaît, au nom des Kennedy.

— Ne parlez pas au nom des Kennedy.

— Tu sais que c'est faux.

— Je me souviens avoir vu cette fille.

— Non, non... Je te parle de ce que tu m'as dit concernant une fille qui t'aurait dit : "On l'a descendu", et c'est faux !

— C'est ce qu'elle a dit !

— Non, ce n'est pas vrai, Sandy, s'il te plaît... J'aime cet homme.

— Moi aussi, ne me criez pas dessus !

— Bon, j'essaye de ne pas crier, mais c'est quelque chose de tellement émotionnel pour moi, tu comprends. Si tu aimais cet homme, le moins que tu lui doives, c'est la courtoisie de le laisser en paix. »

Hernandez fixe Sandra mi-menaçant, mi-doucereux.

« Tu peux te confier à moi si tu le veux ou sinon je dirai à la presse que tu es une menteuse. Mais ce n'est pas la bonne méthode parce que je veux pouvoir continuer à me regarder dans la glace le matin. Tu es une très jeune femme et je veux faire ce qu'il y a de mieux pour toi. J'ai l'autorité pour annuler ton témoignage mais la seule façon que j'ai de le faire, c'est que tu me dises la vérité.

— Mais il n'y a rien de plus à dire.

— C'est comme une maladie qui va grandir avec toi et qui fera de toi une vieille femme avant l'âge. Une maladie comme le cancer. Bon, revenons à notre histoire...

— Il y avait une fille qui dévalait l'escalier et elle a crié : "On l'a descendu... on l'a descendu..."

— Non, Sandy...

— Cette fille dans une robe à pois, dans une robe blanche à pois. »

Hernandez inspire très fort, prend sa tête dans ses mains, ferme les yeux puis les ouvre.

« Sandy, c'est vraiment comme une maladie.

— Quoi ? Ça veut dire que je n'ai jamais vu la fille avec la robe à pois ?

— Non, ça veut dire que personne ne t'a dit : "On a descendu Kennedy".

— Quelqu'un m'a dit qu'ils avaient descendu le sénateur. Je suis désolée, mais c'est la vérité, la simple vérité. Je ne vais pas dire qu'ils ne me l'ont pas dit juste pour satisfaire quelqu'un d'autre... Je me souviens avoir vu la fille.

— Prends bien note de ce que je vais te dire. Si tu décides de te comporter en femme, tu recevras une lettre d'Ethel Kennedy, personnelle, qui te remerciera de l'avoir laissée en paix sur cet aspect de l'enquête. Je ne vais pas mettre de mots dans ta bouche mais je veux que tu me dises la vérité à propos de ce qui s'est passé dans l'escalier. Personne dans l'escalier ne t'a dit : "On l'a descendu."

— Quelqu'un me l'a dit, vraiment ! »

Hernandez soupire longuement. Puis reprend à voix basse :

« Là maintenant, j'ai la plus grande compassion pour toi... parce que tu es une fille intelligente... tu as un bel avenir devant toi mais... tu dois grandir, vite, parce que tu dois prendre la décision de me dire ce qui est vrai.

— Je vous l'ai déjà dit.

— Non, tu ne peux pas dire cela.

— Si, je peux.

— Tes lèvres peuvent le dire. Mais avec tes sentiments, ton cœur, ton âme... tu sais que tu as envie de pleurer maintenant.

— Qui ? Moi ? Non.

— Si.

— Je ne suis pas en train de pleurer.

— Tu sens que tu vas te mettre à pleurer. Comment peux-tu te faire souffrir à ce point ?

— Je ne me fais pas souffrir. Je ne souffre pas.

— Bon, veux-tu que j'essaye de procéder aussi doucement et facilement que possible?

— Ouais.

— OK, laisse-moi te dire cela. À partir d'un certain point je vais devoir faire un rapport. Je peux faire le rapport moi-même si tu acceptes de me mettre dans la confidence, sinon il y a des gens qui attendent de l'autre côté de la porte et si tu ne dis pas la vérité, Sandra, ils vont prendre la suite. Et si ça se passe encore mal cette fois?

— Je leur dirai d'aller au diable! »

Hernandez ne désarme pas. Il reprend le détecteur de mensonge et prétend qu'à chaque réponse de Sandra, le détecteur lui indique qu'elle ment. Elle ment sur la robe. Une robe blanche simple, sans pois, voilà ce que dit le détecteur. Ensuite, elle a vu la fille mais elle était seule. Enfin, elle n'a pas crié : « On l'a descendu » mais : « Ils l'ont tué. »

Les heures passant, épuisée, la jeune fille de dix-neuf ans accepte de revenir sur son témoignage. Hernandez n'agira pas autrement avec les autres témoins de la fille vêtue d'une robe à pois. Le témoignage des époux Bernstein, pour autant que Sharaga se souvienne correctement de leur nom, est supposé n'avoir jamais existé. Hernandez, soulagé, peut rédiger son rapport. L'avis de recherche concernant la mystérieuse femme est annulé, et le LAPD annonce qu'il a été établi que « jamais une telle personne n'a existé mais qu'elle a été le produit de l'hystérie d'une jeune supportrice de Kennedy affectée par son assassinat ». Le LAPD laisse entendre que Serrano serait à l'origine de la contagion d'autres témoins qu'elle aurait bouleversés par son récit. Dès son retour chez elle, Sandra Serrano a témoigné qu'elle avait été traitée d'une façon infâme par la police et qu'elle maintenait ses déclarations. Peu importait pour Hernandez, qui reçut une promotion du grade de sergent à celui de lieutenant. Des investigations poussées plus tard sur le personnage montrèrent que cet homme clé de l'enquête comme son supérieur hiérarchique étaient liés à la CIA. Hernandez en particulier avait travaillé pour l'agence en Amérique du Sud. Qu'est-ce qu'un homme comme lui avait pu faire au sein de l'agence pour le développement international, si ce n'est se fondre dans une structure identifiée pour servir de couverture aux agents de la CIA. Avant l'assassinat de Bobby, Hernandez vivait dans une modeste maison de Monterey Park Area, adaptée aux besoins d'un homme comme lui, issu de la classe moyenne. Une fois l'enquête close, il déménage à San Marino, un des quartiers les plus chics de Los Angeles où il a été établi que le revenu par habitant est supérieur à celui de Beverly Hills. Hernandez quittera rapidement la police de Los Angeles pour monter sa propre entreprise dans le domaine de la sécurité pour laquelle il obtiendra évidemment toutes les accréditations gouvernementales dans un temps record. Hernandez en référait dans son travail à Manuel Pena. Après des débuts à la police de Los Angeles, Pena avait été rapidement recruté par la CIA à travers l'agence pour le développement international. Son frère a d'ailleurs témoigné sur sa qualité d'agent de la Centrale. Après plus de dix ans dans le renseignement, il est rappelé d'urgence pour des raisons inconnues au sein du LAPD. Son rappel correspond exactement à la date à laquelle Bobby se déclare candidat à la présidence.

C'est ainsi qu'on ne sut jamais exactement qui fut la jeune femme brune avec un drôle de nez à la Bob Hope ou à la Richard Nixon, vêtue d'une robe blanche à pois.

Le policier Sharaga ne revint, lui, jamais sur son témoignage au sujet de ce couple de juifs d'une soixantaine d'années lui ayant affirmé avoir croisé cet homme et cette femme, sautillant d'un pied sur l'autre comme s'ils fêtaient la réussite d'un examen de fin d'études, elle, visiblement emportée par la joie et clamant haut son succès.

Le temps passant, d'année en année, pour ne pas dire de décennie en décennie, il est apparu que les témoignages sur l'inconnue en robe à pois s'étaient multipliés au lendemain de l'attentat. Près d'une vingtaine de personnes avaient croisé la jeune femme près de Sirhan, le plus souvent dans une attitude laissant penser qu'ils formaient un couple. Elle attirait le regard par une constitution élégante. « Bien bâtie », était l'expression qui revenait le plus souvent dans les témoignages dissimulés ou discrédités systématiquement par le LAPD ou par le FBI dans les jours qui ont suivi. Une personne assez belle pour ne pas passer inaperçue auprès des hommes. Mais si sa plastique avait frappé la gent masculine, la curiosité tenait surtout au fait qu'elle semblait « ne pas être à sa place ». Une soirée électorale comme celle-ci, victorieuse, créait des mouvements harmonieux de joie, d'excitation, dopés par l'enthousiasme dont les Américains ne sont pas avares quand il s'agit de gagner. Cette frénésie semblait couler sur elle comme sur une matière imperméable, elle était carrément ailleurs, en elle-même. En revanche plusieurs observateurs l'avaient vue exploser de joie au moment où la consternation saisissait la foule qui entourait Bobby, reposant sur le dos, la tête dans son sang. Alors que les curieux affluaient, exerçant une pression insoutenable sur les occupants de l'office de la cuisine, plusieurs témoins déboutés à leur tour par la police l'ont vue se faufiler à la hâte vers l'issue de secours, accompagnée d'un ou deux comparses selon les témoignages, issue de secours où elle a été vue et entendue par Sandra Serrano.

L'abandon des recherches concernant le couple qui aurait encadré le fragile Sirhan n'a pas fait disparaître la théorie selon laquelle un deuxième tireur serait intervenu pendant que le Palestinien déchargeait plus ou moins à l'aveuglette son calibre 22.

Ce calibre n'est pas destiné à infliger des blessures mortelles, sauf lorsqu'il est utilisé à bout portant. D'ailleurs aucune des autres victimes n'a été blessée sérieusement, ce qui accréditerait la thèse selon laquelle Sirhan n'était présent que pour faire diversion.

Plus d'une dizaine de coups de feu ont retenti, des enregistrements révélés ultérieurement en témoigneront, de même qu'un examen balistique sérieux qui prouve finalement que onze balles ont été tirées.

En dehors de Cesar, personne n'était supposé porter une arme ce soir-là. Bobby, on l'a dit, avait fait interdiction à son entourage de s'armer. La demande de gardes en uniforme et armés est venue de l'hôtel lui-même, incapable d'assurer la sécurité d'une telle foule et d'une personnalité aussi importante avec ses seuls effectifs. Ace Security est la société retenue pour fournir une assistance à l'hôtel. C'est par son directeur que Thane Cesar se dit appelé ce soir-là pour une mission ponctuelle à l'hôtel Ambassador. Le jeune homme hésite. Il dit vivre une extrême tension dans son couple sur le point de se disloquer. Mais ses difficultés financières sont telles qu'il n'a pas la force de refuser cet extra bien payé et sans risque. Pourtant, il travaille chez Lockheed, un des piliers du complexe militaro-industriel américain, une société réputée pour bien rémunérer ses employés d'autant plus lorsqu'ils sont habilités « secret défense ». On dispose de peu de clichés de Cesar, qui vit aujourd'hui aux Philippines. Les seules photos accessibles sont celles d'un jeune homme encore poupin, au visage lisse, plutôt avenant. Les enregistrements de ses différentes déclarations révèlent un homme cordial, dont la volonté de bien faire peut être difficilement suspectée, en particulier quand il prédit un affrontement inévitable entre les Blancs et les Noirs, choc auquel l'Amérique ne pourra pas se soustraire, prétend-il, et auquel il se prépare, du côté des Blancs, bien sûr. Il est raisonnablement persuadé que la race blanche prévaudra dans cet affrontement. Tout ordinaire qu'il soit, son racisme est aussi violent que sa voix est douce. Sa détermination se lit dans ses yeux qui contredisent son visage enfantin. Il semble d'autant mieux préparé à la violence que celle-ci est selon lui inéluctable, vu l'état de guerre civile entretenu par les Noirs. On le sent en réserve d'une tragédie qui s'annonce, prêt à éradiquer définitivement le problème d'une nation qui s'enfonce. Avec une naïveté tout américaine, il ne fait pas mystère de son soutien au gouverneur George Wallace, le chantre de l'extrême droite, auquel il ne consacre pas toute l'énergie qu'il voudrait, par manque de temps et d'argent. Interrogé sur la contradiction qui existe à protéger le candidat pour les droits civiques alors qu'il soutient les idées contraires, il fait l'étonné, argue de son professionnalisme à cloisonner travail et convictions.

Un témoin le remarque alors que Bobby commence son discours de remerciements et engage la conversation d'un ton badin. Il est d'autant plus surpris quand Thane Cesar lui prédit que la soirée risque d'être violente mais il n'en dit pas plus, l'air entendu. Quand Uecker conduit Kennedy en direction de l'office, il lui emboîte le pas.

Au moment où débute la fusillade, Thane Cesar se tient à droite du sénateur Kennedy, très proche de lui. Dès les premiers tirs, il sort son arme. Un témoin du nom de Schulman le voit tirer. Puis il trébuche dans la cohue.

Sa position à ce moment du drame satisfait exactement l'angle des trois tirs qui ont touché Bobby. Interrogé par les enquêteurs, Cesar avoue avoir dégainé son arme avec l'intention de tirer sur Sirhan, mais quelqu'un lui aurait ordonné immédiatement de la ranger sans doute pour ne pas ajouter de risques à la confusion.

Curieusement, son rôle n'intrigue pas plus les enquêteurs que les juges. Il demeure un témoin très ordinaire. Personne ne demande à vérifier son arme. Le minimum à faire lorsqu'on apprend que le jeune Thane Cesar s'est engagé pour Wallace, la lie des racistes et des ségrégationnistes qui ont inspiré l'assassinat de Martin Luther King.

25

Les soupçons le concernant ne prennent vraiment consistance que lorsqu'on apprend que Thane Cesar a détenu un calibre 22 pour sa « défense familiale » qu'il aurait revendu avant la tragédie. Or, il sera établi par des enquêteurs privés que, s'il a bien détenu ce .22, Cesar l'a revendu plus tard en demandant à l'acheteur d'être discret sur cette arme qui avait selon lui « servi à une opération de police majeure ». L'arme sera très vite volée à son nouveau propriétaire qui produira le certificat de vente attestant que celle-ci a eu lieu à l'automne 1968. Dès lors il est concevable que Cesar ait porté ce jour-là un calibre 22 au lieu d'un .38, la différence entre les deux armes tenant essentiellement à la longueur du canon. Alors que Kennedy levait les bras pour se protéger des tirs de Sirhan, Cesar aurait eu le temps et la position adéquate pour tirer plusieurs fois à bout portant sur le sénateur pendant que toute l'attention était focalisée sur le petit tireur ivre déchargeant son pistolet comme s'il voulait se débarrasser au plus vite de ses balles. Il a été établi avec le temps que les balles qui ont touché Kennedy provenaient du même calibre mais pas de la même arme que celle retrouvée sur la scène de crime.

Selon un ancien agent de la CIA non impliqué dans cette opération, les faits auraient pu se dérouler de la sorte. Ou alors, son avis ajoutant de la complexité aux circonstances, Cesar aurait très bien pu être assigné à éliminer Sirhan avec son .38 pendant qu'un troisième homme glissé derrière aurait infligé les trois tirs rapprochés à Kennedy avec un .22 équipé d'un silencieux, ou pas. Toujours selon lui, les usages de l'époque auraient conduit ce troisième homme à se déplacer derrière le sénateur et Cesar, un journal ou une petite affiche de campagne roulée à la main dissimulant le calibre mortel. Un témoin a d'ailleurs affirmé avoir vu briller un objet métallique sortant d'une affiche de campagne enroulée. On imagine facilement que si cet exécuteur a existé, il est forcément le jeune décrit à plusieurs reprises en compagnie de la jeune femme vêtue d'une robe à pois ou même avec elle et Sirhan.

Comme souvent dans cette enquête, le flou des faits est dissipé par le comportement des enquêteurs et des magistrats qui ont soustrait systématiquement Cesar à leur propre attention, le laissant s'évanouir discrètement avant qu'il soit rattrapé par les théoriciens du complot, les seuls à avoir apporté la preuve de ses mensonges, en particulier sur la date de revente de son calibre 22. Ce mensonge, seul, suffit à le discréditer tout entier.

Des années plus tard, Cesar, fatigué d'être suspecté par un nombre croissant d'enquêteurs, accepte de se soumettre au détecteur de mensonge, auquel il passe avec succès, sauf que le détecteur ne réagit pas à un mensonge dont les preuves sont établies. Puis Cesar disparaît aux Philippines. Sa bouille d'enfant aussi. Si c'est lui l'exécuteur, on imagine un petit fonctionnaire de la haine, calcifié dans sa conviction d'avoir évité à l'Amérique une tragédie initiée par un faible fortuné qui voulait donner aux

Noirs autant de droit qu'aux Blancs, cette noble race à laquelle il appartient. Son appartenance à cette fameuse race blanche, celle de la conquête, des exterminations, de l'esclavage, il a le sentiment qu'elle le protège de sa propre médiocrité. Il ne lui manquerait que d'être noir en plus d'être ce personnage veule et fuyant. On ne peut pas subir toutes les malédictions. Il n'a ressenti certainement aucun remords, c'est souvent le cas quand on tue pour la bonne cause. Il suffit qu'il ait été approché par quelqu'un de suffisamment habile pour le convaincre qu'en tuant ce Blanc, ce riche inconscient, il éviterait le massacre de centaines d'autres Blancs.

Le navire de l'anticonspiration prend l'eau de toutes parts, avec le temps, grâce à l'acharnement d'enquêteurs privés zélés, conscients que l'Amérique vit un coup d'État permanent avec l'élimination des frères Kennedy, de Malcolm X, de Martin Luther King dont le tueur présumé a été arrêté au Canada. James Earl Ray s'était retrouvé à Memphis pour honorer un contrat de transport d'armes mais en aucun cas pour tuer King. Un autre l'a fait pendant que ce nouveau leurre laissait ses empreintes partout. Il a suffi de demander à King de changer de chambre dans l'hôtel où il s'était installé, qu'il apparaisse sur son balcon poussé par la chaleur pour que le Prix Nobel s'effondre, abattu. Une femme accompagnait cet homme. La description qui en a été faite correspond à celle qui portait une robe à pois le jour de l'assassinat de Robert Kennedy.

Les plus beaux châteaux de sable finissent minés par la marée. Il en est de même des défenses érigées par les gardiens du temple. Leurs mensonges s'étiolent, leurs manipulations deviennent risibles. Ils ne résistent pas au temps qui passe, mais ils n'en ont cure, seule les intéresse la dissimulation de la vérité au profit de leurs petits intérêts, travestis en intérêts supérieurs de la nation ou même de l'humanité.

Plus le temps passe, plus les menteurs par omission sont menacés par une seule évidence. Celle qui montre l'énergie qu'ils ont consacrée à dissimuler les preuves d'une multiplicité d'intervenants que corrobore la découverte d'impacts de projectiles supérieurs au nombre de balles contenues dans l'arme de Sirhan. Cet acharnement prend toute sa saveur lorsqu'il confine au ridicule. Avoir fait disparaître les montants de la porte battante perforés par deux balles, dont une a été visiblement extraite en élargissant son orifice, au seul prétexte que cet élément de preuve prenait trop de place dans les locaux de la police, est en soit le passage à l'acte dans le mensonge éhonté.

Noguchi, le médecin légiste, persiste à affirmer que Bobby a été tué par-derrière à bout portant, ce qui lui vaut d'être démis. La brutalité contre la science. Les incultes ont raison une fois de plus de la connaissance, tellement gênante quand il s'agit de régir les masses, de les conduire vers des évidences trompeuses. Nul n'est dupe, mais ils persistent, obstinés, acharnés. La découverte d'un nouvel enregistrement sonore du drame ne les ébranle pas. Même si tous les experts s'accordent à entendre plus de huit tirs. Dont deux si rapprochés qu'aucune arme n'est capable de les délivrer dans un tel laps de temps. Preuve irréfutable qu'au moins deux tueurs ont agi simultanément.

En février de cette année 2016, un vieux monsieur élégant, comme il l'a toujours été, plus que nonagénaire mais toujours aussi lucide sur le plan intellectuel, s'est assis devant la commission de libération conditionnelle chargée d'examiner la quinzième demande de Sirhan incarcéré depuis juin 1968.

« Je suis ici pour parler en mon nom, comme une des victimes de la fusillade, et pour parler au nom de mon ami, Robert Kennedy. Messieurs, l'évidence montre clairement que Sirhan Sirhan ne pouvait pas et n'a pas tué le sénateur Robert Kennedy... Ce que je veux vous dire, c'est que Sirhan lui-même était une victime. C'est une évidence clairement démontrée aujourd'hui qu'une seconde personne était présente ce jour-là dans l'office pour tirer à son tour. Pendant que Sirhan était face au sénateur et que ses tirs créaient une diversion, un autre homme lui a secrètement tiré dessus à l'arrière et l'a mortellement blessé. De fait, le LAPD et la police du comté avaient en leur possession deux heures après la tragédie des preuves irréfutables que Sirhan ne pouvait pas le faire et ne l'a pas fait. Sirhan... je te pardonne. »

La conviction d'une des principales victimes de la fusillade, le syndicaliste Paul Schrade, ajoutée à celle de la famille Kennedy elle-même, n'a pas suffi à ébranler les juges que Sirhan était bien le Palestinien qui avait agi seul ce soir-là, poussé par l'unique force de ses funestes convictions hostiles à Israël. Sirhan, bien que prisonnier modèle, n'a jamais été bien vu de ses geôliers. En 2001, alors que la nouvelle de l'attentat contre les deux tours se répandait dans sa prison, Sirhan a été vu, sortant de sa douche, une serviette autour de la tête pour se sécher les cheveux. L'administration a jugé qu'il s'agissait là d'une manifestation de sympathie pour ne pas dire de complicité à l'égard de l'acte terroriste. Il a même été un temps suspecté d'en avoir été l'instigateur depuis sa prison. Sirhan n'a lui-même jamais cherché à se disculper du meurtre de Kennedy même s'il répète constamment qu'il ne se souvient de rien, d'absolument rien. Ses premiers avocats, lors de son procès, ont collaboré honteusement avec la thèse du tueur isolé et l'ont poussé à plaider coupable au prétexte de lui donner une chance d'échapper à la peine de mort. Il veut croire qu'il a été le tueur, il veut le croire profondément, sinon, dit-il, « comment survivre à ces quarante-huit années d'incarcération si je suis innocent ? ».

Innocent, il ne l'est pas complètement, mais qu'il ait été programmé pour être un leurre, comme Oswald l'a été avant lui dans l'assassinat de JFK, comme James Earl Ray l'a été aussi, peu de temps avant lui dans l'assassinat de King, il n'est plus grand monde pour en douter aujourd'hui. Un leurre programmé sous contrôle mental. Il a fallu du temps aux différents enquêteurs de bonne foi pour rapprocher le cas de Sirhan du programme de contrôle mental de la CIA, le fameux programme MK-Ultra dont les archives ont mystérieusement disparu depuis, détruites à l'initiative du directeur de la compagnie de l'époque, Richard Bissell. Les expériences du programme Artichoke ont en particulier porté sur la possibilité technique de programmer un tueur amnésique, capable « de tuer une personnalité étrangère ou éventuellement une personnalité politique américaine au cas où celle-ci viendrait à contrevenir dangereusement aux intérêts de la nation ». Le cahier des charges, pour peu qu'on puisse le définir ainsi, stipule que le tueur doit être programmé par voie d'hypnose avec ou sans l'aide de drogues telles que le LSD dont les effets sont toutefois jugés par trop imprévisibles pour être utilisé systématiquement. L'expérimentation avait été menée très loin depuis la fin des années quarante. Déjà, au milieu des années cinquante, des scientifiques liés à la Centrale avaient fait état de résultats concrets impressionnants tels que l'envoi de messagers sous hypnose chargés de délivrer après un long voyage aérien une information à une personne dûment habilitée sans qu'ils se souviennent jamais eux-mêmes du contenu du message ni de la personne approchée.

En continuant à fouiller dans les volumineuses archives de mon père, je vis qu'il avait été à plusieurs reprises consulté sur les aspects théoriques de la manipulation mentale sous hypnose à des fins d'élimination d'adversaires politiques. Rien dans ses commentaires n'indiquait qu'il en fût choqué. Les premiers écrits rédigés sur la question posent le problème de la personnalité du leurre ainsi fabriqué. Mon père stipulait que celui-ci devait se montrer très réceptif à l'hypnose. « Sur une échelle de réceptivité à l'hypnose de 1 à 5, il est impératif que le candidat se situe sur le chiffre 5. » Il prétendait que l'hypnose, lorsqu'elle était administrée par les meilleurs praticiens, au nombre de quatre ou cinq selon lui sur le continent américain, lui inclus, ne nécessitait pas un temps d'intervention très long pour mettre le sujet sous la dépendance de son hypnotiseur. Quelques séances rapides dans les semaines précédant la mission suffisaient. Toujours selon lui, il n'était pas nécessaire que le praticien et l'hypnotisé se connaissent ni se fréquentent. L'état d'hypnose pouvait saisir un individu réceptif sans son consentement explicite, au détour d'une conversation. L'examen des quelques courriers adressés par mon père sur la question n'a été possible que par les copies qu'il en a gardées. Les questions ne sont jamais venues de la CIA mais d'un collègue psychiatre non hypnotiseur canadien qui s'étonnait de certaines assertions proférées par un docteur Bryan. Mon père connaissait ce dernier pour l'avoir rencontré. Celui-ci était précédé d'une réputation de praticien avide, avidité qu'il justifiait en prenant pour exemple la souris qui, plongée dans un fromage, n'envisage de s'arrêter de manger qu'après avoir ingurgité deux fois son poids. Dans une lettre adressée au même collègue visiblement ami, installé sur la côte Est, mon père parlait de Bryan comme d'un personnage répugnant, dangereux. Un poids de cent cinquante kilos lui donnait un air bonhomme, mais ses motivations étaient celles d'un reptilien très ordinaire. Il aimait l'argent, le pouvoir et les femmes. Son physique ne favorisait pas la séduction, et il n'était un secret pour personne dans la profession qu'il profitait de ses talents incontestés d'hypnotiseur pour abuser de ses patientes. Certaines avaient envisagé de porter plainte, peu s'étaient exécutées, connaissant l'influence du personnage qui ne cachait pas ses relations avec le monde invisible. Pourtant, en 1969, il fut reconnu coupable d'avoir molesté sexuellement une de ses patientes sous hypnose, ce qui lui valut une peine de probation de cinq ans. Mon père reconnaissait toutefois qu'il était dans leur domaine un virtuose comme Paganini l'avait été dans celui du violon, mais un virtuose à l'âme profondément infectée.

Par ce qui pourrait paraître un hasard mais ne l'est évidemment pas, lors de mes recherches sur la personne susceptible d'avoir pris le contrôle de Sirhan, le nom de ce docteur William Joseph Bryan Junior est souvent apparu. Rien d'étonnant à cela. Celui que l'on surnommait « l'hypnotiseur superstar » était à l'époque l'expert le plus sollicité par la police et la justice pour extirper sous hypnose des confessions de criminels. Son ego proportionné à son poids le menait alors à se considérer comme le spécialiste le plus qualifié au monde. Son orgueil et sa vantardise le conduisaient parfois à révéler sa proche collaboration avec le LAPD ou avec l'armée de l'air dont il n'hésitait pas à affirmer sur les ondes d'une radio de Los Angeles qu'il était au sein de celle-ci le chef du pôle d'entraînement à la survie, en charge de tout ce qui concernait en particulier le lavage de cerveau. Mégalomane, Bryan l'était à la mesure de son immense talent mais sa forfanterie pouvait l'amener à révéler à des prostituées d'un soir son implication dans des histoires criminelles célèbres. Deux de ces prostituées se souvenaient parfaitement l'avoir entendu parler de Sirhan. Mais Bryan, interrogé directement sur la question de savoir s'il était possible que Sirhan se soit hypnotisé lui-même, se referma, niant violemment avoir hypnotisé Sirhan avant de se lever pour mettre abruptement fin à la conversation. Il devait certainement savoir que le comité de la Chambre des représentants qui enquêtait sur les assassinats politiques des années soixante voulait l'interroger comme témoin de premier plan dans l'assassinat de RFK. Il fut retrouvé mort – avant que la célèbre commission n'ait eu le loisir de l'entendre – en 1977, dans sa chambre d'hôtel du Riviera de Las Vegas, de mort déclarée naturelle. La destruction volontaire par la CIA de ses archives sur le programme de contrôle mental ne permet pas de prouver la collaboration entre la Centrale et l'étoile des hypnotiseurs. Mais cette collaboration ne fait aucun doute pour ceux qui l'ont connu et approché. Ils se souvenaient de lui comme d'un personnage insaisissable, capable de se braquer violemment lorsqu'on le suspectait d'être un des piliers du programme de contrôle mental des individus tout en agissant comme conseiller sur le *Manchurian Candidate*, film qui traitait précisément de la question de la prise de contrôle du mental d'un assassin politique. Le docteur Bryan, qui résidait à Los Angeles à l'époque des faits, a été certainement alerté par ses confrères de l'existence d'un homme au profil intéressant. Après sa chute de cheval en 1966, Sirhan n'a plus jamais été le même et, renonçant à ses ambitions de jockey, il s'est laissé aller à une errance curieuse, multipliant les consultations médicales pour des syndromes souvent imaginaires, se passionnant subitement pour les questions mystiques et la méditation, particulièrement, en rejoignant tardivement l'« ordre mystique ancien des Rose-Croix » de San José. Ou alors c'est à travers cette organisation bien connue de Bryan que s'est opéré le lien entre les deux hommes, le praticien ayant longuement travaillé la question de l'hypnose et du mysticisme. Ses contacts avec cette organisation sont aujourd'hui avérés. Bryan avait en particulier travaillé sur la dimension hypnotique du prophète dans l'histoire, révélant combien la répétition d'une phrase pouvait jouer dans l'hypnose collective, citant le tristement célèbre « *Sieg Heil* » comme l'exemple parfait de formulation hypnotique. Selon des spécialistes reconnus, autres que mon père, il n'aurait pas fallu longtemps pour que Bryan installe Sirhan dans un état de lévitation hypnotique, sa fragilité psychologique et son obsession contre le sioniste Kennedy en faisaient un sujet de niveau 5 dans son aptitude particulière à se soumettre à l'influence d'autrui. Bryan aurait hypnotisé Sirhan quelques semaines avant la date fatidique. L'état dans lequel il l'aurait plongé nécessitait d'être entretenu, par la répétition de phrases comme les carnets de Sirhan en attestent ou par le simple fait qu'une tierce personne prononce à intervalles réguliers quelques mots clés. D'où la présence répétée aux côtés de Sirhan de cette jeune inconnue à la robe à pois dont plusieurs témoins ont affirmé qu'elle exerçait une réelle fascination sur lui.

Il semble également qu'au lendemain du drame, dans la tiédeur des premières heures de cette journée californienne où chacun voulait encore croire qu'un miracle pouvait sauver Kennedy, un homme qui pourrait être Bryan ait été introduit sous une fausse identité auprès de Sirhan, prostré dans sa geôle, pour s'assurer que son amnésie était bien sans faille.

Trente années de recherches appuyées sur les travaux d'experts reconnus tels que Talbot, Melanson, Kaiser ou O'Sullivan, n'ont jamais fait ressortir le nom de mon père. Pourtant, avant que l'hôtel Ambassador ne soit détruit, j'ai pu me rendre à Los Angeles où un contact parmi le personnel m'a autorisé à consulter le registre des clients. Il y apparaît que mon père a séjourné dans l'établissement pendant quinze jours au mois de mai avant de reprendre la route vers le nord qui lui a été fatale peu avant San Francisco. Sur la base de ma seule intuition, j'en ai déduit que la décision d'éliminer Kennedy était déjà prise quel que soit le résultat de la primaire en Californie. Même battu, Bobby représentait encore un danger. Et là j'en viens à une interprétation qui émane de mon seul esprit. J'ai été contraint de l'échafauder face au manque cruel de traces laissées par mon père lors de son séjour à l'Ambassador. Mais, pour avoir discuté cette hypothèse avec certains chercheurs, elle semble réaliste à ce stade même s'il manque la solide charpente des preuves pour l'étayer. La présence de mon père près de la scène de crime quelques jours avant l'assassinat prouve que quelque chose se préparait ayant trait à la sphère hypnotique, mon père, comme j'ai eu l'occasion de l'écrire, étant alors considéré comme un des plus grands spécialistes de la question. Mon père était, au contraire de Bryan, un personnage discret. J'imagine qu'il a été préféré dans un premier temps à Bryan pour son sérieux et cette discrétion. Je pense aussi que, lorsqu'on lui a présenté la mission, il a dû renâcler même s'il était étroitement tenu par un chantage à sa liberté. Mon père n'aimait pas particulièrement les Kennedy, mais son aversion n'avait rien à voir avec la froide haine censée le conduire à participer étroitement à leur élimination. J'ajoute que la motivation sur laquelle Sirhan s'appuyait a dû lui répugner. Que l'assassinat d'un Kennedy soit le prétexte à la manipulation d'un antisioniste a dû avoir raison de ses dernières résistances. Alors qu'il était pressenti pour hypnotiser Sirhan, il est parti précipitamment, les registres de l'hôtel en témoignent, sa réservation courait jusqu'au 7 juin alors qu'il a quitté les lieux le 17 mai. Mon père n'a pas dû s'illusionner beaucoup sur les conséquences de sa défection. Ils l'ont suivi pour s'assurer que son intention était bien de fuir sans retour et ils l'ont exécuté de nuit sur cette route qui serpente souplement en direction du nord. Plutôt que de se renier, mon père a choisi la mort. Ce qui lui laisse à mes yeux toute sa grandeur.

Bryan, qui a collaboré avec enthousiasme, n'a pas mieux fini, sa « mort naturelle » lui a imposé le silence ainsi qu'à bien d'autres, lui évitant d'être cité comme témoin devant la fameuse commission parlementaire qui a vainement tenté de faire la lumière sur l'« épidémie d'attentats » qui a frappé le monde politique américain au cours des années soixante. Quand on a aimé le rêve américain, on est d'autant plus réticent à croire que le cauchemar n'en est pas un.

26

Paranoïa, folie de la persécution, appelez cela comme vous voulez, mais ma méfiance envers Lorna ne s'est pas estompée lors des premiers temps de notre relation improbable. Comment un homme qui a une vie derrière lui peut-il, sans s'abuser lui-même, croire qu'une jeune femme dont l'essentiel de l'existence est devant elle peut aimer jusqu'à l'amour son absence de perspective ? Intrigante, attachante, parfois mystérieuse, souvent enthousiaste, elle se contentait de peu, comme si rien au fond ne pouvait la distraire des profondes entraves de son enfance. Elle riait par bouffées avant de s'assagir soudainement, fâchée contre ces écarts à sa mélancolie. Les mois passant, je dus me résoudre à ne jamais vraiment la connaître. Elle se confia pourtant un jour, alors que je ne m'y attendais plus. Mon goût pour l'intrigue était passé avec ce que je pensais être la résolution de celle de mes drames. À soixante-deux ans, au printemps 2016, j'ai donné ma démission de mon poste de professeur d'histoire contemporaine de l'université de Colombie-Britannique. J'allais désormais assister dans les mois à venir à la nomination d'un faiseur ébouriffé comme candidat du parti républicain à l'élection présidentielle. J'étais intrigué de savoir si le peuple américain allait ou non résister à la tentation populiste d'élire un escroc de l'image. L'idée de voir l'appareil de renseignement couplé aux géants du numérique aux mains de ce bouffon qui, tombé dans un fromage, en avait mangé des milliers de fois son poids, m'épouvantait. Même si j'aurais préféré Sanders, voir comme solution de rechange une femme accéder à la Maison-Blanche me paraissait rassurant. La dynastie Clinton, parfois trouble, n'avait pas nui à la planète comme celle des Bush qui a fini par installer au plus haut de l'État la marionnette de Dick Cheney, le ventriloque au cœur transplanté, l'inoubliable pourfendeur du mal, George W. Bush, le fils prodigue à qui il a manqué certainement un quart d'heure de cuisson à la naissance et dont le seul héritage est le cancer islamiste. Mon siège de spectateur était réservé.

Le jour de mon départ effectif de l'université, où je n'ai pas laissé le souvenir d'un chercheur scrupuleux mais plutôt d'un intuitif sentimental, parano et brouillon, j'ai proposé à Lorna de prendre le ferry pour l'île de Vancouver et d'y ouvrir la maison de mes parents pour y faire pénétrer la brise marine et peut-être nous y installer pour longtemps. Mais, comme préalable, je devais avoir la preuve définitive qu'elle ne vivait pas avec moi pour m'espionner. Qu'elle accepte de m'épouser n'aurait certainement rien prouvé, les femmes qui se sont mariées avec l'objet de leur surveillance sont légion mais aucune n'a été jusqu'à se sacrifier en acceptant de faire un enfant. Cette idée l'enchanta et nous la mîmes en pratique dans les herbes hautes du replat qui surplombait la crique entrouverte sur la mer. Nous sommes ensuite restés un long moment sans parler, et puis quand je m'y attendais le moins elle m'a confié être la petite-fille de John Fitzgerald Kennedy. Elle l'a dit d'une façon qui ne m'obligeait pas à la croire, et ensuite elle a semblé s'en excuser.

Apparemment, les faits remontaient à 1962 ou 1963, pendant un voyage officiel de Jack à Seattle. La grand-mère de Lorna, très belle femme, des photos d'elle à l'époque en témoignent, était réputée mener une vie légère. Les rabatteurs, après l'avoir repérée comme ils avaient l'habitude de le faire, lui ont proposé de la conduire tard dans la soirée jusqu'à la chambre où le président résidait, seul, dans le centre-ville. Il faut se souvenir qu'à l'époque passer une nuit avec Kennedy, c'était l'apothéose pour une femme, pas nécessairement pour le plaisir, mais pour le prestige. Une façon comme une autre de s'élever, de s'extraire, d'être nommée, de défier quelques heures l'anonymat pour se frotter furtivement à la grande histoire. Les hommes des services secrets l'avaient prévenue qu'elle risquait l'internement psychiatrique si elle venait à parler. Et c'est ce qui est advenu après qu'elle fut tombée enceinte de la mère de Lorna. Libérée de son internement quelques mois plus tard, elle a continué à se prévaloir de son aventure avec le président à qui voulait l'entendre. Mais apparemment cela n'intéressait pas grand monde.

Après m'avoir raconté cette histoire, Lorna fut prise d'un long fou rire libérateur. Elle n'en croyait rien. Selon elle, sa grand-mère était folle, et ce conte était le produit de son imagination délirante. Mais il pouvait tout aussi bien être vrai. Cette présomption de paternité avait moins pesé sur son enfance que la pathologie de sa grand-mère transmise à sa mère sous la forme d'une lente dépression, oppressante pour une enfant qui en plus n'avait pas vraiment connu son père. Cette affabulation avait développé son intérêt pour l'histoire de la famille Kennedy, qui s'était traduit par un travail qu'elle avait mené parallèlement à celui qui l'avait conduite à se sortir du mythe répandu dans sa propre famille, et qui n'était au fond qu'une façon de justifier le mal qui la rongeait. Lorna n'avait jamais voulu mener l'enquête, curieusement elle se satisfaisait de cette légende qui embellissait une psychose familiale. Pourtant, je me souvenais d'avoir lu quelque chose en rapport avec cette histoire pendant mes années de recherches. Il s'agissait des confidences d'un jeune homme des services secrets qui s'était dit choqué par le bal des jeunes femmes organisé par la garde rapprochée du président lors de certains de ses déplacements officiels. Il s'en était d'ailleurs confié à Tolson, l'amant de Hoover et accessoirement directeur en second du FBI. Je me rappelais précisément qu'il avait mentionné un déplacement de Kennedy à Seattle, de même que les menaces d'internement psychiatrique proférées à l'encontre des filles retenues pour se glisser dans la chambre de l'icône. En revanche, aucun document n'attestait que ces menaces aient jamais été mises à exécution. À bien connaître Jack, après toutes ces années d'étude, j'étais persuadé qu'il n'était pas homme à faire enfermer une femme qui se serait vantée d'avoir couché avec lui. Il était au-dessus de cela, il vivait ses obsessions avec détachement, il les assumait, et je ne l'imaginais pas se servir de sa fonction pour réprimer des indiscrétions, pas plus que je ne l'imaginais ordonnant l'exécution de Marilyn Monroe lorsqu'elle le menaça de faire sauter le pays et lui avec, par des révélations sur la baie des Cochons.

Ou alors la grand-mère de Lorna avait bien passé une nuit avec Jack, puis, développant plus tard sa pathologie, avait mis son internement sur le compte de Kennedy. Toutes sortes de combinaisons étaient possibles. J'envisageais aussi que la grand-mère de Lorna, loin de se comporter en oie blanche, avait couché avec d'autres hommes la même semaine et s'était empressée de faire endosser la paternité de sa grossesse au plus illustre de ses amants. Cette tentative désespérée de se raccrocher à la grande histoire pour sortir de la médiocrité de la sienne propre avait quelque chose d'émouvant et de tellement humain.

Mes perspectives ont changé lorsque Lorna est tombée enceinte. Je n'étais plus cette voie sans issue que je m'étais contenté d'être toute ma vie. Cet enfant allait naître du pari que sa mère ne m'avait pas approché pour m'espionner, qu'elle ne simulait pas ses sentiments. Mais je ne pouvais m'engager dans la paternité pour ces seules raisons, et je craignais d'offrir à l'enfant des débuts compliqués. J'étais bien décidé à l'aimer, mais je ne savais pas comment faire. N'ayant pas moi-même beaucoup profité de mon enfance pour les raisons que l'on sait, il me fallait retrouver de profondes et solides motivations pour construire cette continuité pourtant si naturelle. Pour accueillir cet enfant, j'avais besoin de mener ma psychothérapie à son terme.

27

« Piégé ? Comment savez-vous que mon père a été piégé ?

— Ce n'était un secret pour personne dans la petite communauté des thérapeutes dont votre père était la lumière qui brillait au firmament. »

Mon psy hésitait à me dire quelque chose que je n'étais pas censé savoir mais je l'encourageai à continuer.

« Piégé par votre mère.

— Ma mère ? Qu'est-ce que vous entendez par là ?

— Vous ne savez pas ?

— Si, je sais, mais probablement pas la même chose que vous.

— Il a toujours été dit que votre mère s'est donné la mort en faisant passer son geste pour un crime dont votre père serait le principal suspect. »

Je me suis efforcé de ne pas paraître affecté par cette nouvelle.

« Et pourquoi aurait-elle agi ainsi ? »

Il hésita un moment à poursuivre puis il creva l'abcès.

« Parce que votre père la délaissait et que votre mère était d'un orgueil démesuré.

— Oui, je le sais, mais elle lui avait pardonné.

— Non, je ne crois pas. Je suis désolé de vous révéler cela mais j'ai toujours entendu dire que votre père s'apprêtait à la quitter. Il me semble que l'annonce de cette prochaine séparation l'a précipitée dans la dépression. Elle a même fait un court séjour en établissement psychiatrique à l'époque sous la protection de mon prédécesseur. Sous l'effet des médicaments, elle aurait apparemment été la victime d'un mécanisme de décompensation.

— C'est-à-dire?

— Son instinct de conservation l'a abandonnée et, sans doute dopé par les antidépresseurs, son cerveau altéré a ourdi un complot contre votre père. C'est assez courant, savez-vous?

« Cette réalité, vous l'avez certainement immédiatement rejetée, je veux dire, le suicide de votre mère dans un brusque moment de folie alors qu'elle n'en avait pas selon moi l'intention. La mort de votre père un an plus tard, ivre, sur la route numéro 1, c'est une réalité difficile à accepter pour un jeune adolescent. Pour ne pas sombrer dans une grave dépression, votre psychisme s'est défendu par un mécanisme bien connu qui est celui de la névrose obsessionnelle : l'obsession des Kennedy, parce que votre mère les aimait sans doute, puis lentement votre cerveau a tissé le lien entre cette obsession et votre drame. Au final, vous avez créé un univers qui n'était plus que le vôtre, auquel s'ajoutait des crises d'hallucinations qui vous excluaient de l'autre monde, celui que vous refusiez, par de courtes périodes de délire. »

D'un geste de la main, je lui fis signe qu'il en avait dit assez, sans toutefois me convaincre, et j'en vins à lui livrer ma thèse, le résultat d'années de recherches. La narration dans le détail prit plusieurs semaines pendant lesquelles il m'observa, circonspect. Je ne lui dissimulais rien. Pas plus la disparition du corps de mon père que ses liens avec les services britanniques ou que l'aide d'Edmond. Je lui ai tout dévoilé par besoin de le convaincre instamment, sans quoi ma thérapie n'aurait pas pu toucher au but. Lorsque j'en eus terminé, après plusieurs séances, il me fixa longtemps, un demi-sourire compatissant sur les lèvres, et je compris assez vite qu'il était désolé. Désolé de ce qu'il venait de découvrir, une distorsion du réel ajouté à l'hallucination comme mécanisme de défense dans des proportions qu'il n'avait pas imaginées jusque-là.

« Vous ne me croyez pas, n'est-ce pas ? »

Il respira pour se donner du courage.

« Je ne vous crois pas du tout.

— Et pourquoi cela ?

— Je n'ai pas beaucoup de prise sur votre récit mais j'ai pu tout de même faire vérifier deux points, la disparition du corps de votre père et le décès de ce policier, Edmond. La police de Vancouver ne connaît pas cet Edmond, elle n'en a jamais entendu parler. Par ailleurs aucune action d'*habeas corpus* n'a été entreprise pour retrouver le cadavre de votre père, signe qu'il est peut-être toujours là où il a été enterré.

— Vous prétendez que j'aurais tout inventé ?

— J'en ai peur », dit-il sur un ton à la fois brusque et triste comme s'il était pressé d'oublier ce fâcheux précédent qui en révélait bien trop sur mon état mental.

J'ai réfléchi un moment avant de poursuivre.

« Évidemment, si nous ouvrons son cercueil, nous retrouverons le corps ?

— J'en suis convaincu. Votre père s'est tué en revenant de Los Angeles. Il était ivre. Il vivait très douloureusement le fait que votre mère ait pu maquiller son propre suicide en crime. »

Je me suis levé calmement. Je suis allé à la fenêtre qui donnait sur l'arrière d'un immeuble banal. La pluie tombait sans discontinuer et de grandes flaques se formaient dans les ornières de l'asphalte. Je me suis retourné en ricanant, ce qui a eu pour effet de glacer mon interlocuteur.

« Un temps, j'ai envisagé que ma femme m'espionnait pour le compte de la CIA. Cette pensée ne m'a quitté que lorsqu'elle a accepté d'avoir un enfant. Mais j'ai dû me tromper. Vous travaillez aussi pour la Centrale, c'est cela ? C'est habile de vouloir me faire passer pour un fou. Car il faut être fou pour vouloir la vérité, n'est-ce pas ?

— Je ne travaille ni pour la CIA ni pour personne, je vous assure, et vous n'allez pas bien.

— Au contraire, je crois que je vais de mieux en mieux. »

Je suis sorti ainsi de son cabinet. Une fois dehors, j'ai longuement marché en direction de la mer. J'ai longtemps réfléchi à faire exhumer le corps de mon père mais je ne sais pas ce qui m'a empêché de mener cette idée à bien. J'aimais trop Lorna, si belle, si dévouée, alors je suis rentré à la maison, décidé à continuer à vivre avec elle.

ÉPILOGUE

L'association de mes drames familiaux à la mort de Robert Kennedy pouvait-elle émaner de désordres mentaux, d'une construction intellectuelle visant à donner une version rassurante de la mort de mes deux parents, victimes des atrocités de la grande histoire? C'est ainsi que les autres la percevaient. Leurs doutes tenaient en particulier aux circonstances de la disparition de ma mère. Une telle cruauté pour articuler un chantage autour de mon père paraissait excessive comme si le monde invisible occidental connaissait des limites dans la réalisation de ses plus noirs desseins. Je dois reconnaître que cette objection m'a longtemps hanté. Tuer ma mère aussi brutalement pour faire endosser ce crime à mon père me semblait exagéré, même si l'histoire des services secrets est jalonnée de morts collatérales atroces. Ce qui m'a conduit à m'intéresser de plus près à son histoire et à esquisser une troisième théorie.

Ma mère parlait assez peu de l'Irlande et n'avait jamais manifesté le désir d'y retourner. Ses considérations sur son pays d'origine étaient assez vagues. Elle avait toutefois insisté pour que, lors de ma naturalisation canadienne, me soit donné son nom, un vieux nom irlandais gaélique, dont je savais qu'il était porté par un des prestigieux signataires du traité d'indépendance de l'Irlande. J'avais toujours pensé que ma mère était originaire de république d'Irlande. Un travail de recherche un peu plus approfondi m'a appris que la souche familiale se trouvait en Irlande du Nord à Enniskillen, une île du lac MacNean.

L'été dernier, tout à la joie de la naissance de notre fille, nous avons définitivement réinvesti la propriété de l'île de Vancouver. J'avais, pour ma tranquillité intellectuelle, décidé de faire le vide de tous les documents et papiers de mes parents mais, en les incinérant un à un, le naturel a repris le dessus et je n'ai pu m'empêcher de les consulter. Ils ne m'ont rien appris de plus sur toute cette affaire et je les ai regardés s'évanouir, carbonisés dans le ciel. La nuit m'a semblé tomber plus tôt, mais ce n'était qu'un effet de mon esprit. Nous nous sommes couchés, Lorna et moi, et comme je me tournais dans tous les sens sans pouvoir m'endormir, elle s'en est inquiétée. Je lui ai fait part de ma nouvelle obsession et de mon intention de reprendre mes recherches. Elle m'en a dissuadé en posant sa main sur mon bras.

« Tu sais que ces obsessions te font du mal. Je ne veux pas revivre cela, je ne veux plus le vivre. Si tu veux justifier le meurtre de ta mère par les services secrets, alors imagine-toi qu'ils ne l'ont pas tuée uniquement pour exercer un chantage sur ton père. Ils avaient des raisons de l'éliminer en propre. Comme... le fait qu'elle collectait des fonds pour l'IRA auprès des Irlandais d'Amérique du Nord. Le MI6 et la CIA ont fait ainsi d'une pierre deux coups. »

Je me suis relevé d'un bond et j'ai allumé la lumière. Lorna, imperturbable, regardait fixement devant elle.

« Comment sais-tu cela ? »

Elle a haussé les épaules.

« Je le sais... enfin, je l'imagine. »

Puis elle a éteint et s'est tournée vers le mur. Je l'ai soupçonnée d'avoir ensuite longtemps gardé les yeux ouverts.

Le lendemain, je ne suis pas parvenu à reprendre cette conversation, mon esprit, par un mécanisme étrange, refusait de s'y associer. Mais au soir, lorsque, les ténèbres revenues, côte à côte dans ce lit où avaient dormi mes parents, je lui demandai de me confirmer ce qu'elle m'avait dit la veille, elle sembla étonnée et démentit avoir abordé d'aucune façon le sujet avec moi. Je voulus la croire, ce qui impliquait que mon cerveau avait établi seul cette hypothèse, profitant de cette latence extralucide que provoquait souvent chez moi l'attente du sommeil. Ce qui chez d'autres aurait pu passer pour un délire obéissait néanmoins à la profonde logique de la relation entre mes parents. Je ne connaissais pas les conditions de la première rencontre entre ces derniers à Vancouver, si celle-ci avait été fortuite ou non. Il se peut très bien que le MI6 ait demandé à mon père d'entrer en contact avec cette jeune Irlandaise du Nord, pour la surveiller, peut-être la séduire et certainement la manipuler. Cette séduction sur ordre pourrait expliquer la difficulté qu'aurait eue mon père à s'attacher à elle et à lui être fidèle. Il l'avait suffisamment aimée pour l'épouser mais pas assez pour effacer de sa mémoire que cette union avait été fabriquée. Ma mère, elle, l'avait aimé profondément, fascinée qu'elle avait été par son caractère de félin et ce halo de mystère qui entourait son quotidien. Jusqu'au jour où son désir pour elle s'était évanoui et qu'il avait évoqué une possible séparation. Elle n'a certainement jamais saisi ses liens avec les services secrets britanniques, c'est une évidence, elle l'aimait trop pour imaginer le manipuler à son tour.

Comme toutes les histoires coloniales, celle de l'Irlande, l'île la plus à l'ouest du continent européen, est remplie d'humiliation, de négation, d'apartheid et de violence faite à un peuple par un autre peuple qui se jugeait supérieur et qui a vu dans cette supériorité la légitimité d'une spoliation, pensant dans sa candeur dominatrice que cette relégation du peuple catholique irlandais pourrait durer éternellement. Privés de leurs terres, de leur nom, anglicisé de force, de leur langue, de leurs droits, les catholiques ont vécu deux siècles de soumission avant que la grande famine de la fin de la première moitié du XIXᵉ siècle ne soit le prétexte à leur extermination et à leur expulsion. Plus d'un million d'Irlandais moururent pendant cet épisode tragique où une maladie de la pomme de terre servit le dessein de leurs contempteurs, un autre million prit d'assaut les bateaux, principalement à destination des États-Unis comme le firent les Fitzgerald et les Kennedy fuyant le Wexford pour une Nouvelle-Angleterre plus hospitalière, même si les protestants tentaient d'y faire régner la même discrimination que sur le sol de leurs ancêtres. Il fallut le choc de la Première Guerre mondiale pour que la Grande-Bretagne se résolve à accorder l'indépendance à ce peuple « inférieur » de paysans rustres et incultes, mais elle ne le fit qu'en imposant une partition du Nord où les protestants conservèrent leur suprématie en pérennisant leurs privilèges.

Lorsqu'elle quitte le comté de Fermanagh dont elle est originaire après des études supérieures à Belfast dans les années cinquante, ma mère ne peut ignorer que les provinces du Nord où elle vit sont organisées pour brimer les catholiques dont la représentation dans le système pseudo-démocratique de cette partie du Royaume-Uni relève d'une indécence assumée. Ne peuvent voter que les propriétaires d'une maison, sachant que les catholiques en possèdent peu, beaucoup moins que les protestants. À cette sorte de suffrage censitaire s'ajoute un découpage électoral dont on ne trouve d'exemple que dans les dictatures. Cela implique qu'il faut, dans certaines circonscriptions, deux fois plus de catholiques que de protestants pour élire un représentant. Le marché du travail est lui aussi réservé aux réformés. Les catholiques qui se présentent pour un emploi reçoivent toujours la même réponse qui résonne comme un gag dans toute l'Irlande du Nord : « Vous êtes trop qualifié pour cet emploi. » Leur population connaît la première grande vague de chômage pour « excès de qualification ». On pourrait en rire si cette population prolétarisée ne se traînait pas dans des ghettos sans perspective, désœuvrée, condamnée à la violence souhaitée par des protestants haineux qui se verraient bien en finir une bonne fois pour toutes avec ces natifs sans éducation qui parlent un anglais de basse-fosse.

La religion n'est là que pour masquer les conditions d'un partage déplorable. Comme souvent, Dieu n'est que l'instrument de considérations d'intérêts. La guerre qui se prépare entre catholiques et protestants n'est au fond, à bien y regarder, qu'un conflit attendu entre spoliateurs et spoliés. « Les troubles », comme les Britanniques les nomment pudiquement, couvent dans les années soixante pour exploser dans les années soixante-dix, ouvrant une période de violence qui prend fin peu avant le tournant du nouveau siècle. Le « Dimanche sanglant » de 1972 où l'armée britannique ouvrit le feu sur des manifestants catholiques pacifiques réveilla définitivement les consciences rebelles qui n'eurent de cesse ensuite de défaire l'occupant. Ma mère était morte depuis près de cinq ans lorsque sont advenus ces événements dramatiques, augurant un quart de siècle de calculs déguisés en terreur de part et d'autre, avec la haine comme unique moteur profond, une haine insensible à la raison, forgée au cours des siècles.

L'explosion n'aurait pu avoir lieu plus tôt, elle participe d'un mouvement général des droits civiques qui se répand dans le monde entier, de la Tchécoslovaquie jusqu'aux États-Unis en passant par la France et l'Irlande. Une nouvelle génération se lève, une génération dont un professeur américain dira qu'elle n'est pas aujourd'hui une génération de *has been* mais de *might has been* (« qui auraient dû être »). Les intellectuels du soulèvement d'un monde dont John Lennon disait qu'il est dirigé « par des gens malsains qui n'ont que des objectifs malsains » faibliront tous, progressivement aspirés par la spirale du bien-être que le productivisme libéral des années quatre-vingt promeut largement sous la bannière de Reagan, de Thatcher et, à sa façon, de Mitterrand. Tous, sauf les catholiques irlandais du Nord qui ne céderont ni à la tentation du matérialisme comme paravent à l'injustice ni à l'invasion de la drogue comme vecteur d'endormissement de la jeunesse. En témoignent les assassinats de dealers par l'IRA tout au long de ces années. L'homme qui, l'espace de quelques mois, a fait penser que ce changement pourrait prendre une forme politique dans le plus puissant pays du monde n'était autre qu'un catholique irlandais descendu par une conspiration d'Anglo-Saxons protestants encouragés par des mafieux de toutes origines, mafieux qui cinquante ans plus tard ont pénétré au plus intime les systèmes politiques des grandes puissances en y installant leur chef, comme en Russie, ou leur ami, comme aux États-Unis.

« La résistance et le terrorisme ne sont que les deux faces d'une même pièce de monnaie. Si vous lancez plusieurs fois la pièce, elle finira par retomber du mauvais côté, d'autant que s'il y a une incontestable grandeur à résister, la résistance révèle souvent ce qu'il y a de plus sombre dans l'individu en le gratifiant d'un "permis" de tuer. Il y a bien sûr l'exemple de la résistance passive de Gandhi, mais nous parlons d'autres êtres humains, d'une autre civilisation. La résistance passive n'est pas dans les gènes irlandais. Il existe un niveau de déni, d'arrogance, de mépris, qui ne peut conduire qu'à la violence, celle-ci se nourrissant ensuite d'elle-même par la logique de la vengeance. Une bonne partie des trois mille cinq cent trente-deux morts qu'ont produits les "troubles" d'Irlande du Nord, comme disent les Britanniques, viennent d'actions de représailles, elles-mêmes dictées par d'autres actions de représailles. Plus d'une vingtaine de gardiens de prison britanniques ont été froidement assassinés pendant et après les événements de la prison de Long Kesh, où Thatcher avait décidé d'humilier nos détenus en leur refusant les droits les plus élémentaires des prisonniers politiques. Pour elle, ces membres de l'IRA étaient purement et simplement des criminels sans autre but que de semer la terreur en Irlande du Nord et sur le territoire britannique. Il est probable que la consigne ait été donnée par ses services aux gardiens de bastonner les prisonniers nus rampant au milieu d'une haie de matraques. Et elle n'a pas levé le petit doigt lorsque Bobby Sands s'est laissé mourir de faim. Mais il est vrai que, si l'on observe l'action de l'IRA du commencement des troubles au début des années soixante-dix jusqu'aux accords de paix en 1998, on peut dire que la violence exercée, tout en restant ciblée, connaît de plus en plus de "bavures" mais pas plus que celle des loyalistes protestants qui agissent sous la bienveillante protection de l'armée britannique. Avez-vous entendu parler de la façon dont a été organisée l'élimination de

Bernadette Devlin, ancien membre du parlement britannique, non affiliée à l'IRA, dernière grande figure des droits civiques en Occident ? »

Engoncé dans un duffle-coat bleu nuit largement élimé, Padraigh O'Sean faisait tourner son verre de bière, dans un mouvement comparable à celui de ses souvenirs dans sa tête. Celui qui n'acceptait d'ordinaire que des entretiens en langue gaélique parlait un anglais déconcertant alors que son regard était horizontal et bas. Il était soupçonné d'avoir participé à plusieurs reprises à des attentats ou à des meurtres mais les enquêteurs n'avaient jamais fait la preuve de sa culpabilité. La raison en était simple, O'Sean n'était pas un homme d'action, on le connaissait plutôt comme un stratège ou comme un intendant, un homme qui n'agit jamais directement mais dont on apprécie les conseils et l'efficacité. Comme il ne me regardait pas, je me permettais de le fixer pour sonder la part de nostalgie qui accompagnait ses souvenirs. Une nostalgie de l'engagement, de la cause juste selon ses critères, à opposer à l'amertume des accords de paix qui l'avaient conduit sur le chemin de sa propre obsolescence. À plus de soixante-dix ans, il reconnaissait que la paix valait mieux que la guerre civile qu'il avait connue avec son cortège de victimes innocentes. Je pressentais qu'il allait comme d'autres passer le reste de sa vie à justifier cette période d'engagement violent qui le laissait dans une profonde solitude maintenant que les armes s'étaient tues au profit du dialogue démocratique, et cela depuis bientôt vingt ans. Ses efforts pour s'installer dans l'histoire n'étaient pas démesurés et je sentais qu'il n'était pas opposé à changer de sujet. Un professeur de l'université de Montréal, travaillant sur la diaspora irlandaise, m'avait permis cette rencontre dans un pub d'Enniskillen, petite ville du comté de Fermanagh, qui avait payé un lourd tribut aux troubles sous forme d'assassinats répétés et d'une explosion meurtrière qui était encore vive dans les mémoires.

« Le quartier où vivait Bernadette Devlin et son mari était ceinturé par l'armée britannique. Pourtant au petit matin du 16 janvier 1981, vers 7 heures, si mes souvenirs sont bons, trois individus ont pénétré dans leur maison en fracturant leur porte et ont vidé leurs chargeurs sur eux devant leurs enfants horrifiés. Les militaires britanniques ont attendu une demi-heure avant d'alerter les secours. Comment imaginer que le couple pourrait survivre au-delà de ce délai à une quinzaine de balles ? Pourtant, c'est ce qui est advenu. Ils ont l'un et l'autre survécu à cette attaque de loyalistes protestants couverts par l'armée, même si les exécuteurs ont finalement été arrêtés et condamnés à des peines inférieures à celle que purgeait Bobby Sands pour le seul motif de détention d'armes. Treize ans plus tard, Smallwood, un des trois tireurs loyalistes, a été abattu par l'IRA. Les loyalistes ont décidé de ne pas se venger et de renoncer aux armes, ce qui a enclenché le processus de paix. Il se dit que Smallwood lui-même en avait assez de cette violence et qu'il en était arrivé à la conclusion qu'elle ne menait nulle part. »

Puis il en est venu là où je l'attendais.

« Votre ami m'a fait part de vos questions concernant votre mère. Je dirai que la fin de cette tragédie est trop récente pour que je m'autorise à vous donner des informations qui, un jour ou l'autre, à l'occasion de je ne sais quel retournement, pourraient m'être opposées. Je vais être volontairement concis. Les États-Unis, en tant que nation, étaient résolument contre nous. Que Bernadette Devlin ait été expulsée de leur territoire le démontre. Cette Amérique officielle est l'amie des Britanniques. Leurs services secrets collaborent. Au point qu'un certain Premier ministre ait pu être une taupe de la CIA, si j'en crois ceux qui voient le sémillant Tony Blair comme un pur produit de la Centrale. Mais nous avions nos sympathisants sur le sol américain, et leur sympathie se manifestait sous deux formes, l'argent et les armes légères. Pour les armes lourdes, il n'est un secret pour personne que nous étions approvisionnés par la Libye, comme les indépendantistes corses. Maintenant, venons-en à votre mère. Les recherches effectuées sur elle en font bien une native du comté de Fermanagh qui a fait ses études supérieures à Belfast avant de rejoindre le Canada. Son père tenait un garage de matériel agricole à quelques miles d'ici. Il est mort lorsqu'elle avait dix-sept ans. Sa mère était morte en couches à la naissance de son unique enfant. Son père, son nom irlandais était O'Dugain, n'a jamais fait de politique. Que votre mère ait contribué à réunir des fonds en faveur des républicains depuis le Canada où elle vivait est une éventualité que je ne peux confirmer dans la mesure où elle n'a jamais été en contact direct avec nous, ce qui répond d'ailleurs à une certaine logique, elle pouvait très bien réunir des fonds et les remettre à un intermédiaire sur un compte établi dans un paradis fiscal. Si c'est le cas, les services canadiens et britanniques en savaient plus sur elle que nous, vous comprenez. Son engagement, s'il a eu lieu, s'est décidé au Canada, avec des contacts en Amérique du Nord, mais pas depuis l'Irlande, je suis en mesure de vous l'affirmer. »

Il se tut brutalement, but une gorgée de bière, esquissa un demi-sourire.

« Qui aurait pu imaginer à cette époque qu'un jour un président des États-Unis pourrait être élu avec l'aide du président de la Russie ? Ces deux-là vont nous mettre sous la cloche du mensonge éhonté. Vous savez que Trump a un hôtel en bord de mer ici, en Irlande, et qu'il voulait construire un mur de cinq mètres de haut tout autour pour se prémunir de la montée des eaux à la suite du réchauffement climatique ? Les écologistes ont eu raison de son projet. Pour l'instant... »

Nous avons repris un autre verre puis un autre.

« On ne gagne pas une élection américaine sans acheter des voix. Poutine en a acheté pour l'élection de Trump, c'est certain. »

J'ai ajouté, goguenard :

« Je suis certain que Clinton en a acheté, lui aussi, pour faire perdre sa femme. Il craignait de se retrouver enfermé à la Maison-Blanche, en première dame, interdit de cigares, à déambuler avec un petit sac à main pour inaugurer tous les galas de charité. »

Mon interlocuteur a souri. J'ai poursuivi :

« Je me demande si je ne préférais pas la guerre froide à cette alliance de mafieux blancs. Mais Trump devrait se méfier. Le complexe militaro-industriel l'a laissé déverser sa démagogie comme un tombereau de purin sur un champ de betteraves, mais s'il ne rentre pas dans le rang, ils sauront trouver un cinglé facilement manipulable pour lui reprocher d'avoir renié ses promesses, puis l'armer et lui faciliter l'accès au président le plus consternant de l'histoire américaine. »

Je me suis levé en le remerciant pour le temps qu'il m'avait accordé. Il m'a demandé si je repartais bientôt au Canada et j'ai dû lui confesser que je ne m'étais jamais senti autant chez moi que sur cette terre d'Irlande, dans ce Nord-Ouest qui inspirait tellement Yeats.

« Le problème va être de convaincre ma femme. »

L'expression dans ses yeux s'est alors transformée et a reflété une forme de commisération d'autant plus remarquable chez cet homme dur et pudique. Sans me regarder il s'est levé, et je n'ai entendu que ses derniers mots, prononcés à voix basse :

« Existe-t-elle seulement ? »
Puis il m'a salué avant de sortir du pub sans m'attendre.

*

À la nuit tombante, je me suis arrêté sur les berges du lac MacNean qui recouvre de part et d'autre la frontière entre les deux Irlande. Au-dessus de moi de gros nuages argentés tournoyaient en bandes. Inspiré par la quiétude des eaux dormantes, j'ai écrit sur un calepin.

Au crépuscule, alors que je suis couché sur un lit de pierre, la constellation s'épanouit dans les tentacules de l'infini.

Je suis l'infinitésimal qu'aucun mensonge ne peut sauver, molécule sordide dont l'arrogance tisse sa destinée, aussitôt effacée.

Dessin sur cette bande de sable mouillé, bientôt recouverte par la marée des illusions, te voilà postérité. Grand de n'être rien d'autre qu'un passeur de témoin.

Viendra le temps où la farce humaine disparaîtra comme elle est advenue.

À l'échelon de l'univers, un ours blanc qui perd un poil.

Le minéral continuera sa course chaotique d'un astre à l'autre, débarrassé de l'écho de ces mots qui n'ont servi à rien.

Si ce n'est à entretenir une petite musique de l'esprit.

Une vieille qui se parle à elle-même pour se persuader qu'elle n'est pas seule.

Pourtant nous le sommes, petits êtres jacassants, grisés d'un langage imprécis, relais bruyant d'une conscience étriquée.

Hasards et risques d'une évolution.

Nous ont portés à nous croire les élus.

D'une représentation de nous-mêmes flatteuse et dérisoire.

L'ennui.

Serait bien pire encore sans la destruction.

À chaque époque sa horde de criminels en quête d'un feu follet dans les ténèbres de la mort portée.

Bientôt l'exode.

Pour nous fuir nous-mêmes, la conquête de nouveaux astres. De nouveaux fétichismes satisfaits par des richesses infinies.

L'éphémère avide de posséder.

Énergie de l'insatisfaction, moteur de l'humanité.

Le petit rien veut se remplir indéfiniment.

Sa chance? Ne pas assister à sa décomposition.

En dit long sur sa nature.

Sa malchance? Ne pas y assister. Remettrait les pendules à l'heure.

Reste un esprit caressant.

Demain s'ouvre la chasse.

À l'imposteur qui est en soi.

Composition PCA/CMB
Achevé d'imprimer
par CPI Firmin-Didot
à Mesnil-sur-l'Estrée en septembre 2017
Dépôt légal : septembre 2017
Premier dépôt légal : juillet 2017
Numéro d'imprimeur : 143823

ISBN : 978-2-07-269710-4/ Imprimé en France.

329527